Thieme

W0066089

Dr. phil. Michael Broda,
Dipl.-Psych.
Schriftleitung PiD

I cannot understand why people are frightened of new ideas.
I'm frightened of the old ones.

John Cage

Liebe Leserinnen, liebe Leser,

bei einer Bergwanderung vor ca. 10 Jahren im Vinschgau wollten die Jüngeren unserer Gruppe ein beherzteres Tempo anschlagen als wir und schon vorausgehen. Auf meinen Einwand „Aber ihr habt doch gar keine Karte!", zeigte mir der Freund unseres Sohnes sein Smartphone und die am Ausgangspunkt abfotografierte Wanderkarte mit Tourenbeschreibung. Was mich damals noch verblüffte (da wäre ich gar nicht draufgekommen), gehört heute zu unserem Alltag – rasant, und dennoch kaum merklich hat die Digitalisierung unser Leben verändert.

Spätestens nach der EU-Richtlinie zur Datenschutzgrundverordnung realisieren wir auch in der Psychotherapie, wie viele Daten inzwischen digital erfasst, verarbeitet und kommuniziert werden. Wie immer: Chance und Risiko!

Wie man andererseits sieht, ist die haptische Beschäftigung mit analogen psychotherapeutischen Inhalten bei der jüngsten Generation möglicherweise doch wieder im Kommen.

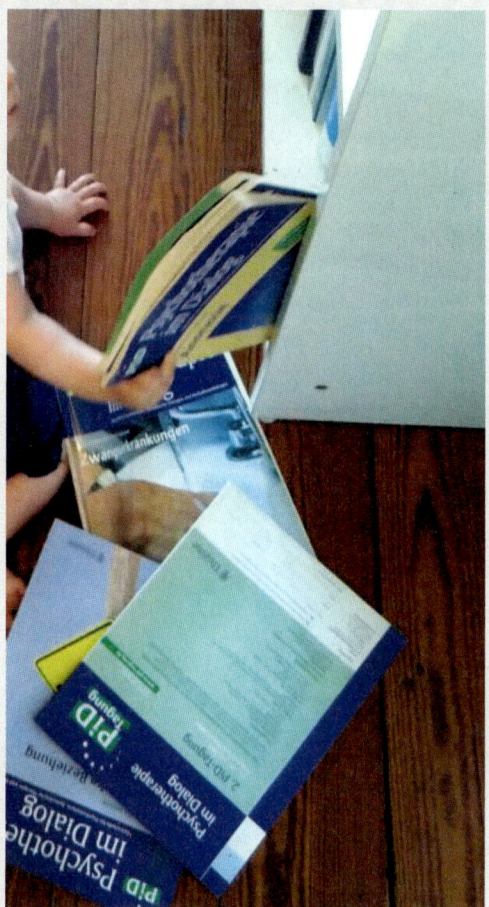

Eine interessante Lektüre wünscht Ihnen Ihr
Michael Broda

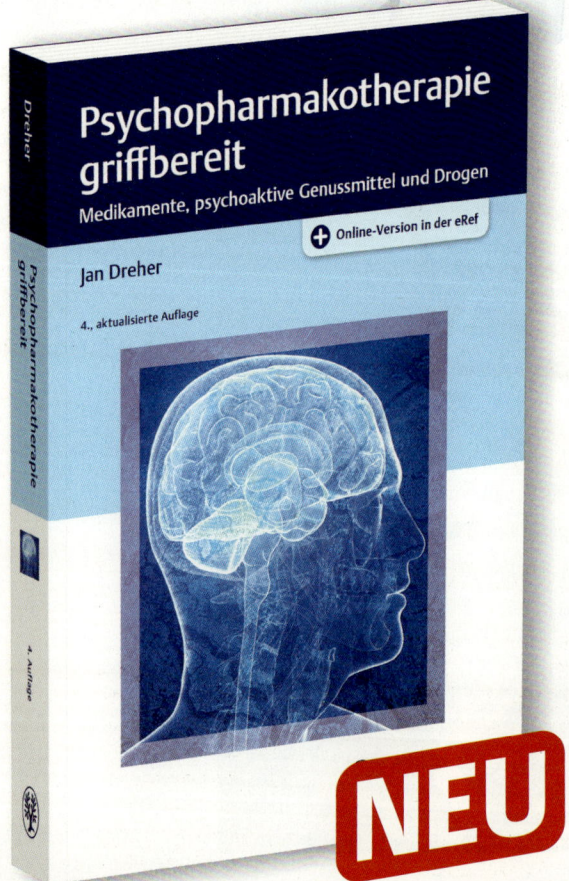

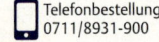 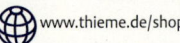

Prof. Dr. phil. Maria Borcsa, Dipl.-Psych.

(*1967) ist Professorin für Klinische Psychologie an der Hochschule Nordhausen. Nach Ausbildung und Tätigkeit an der Psychotherapeutischen Ambulanz der Universität Freiburg i.Br. und einer Psychosomatischen Fachklinik war sie in eigener Praxis als approbierte Psychologische Psychotherapeutin (VT) und Familientherapeutin tätig. Sie ist Dozentin für Systemische Beratung und Therapie im In- und Ausland und Supervisorin in Verhaltens- und Systemischer Therapie.

Dr. phil. Michael Broda, Dipl.-Psych.

Schriftleitung, *1952, ist Psychologischer Psychotherapeut, Supervisor und Lehrtherapeut für Verhaltenstherapie. Nach universitärer Lehr- und Forschungstätigkeit im Bereich der Rehabilitationspsychologie war er leitend in einer psychosomatischen Fachklinik tätig. Seit 1997 arbeitet er niedergelassen in eigener Praxis in Dahn. Er ist Mitherausgeber der Lehrbücher „Praxis der Psychotherapie" (mit W. Senf) und „Technik der Psychotherapie"(mit W. Senf und B. Wilms) sowie Fachgutachter Verhaltenstherapie (KBV).

Prof. Dr. phil. Christoph Flückiger, Dipl.-Psych.

*1974, ist Psychologischer Psychotherapeut, Supervisor und Referent an Ausbildungsinstituten für kognitive Verhaltenstherapie in der Schweiz, Deutschland und den USA. Er ist Abteilungsleiter des Lehrstuhls für Allgemeine Interventionspsychologie und Psychotherapie an den Universitäten Zürich und Leiter der am Lehrstuhl angegliederten Spezialpraxis für generalisierte Angststörungen.

Prof. Dr. med. Volker Köllner

*1960, ist Facharzt für Psychosomatische Medizin. Er war u. a. Oberarzt am Universitätsklinikum Dresden und Chefarzt der Fachklinik für Psychosomatische Medizin in Blieskastel. Seit 2015 ist er Chefarzt der Abteilung Verhaltenstherapie und Psychosomatik und ärztlicher Direktor am Rehazentrum Seehof der DRV in Teltow bei Berlin. Er ist Professor für Psychosomatische Medizin an der Medizinischen Fakultät Homburg/Saar und Lehrbeauftragter der Universitätsmedizin Charité, Berlin. Wissenschaftlich ist er in der Forschungsgruppe Psychosomatische Rehabilitation der Charité aktiv.

Prof. Dr. med. Henning Schauenburg

*1954, ist Arzt für Neurologie und Psychiatrie, Arzt für Psychosomatische Medizin und Psychotherapie, Psychoanalyse. Er arbeitet als Professor für Psychosomatik und Psychotherapie an der Universität Heidelberg sowie als stellvertretender Ärztlicher Direktor der Klinik für Allgemeine Innere Medizin und Psychosomatik am Universitätsklinikum Heidelberg.

Dr. phil. Barbara Stein, Dipl.-Psych.

*1960, ist Psychologische Psychotherapeutin und seit 2005 Leitende Psychologin der Klinik für Psychosomatische Medizin und Psychotherapie am Klinikum Nürnberg/Paracelsus Medizinische Privatuniversität (PMU). Ihre Schwerpunkte sind tiefenpsychologisch orientierte Psychotherapie, Paar- und Familientherapie, psychologische Beratung und Behandlung von körperlich Kranken, Supervision sowie Fort- und Weiterbildungstätigkeit.

Prof. Dr. rer. nat. Silke Wiegand-Grefe, Dipl.-Psych

*1964, ist Psychologische Psychotherapeutin (Psychoanalyse, Tiefenpsychologie), Paar- und Familientherapeutin und hat die Professur für Klinische Psychologie und Psychotherapie der MSH Medical School Hamburg, University of Applied Sciences and Medical University, inne. Sie leitet die Forschungsgruppe für Psychotherapie- und Familienforschung am Universitätsklinikum Hamburg Eppendorf in der Klinik für Kinder- und Jugendpsychiatrie, -psychotherapie und -psychosomatik. Außerdem ist sie als Dozentin und Supervisorin an mehreren Ausbildungsinstituten tätig.

Dr. med. Bettina Wilms

*1964, ist Fachärztin für Psychiatrie und Psychotherapie (Systemische Familientherapie und Verhaltenstherapie). Nach 11-jähriger Chefarzttätigkeit am Südharz Klinikum Nordhausen ist sie seit Februar 2016 Chefärztin der Klinik für Psychiatrie, Psychotherapie und Psychosomatik im Carl-von-Basedow Klinikum Saalekreis am Standort Querfurt. Ihre Schwerpunkte sind die psychiatrisch-psychotherapeutische Versorgung und berufliche Belastungssyndrome.

Dr. phil. Andrea Dinger-Broda, Dipl.-Psych.

*1957, ist Psychologische Psychotherapeutin (Verhaltenstherapie), Supervisorin, Lehrtherapeutin und Dozentin an Weiterbildungsinstituten. Nach wissenschaftlicher Mitarbeit an den Universitäten Freiburg (Rehabilitationspsychologie) und Bochum (Medizinische Psychologie) war sie als Leitende Psychologin an onkologischen, kardiologischen und psychosomatischen Rehabilitationskliniken tätig. Seit 1997 arbeitet sie niedergelassen in eigener Praxis in Dahn.

Gründungsherausgeber
Wolfgang Senf, Essen
Michael Broda, Dahn
Steffen Fliegel, Münster
Arist von Schlippe, Witten
Ulrich Streeck, Göttingen
Jochen Schweitzer, Heidelberg

Beirat
Cord Benecke, Kassel
Ulrike Borst, Zürich
Michael Brünger, Klingenmünster
Stephan Doering, Wien

Ulrike Ehlert, Zürich
Michael Geyer, Erfurt
Sabine Herpertz, Heidelberg
Jürgen Hoyer, Dresden
Johannes Kruse, Gießen
Hans Lieb, Edenkoben
Wolfgang Lutz, Trier
Dietrich Munz, Stuttgart
Hans Reinecker, Salzburg
Babette Renneberg, Berlin
Martin Sack, München
Silvia Schneider, Bochum
Gerhard Schüßler, Innsbruck

Bernhard Strauß, Jena
Kirsten von Sydow, Berlin
Kerstin Weidner, Dresden
Ulrike Willutzki, Witten/Herdecke

Leserbeirat
Siegfried Hamm, Köln
Karl Mayer, Freren
Heinz-Peter Olm, Wuppertal
Uta Preissing, Stuttgart
Jessica Schadlu, Düsseldorf

Verlag
Georg Thieme Verlag KG
Rüdigerstraße 14 · 70469 Stuttgart
Postfach 301120 · 70451 Stuttgart
www.thieme-connect.de/products
www.thieme.de/pid

Besuchen Sie die PiD im Internet!
Private Abonnenten können dort alle
bisher veröffentlichten Artikel über das
Online-Archiv abrufen.

Indexiert in: PSYNDEX

PiD Psychotherapie im Dialog

Dezember 2018 · 19. Jahrgang · Seite 1–112

E-Mental-Health

Lange schon hat die Digitalisierung Einzug in unser Leben gehalten, und sie greift unaufhaltsam weiter um sich. Auch vor der psychotherapeutischen Praxistür macht sie nicht Halt: Kommunikation über neue Medien, online-unterstützte Angebote, digitale Interventionstools, mobile Apps – vieles ist bereits möglich und verbreitet. Doch wie wirksam und wie gut evaluiert sind diese neuen Therapieformen? Wie steht es um deren Sicherheit, was gilt es bei der Nutzung zu beachten? Und welche Perspektiven und Fragen tun sich diesbezüglich für die Zukunft auf? PiD bietet einen breiten und praxisnahen Überblick über das Thema E-Mental-Health und setzt sich kritisch-differenziert mit den Optionen und Entwicklungen auseinander.

E-Mental-Health

Ein Fall – verschiedene Perspektiven

Lesenswert

Backflash

Titelbild: Quelle: Westend61

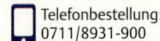

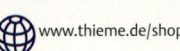

Ängste bei Krebspatienten: Wie wirksam sind psychoonkologische Interventionen?

Sanjida S et al. Are psychological interventions effective on anxiety in cancer patients? A systematic review and meta-analyses. Psychoon-cology. 2018. doi: 10.1002/pon.4794

Ängste bis hin zur klinisch relevanten psychischen Störung sind ein häufiges Phänomen bei Krebspatienten und können die Lebensqualität erheblich beeinträchtigen. Um die allgemeine Wirksamkeit psychoonkologischer Interventionen bei den Betroffenen genauer untersuchen zu können, haben Sanjida et al. nun eine systematische Literaturrecherche inklusive einer Metaanalyse durchgeführt.

Keine Frage: Eine neu diagnostizierte Krebserkrankung kann bei den betroffenen Patienten große Ängste schüren und die Lebensqualität erheblich herabsetzen. Sind Sorgen und Ängste in einem gewissen Ausmaß nach solch einschneidender Diagnose eine normale menschliche Reaktion, können sie sich in einigen Fällen bis hin zur ernsthaften und klinisch manifesten psychischen Störung entwickeln. Betroffene leiden dann an extremer Besorgtheit, Ruhelosigkeit und Schlafstörungen. Aktuelle Publikationen schätzen die Jahresprävalenz von Angststörungen bei Krebspatienten auf etwa 16 %.

Um Betroffenen helfen zu können, gibt es verschiedene psychoonkologische Interventionsmöglichkeiten, die in den letzten Jahren zunehmend im Rahmen klinischer Studien untersucht worden sind. Sanjida und KollegInnen wollten nun ermitteln, wie die Gesamteffektstärke solcher Behandlungsansätze einzuschätzen ist und welche Charakteristika auf Seiten der Patienten und der Intervention die entsprechenden Effekte beeinflussen.

Dazu führten sie zunächst eine systematische Literaturrecherche in 6 hochrangigen internationalen Datenbanken durch. Die Suche wurde auf den Zeitraum von Januar 1993 bis Juni 2017 begrenzt. Die wichtigsten Suchbegriffe waren „cancer", „anxiety", „psychological Intervention", und „counseling".

Für die Patienten der Studien stellten die Autoren folgende Einschlusskriterien auf:
- Alter ab 18 Jahren,
- Krebsdiagnose,
- Teilnahme an einer psychologischen Intervention zur Vermeidung von Angstsymptomen.

Bei den Interventionen akzeptierten die Autoren sowohl Einzelsitzungen als auch eine Gruppentherapie. Geeignete formen waren kognitive Verhaltenstherapie, Psychoedukation, Psychotherapie und Beratung. Als wichtigstes Kriterium mussten alle Interventionen ausdrücklich der Angstreduktion dienen. Geeignete Studien sollten schließlich randomisiert und kontrolliert sein. Die Autoren verwendeten ein Risk of Bias Tool und orientierten sich bei der Auswahl und der Metaanalyse strikt an dem Prisma Statement.

Als primären klinischen Endpunkt definierten sie den Effekt bzw. die Effektstärke der psychologischen Intervention auf Ängste oder emotionalen oder psychologischen Stress. Jede Studie sollte daher auch einen entsprechenden Score bzw. einen Endpunkt mit direktem Bezug zu Angstsymptomen haben.

Geringe Effektstärke

Die Literaturrecherche ergab 1195 Publikation, 71 von ihnen gingen in die qualitative Auswertung mit ein und 51 erfüllten die Kriterien für die Metaanalyse. Die meisten Studien wurden nach 2010 publiziert, 29 davon in Europa und 19 in Nordamerika. Sie schlossen insgesamt 13098 Patienten mit Krebserkrankungen ein.

Die Stichprobengröße der Studien variierte zwischen 40 und 803 Teilnehmern. Etwa 75 % aller Teilnehmer waren weiblich, das durchschnittliche Lebensalter lag bei 55 Jahren. Zu den häufigsten Interventionsformen zählten die kognitive Verhaltenstherapie, Entspannungstechniken sowie psychosoziale Therapie. Hauptakteure waren zumeist Psychologen, die Dauer der Intervention belief sich auf 4 Tage bis zu einem Jahr. Als Messinstrumente zur Erfassung des Endpunktes kamen am häufigsten die Hospital Anxiety and Depression Scale sowie das State-Trait Anxiety Inventory zum Einsatz.

Die metaanalytische Auswertung ergab eine Gesamteffektstärke für die Reduktion von Angstsymptomen von −0,21 zugunsten der Intervention (95 % Vertrauensintervall −0,30 bis −0,13). In der Subgruppenanalyse waren die Effektstärken am höchsten für Studien mit speziell aufgrund von Ängsten rekrutierten Patienten sowie bei Studien, bei denen die Intervention genau an die Bedürfnisse der Patienten angepasst war. In ihrem Diskussionsteil kritisierten die ForscherInnen, dass nur wenige Studien im Stadium der Rekrutierung ein Screening-Instrument in Hinblick auf Angststörungen verwendeten.

Psychoonkologische Interventionen richten gegen die Krebszellen selbst nichts aus, sollen aber die Ängste von Krebspatienten reduzieren.
Quelle: fotoliaxrender / Fotolia.com

FAZIT

Psychoonkologische Interventionen können nach dieser Übersichtsarbeit und Metaanalyse die Ängste von Krebspatienten reduzieren. Die Effektstärke war insgesamt allerdings gering und hing stark von der Vorauswahl der Patienten und der Anpassung der Therapie an individuelle Bedürfnisse statt. Hier empfehlen die AutorInnen unbedingt weitere Studien.

Dipl.-Psych. Annika Simon, Hannover

Depression als Risikofaktor für chronische Krankheiten?

Poole L et al. Depressive symptoms predict incident chronic disease burden 10 years later: Findings from the English Longitudinal Study of Ageing (ELSA). J Psychosom Res. 2018. doi: 10.1016/j.jpsychores.2018.07.009

Chronische Erkrankungen sind ein großes Problem für das Gesundheitssystem, Möglichkeiten zur Prävention werden dringend gesucht. Da zahlreiche Studien einen Zusammenhang zwischen Depressionen und chronischen Erkrankungen implizieren, haben Poole und Steptoe dort angesetzt und eine entsprechende Kohortenstudie durchgeführt. Sie wollten dabei wissen, ob Depression bei physisch gesunden Älteren die Krankheitslast 10 Jahre später vorhersagen kann.

Zur Beantwortung dieser Frage griffen die Forscher auf Daten der sog. English Longitudinal Study of Ageing (ELSA) zurück. In mehreren Wellen wurden dazu Menschen ab einem Alter von 50 Jahren, die in England lebten, über 10 Jahre begleitet. Für die hiesige Datenauswertung konzentrierten sich Poole und Steptoe v. a. auf die Kohorte der 2. Welle zwischen 2004 und 2014/2015. Wichtigstes Einschlusskriterium für die Datensätze war die Abwesenheit einer chronischen Erkrankung zu Beginn des Beobachtungszeitraums.

Jeder geeignete Teilnehmer füllte zu Studienbeginn den Centre for Epidemiological Studies Depression Scale (CES-D) aus. Die Krankheitslast 10 Jahre später erfassten die Forscher durch die Summe an chronischen Erkrankungen, einschließlich kardiovaskulärer Erkrankungen, Herzerkrankungen, Diabetes mellitus, Arthritis, Osteoporose, Lungenerkrankung, Krebs und Morbus Parkinson.

Um den Einfluss möglicher Kofaktoren untersuchen zu können, wurden weiterhin klassische demografische Daten wie Alter, Geschlecht und Ethnie erhoben. Zur Registrierung der Krankheitslast im Verlauf der 10 Jahre füllten die Teilnehmer regelmäßig verschiedene Fragebogen aus und wurden in Bezug auf Körpergewicht und Krankheitslast auch von speziell ausgebildeten Krankenschwestern untersucht. Bei der statistischen Auswertung griffen die Studienautoren auf ein logistisches Regressionsmodell zurück.

Depressionen als starker Prädiktor

Von den insgesamt 8780 Teilnehmern der 2. Studienwelle hatten 3299 zu Beginn des Beobachtungszeitraumes keine chronische Erkrankung. Nach Ausschluss von 827 Personen aufgrund fehlender Daten identifizierten die Forscher 2472 geeignete Datensätze. Die Studienteilnehmer waren durchschnittlich 62,88 Jahre alt, 50,8 % von ihnen weiblich. Die Anzahl depressiver Symptome bzw. der Score des CES-D zu Studienbeginn waren sehr niedrig mit einem durchschnittlichen Gesamtwert von 1,00 von insgesamt 8 zu erreichenden Punkten.

31,2 % der Probanden entwickelte im Verlauf der Studie mindestens eine chronische Erkrankung, bei 9,9 % waren es 2 Diagnosen. Am häufigsten wurden dabei Arthritis berichtet, gefolgt von Krebs und Diabetes. Die Häufigkeit depressiver Symptome bzw. das Ergebnis des CES-D war ein starker unabhängiger Prädiktor für die Krankheitslast 10 Jahre später. Die Zunahme des Scores um einen Punkt erhöhte das Risiko einer chronischen Erkrankung nach dem Beobachtungszeitraum dabei um 5 %.

Auch nach Bereinigung um mögliche Kofaktoren wie Alter, Geschlecht und Einkommen blieb der Zusammenhang bestehen. In einer Subanalyse erwiesen sich dabei besonders somatische depressive Symptome als ausschlaggebend für eine spätere Erkrankung. In Hinblick auf die einzelnen Diagnosen war der Zusammenhang am stärksten für kardiovaskuläre Erkrankungen, gefolgt von anderen Herzerkrankungen, Lungenerkrankungen, Arthritis und Osteoporose. Für Diabetes, Schlaganfälle, Krebs oder Morbus Parkinson ließen sich im logistischen Regressionsmodells dagegen keine so starken Zusammenhänge nachweisen.

FAZIT

Depressive Symptome bei gesunden Erwachsenen ab 50 Jahren konnten in dieser Kohortenstudie die Krankheitslast 10 Jahre später vorhersagen. Die AutorInnen halten daher Depressionen für einen wesentlichen Risikofaktor und betonen die große Bedeutung eines frühzeitigen Screenings auf depressive Symptome zur Prävention chronischer Erkrankungen und Multimorbidität.

Dipl.-Psych. Annika Simon, Hannover

Psychotherapieforschung: Wie wichtig ist Einsicht für den Behandlungserfolg?

Jennissen S et al. Association Between Insight and Outcome of Psychotherapy: Systematic Review and Meta-Analysis. Am J Psychiatry. 2018. doi: 10.1176/appi.ajp.2018.17080847

Welche Mechanismen bestimmen den Erfolg einer Psychotherapie? Wie kann man diese objektivieren, und welche messbaren Effekte lassen sich feststellen? Um diese Fragen für den möglichen Einflussfaktor „Einsicht" beantworten zu können, haben Jennissen et al. eine systematische Übersichtsarbeit einschließlich Metaanalyse durchgeführt.

Einsicht ist einer der ältesten angenommenen Wirkmechanismen, besonders von psychodynamischen Psychotherapien. Bisher gibt es jedoch nur wenige empirische Untersuchungen zum Zusammenhang von Einsicht und Psychotherapieerfolg. Mithilfe eines systematischen Reviews mit anschließender Metaanalyse wurde die Höhe des korrelativen Zusammenhangs von Einsicht und Therapieerfolg bestimmt. Einsicht wurde dabei definiert als das Erlangen von Verständnis für den Zusammenhang von vergangenen und aktuellen Erfahrungen in Bezug auf eigene Gedanken, Gefühle, Wünsche oder Verhaltensweisen. Dazu gehört auch das Verständnis für maladaptive Beziehungsmuster.

Das Autorenteam richtete sich in seinem methodischen Vorgehen nach dem Prisma Statement und führte zunächst eine systematische Literaturrecherche in den Datenbanken PsychINFO, PsychARTICLES, PSYNDEX und PubMed durch. Anschließend wurden aus den identifizierten Studien nach vorab festgelegten Kriterien diejenigen Studien ausgewählt, die in die Metaanalyse einbezogen werden konnten. Geeignete Publikation mussten folgende Kriterien erfüllen:

- Erwachsene Patienten ab 18 Jahren,
- Teilnahme an einer Psychotherapie oder Beratung,
- Durchführung der Therapie durch professionelle Therapeuten,
- quantitative Messung der Einsicht,
- quantitative Messung des Behandlungserfolgs.

Es wurden keine Limitierungen im Hinblick auf die therapeutische Schule der durchgeführten Psychotherapien gesetzt, die Studien mussten in deutscher oder englischer Sprache publiziert worden sein. Für die Metaanalyse nutzten Jennissen und Team ein Random-Effects-Modell und berechneten als Effektgröße den Korrelationskoeffizienten.

Moderate Effektstärke

Die Literaturrecherche identifizierte zunächst 13 849 Studien, von denen 22 Studien mit insgesamt 23 unabhängigen Effektgrößen die Einschlusskriterien erfüllten. Diese Untersuchungen umfassten insgesamt 1112 Patienten. Diese waren durchschnittlich 35,27 Jahre alt, 63,84 % von ihnen weiblich. Die durchschnittliche Anzahl an Therapiesitzungen lag bei 20, mit einer Spannweite zwischen einer Sitzung und 1118 Sitzungen. Der überwiegende Teil der Patienten litt an einer Achse-I-Störung nach DSM IV wie Depression, Angststörung, Essstörung oder somatoforme Störung. Zwölf Behandlungskonzepte wurden von den Studienautoren als psychodynamisch identifiziert, die 11 anderen Therapieformen waren gemischt, darunter kognitive Verhaltenstherapie und unspezifische Beratungen.

Zur Objektivierung der Einflussgröße Einsicht kamen 18 verschiedene Messinstrumente zum Einsatz, für die Messung des Behandlungserfolgs identifizierten die Forscher sogar 27 verschiedene Skalen. Am häufigsten wurde hierbei die Symptomschwere erfasst. Das Random-Effects-Modell für den Zusammenhang zwischen Einsicht und Behandlungserfolg ergab eine moderate Effektgröße von 0,31 (95 % Vertrauensintervall zwischen 0,22 und 0,40). Elf Studien berichteten nicht signifikante Effektgrößen. Die Heterogenität der Effektgrößen zwischen den Studien war sehr groß, was die Autoren u. a. auf die Verwendung verschiedener Einsichtsmaße zurückführten. Sensitivitätsanalysen (u. a. funnel plot, trim-and-fill-procedure) zeigten allerdings z. B., dass das Risiko eines Publikationsbias sehr gering war.

FAZIT

Einsicht auf Seiten des Patienten weist einen bedeutenden Zusammenhang mit dem Behandlungserfolg einer Psychotherapie auf. Die gezeigte Effektgröße liegt in einem ähnlichen Bereich wie diejenigen anderer allgemeiner Wirkfaktoren wie der therapeutischen Allianz, Empathie oder positiver Wertschätzung. Der gezeigte Zusammenhang ist also ein erster Schritt für die genauere Untersuchung von Einsicht als Wirkfaktor. Um zu zeigen, dass Einsicht tatsächlich als Mechanismus therapeutischer Veränderung agiert, sind weitere Untersuchungen notwendig, die deren vermittelnden (mediierenden) Effekt untersuchen. Darüber hinaus ist noch nicht geklärt, inwiefern Einsicht schulenübergreifend bedeutsam ist. Der Zusammenhang deutet jedoch darauf hin, dass ein Zugewinn an Verständnis für eigene maladaptive Beziehungsmuster Patienten dabei helfen könnte, ein Gefühl der Bewältigbarkeit und Ideen für neuen Verhaltensmöglichkeiten zu entwickeln.

Dipl.-Psych. Annika Simon, Hannover

Affektive Störungen: Gedanken an den Lieblingsmenschen können Symptome lindern

Carnelley KB et al. Effects of repeated attachment security priming in outpatients with primary depressive disorders. J Affect Disord. 2018. doi: 10.1016/j.jad.2018.02.040

Depressive Störungen zählen zu den häufigsten psychischen Erkrankungen, und gehen neben einer starken Belastung für die Betroffenen mit hohen Kosten für die Gesundheitssysteme einher. Vor diesem Hintergrund werden immer wieder neue Behandlungsstrategien entwickelt. Carnelley und Team haben nun untersucht, ob eine Erinnerung an sichere Bezugspersonen als textbasiertes Priming die Symptomlast vermindern kann.

Mehr emotionale Sicherheit und weniger Ängste – gezielt an geliebte Bindungspersonen zu denken, hatte in einer aktuellen Studie positive Effekte. (Quelle: Thaut Images / Fotolia.com)

Obgleich es heute mit modernen Antidepressiva, der kognitiven Verhaltenstherapie und Tiefenpsychologisch fundierter Psychotherapie effektive Behandlungsmöglichkeiten für Patienten mit depressiven und Angststörung gibt, bleibt die Responderrate unzureichend – zusätzliche effektive Therapien werden gesucht. Da gleichzeitig Studien aus der Bindungsforschung einen Zusammenhang zwischen Bindungsverhalten und Symptomlast andeuten, haben Carnelley und Kollegen nun hier angesetzt und eine Art textbasiertes Bindungspriming entwickelt. Hierbei werden Patienten mit klinisch manifester depressiver Störung mithilfe von Textnachrichten regelmäßig daran erinnert, an eine vorher ausgewählte Bezugsperson zu denken.

Eingeschlossene Studienteilnehmer hatten eine depressive Störung, bekamen mindestens ein Antidepressivum verordnet und nahmen an einer psychotherapeutischen Behandlung teil. Patienten mit manischen Episoden und psychotischen Krankheitskomponenten wurden ausgeschlossen. Vor Beginn der Studie füllten die Patienten mehrere Fragebogen zur Selbstbeurteilung aus, darunter den „Experience in Close Relationships Short Version" Fragebogen zur Beurteilung und Einschätzung von Beziehungsverhalten, sowie den Profile of Mood States (POMS) zur Erfassung von depressiven Symptomen und Ängsten.

In der ersten Sitzung machten die Patienten Angaben zu ihren 10 liebsten Bezugspersonen, zu denen sie eine sichere Bindung haben sollten. In den folgenden 3 Tagen wurden sie mithilfe von Textnachrichten dazu aufgefordert, sich eine dieser Bezugsperson vor das geistige Auge zu rufen und an sie zu denken. Im Anschluss machten die Teilnehmer Angaben zur ihrem emotionalen Sicherheitsempfinden und erneut zu depressiven Symptomen und Ängsten. Um die Effekte dieses Primings auf die Krankheitssymptomatik untersuchen zu können, ließen die Forscher eine Kontrollgruppe mitlaufen, die kein spezifisches Priming bzw. ein Placebo-Priming erhielt.

Mehr Sicherheit, weniger Ängste

48 Erwachsene nahmen an der Studie teil, 29 von ihnen waren weiblich, alle erfüllten die ICD-10 Kriterien einer primären depressive Störung. Patienten, die das o. g. Priming erhielten, fühlten sich zu Ende der Studie insgesamt auf emotionaler Ebene deutlich sicherer. Das konnten die Untersucher mit einem entsprechenden Score nachweisen. Der signifikante Gruppenunterschied zeigte sich dabei zu allen Messzeitpunkten.

Darüber hinaus konnte das Sicherheitspriming depressive Symptome und Ängste im Vergleich zur Kontrollgruppe deutlich reduzieren, obgleich auf statistischer Ebene die Unterschiede nur zu einem Messzeitpunkt signifikant wurden. In ihrer Diskussion weisen die Autoren einschränkend auf eine geringe statistische Power aufgrund einer kleinen Stichprobengröße hin, betonen aber die dennoch die nachweisbare Wirksamkeit ihres Primingverfahrens.

FAZIT

Werden Depressive über Textnachrichten daran erinnert, an eine geliebte Bindungsperson zu denken, konnte das in dieser klinischen Studie depressive Symptome und Angstsymptome verringern. Da sich zudem das emotionale Sicherheitsgefühl der Betroffenen verstärkte und das „Priming" leicht durchführbar ist, halten die AutorInnen ihr Verfahren für eine sinnvolle Ergänzung zu etablierten Therapieansätzen.

Dipl.-Psych. Annika Simon, Hannover

Das Einpersonenrollenspiel

Das Einpersonenrollenspiel kann einge-setzt werden, wenn ein problemrele-vantes, dysfunktionales Schema hinrei-chend geklärt ist und nun bearbeitet werden soll: Das Schema soll systema-tisch hinterfragt, disputiert, widerlegt und durch funktionale Annahmen er-setzt werden.

Vorgehen

Im Einpersonenrollenspiel definiert der Therapeut 2 Positionen für den Klienten:

- Klientenposition: Klient als Klient (KK)
- Therapeutenposition: Klient als sei-gener Therapeut (KT)

Um dem Klienten die beiden Positionen au-genscheinlich zu machen, stellt der Thera-peut 2 Stühle gegenüber und definiert auf jedem Stuhl eine der Positionen für den Kli-enten; seinen eigenen Stuhl stellt er querab zu den beiden Stühlen.

Aufgaben des Klienten

Klientenposition Die Aufgabe des Klien-ten auf der Klientenposition besteht darin, seine dysfunktionalen Annahmen zu ver-treten. Der Klient aktiviert und klärt mit-hilfe des Therapeuten seine Schemata, ar-beitet Annahmen heraus, die sich mithilfe des Einpersonenrollenspiels prüfen lassen, und er prüft hier, inwieweit ihn Gegenargu-mente überzeugen.

Therapeutenposition Auf der Therapeu-tenposition hat der Klient z. B. die Aufgabe, sich von seinen Annahmen zu distanzieren, sie kritisch zu hinterfragen und zu prüfen, Gegenannahmen oder Gegenaffekte zu ent-wickeln, Ressourcen zu aktivieren, den Kli-enten zu Veränderungen zu motivieren usw.

Funktionen des Therapeuten

Der Therapeut hat, ebenso wie der Klient, 2 Rollen oder Funktionen zu erfüllen:

- Sitzt der Klient auf der Klientenposi-tion, nimmt der Therapeut die Rolle eines Therapeuten ein und hat auch die „normalen" Aufgaben eines Thera-peuten.

- Sitzt der Klient auf der Therapeutenpo-sition, dann nimmt der Therapeut die Rolle des Supervisors für diesen Thera-peuten ein. Er unterstützt den Thera-peuten darin, Gegenargumente zu fin-den, Annahmen zu prüfen und zu hin-terfragen.

Ablauf

Das Einpersonenrollenspiel verläuft in einer Serie von Dreierschritten:

- 1. Schritt: Der Klient sitzt auf der Klien-tenposition (KK) und vertritt die dys-funktionale Annahme.
- 2. Schritt: Der Klient sitzt auf der The-rapeutenposition (KT) und arbeitet mit dem Supervisor Gegenstrategi-en gegen die dysfunktionale Annah-me aus
- 3. Schritt: Klient sitzt auf der Klienten-position (KK) und prüft nun zusammen mit dem Therapeuten die Stimmigkeit der Gegenstrategie.

Klient auf Klientenposition: Her-ausarbeiten einer bearbeitbaren Annahme

Das Einpersonenrollenspiel beginnt, wenn es Therapeut und Klient gelungen ist, eine bearbeitbare Annahme herauszukristalli-sieren, d. h. eine Annahme, die nun im Rol-lenspiel geprüft und verändert werden soll und verändert werden kann. Eine bearbeit-bare Annahme sollte ein Aspekt eines pro-blemrelevanten, dysfunktionalen Sche-mas sein. Hat ein Klient z. B. ein negatives Selbstschema, dann könnte eine bearbeit-bare Annahme sein: „Ich bin ein Versager".

Weiter bearbeitbare Annahmen sind bei-spielsweise:

- Ich habe im Leben alles falsch ge-macht.
- Niemand interessiert sich für mich.
- Beziehungen sind nicht verlässlich.

Klient auf Therapeutenposition: Bearbeitung der Annahme

Die 2. Phase des Zyklus beginnt, wenn der Therapeut den Klienten auf die Therapeu-

tenposition (KT) wechseln lässt. Der Klient bearbeitet nun mithilfe des Supervisors die formulierte Annahme.

Diese Phase beginnt mit der Instruktion an den Klienten. Sitzt der Klient auf dem The-rapeutenstuhl, sagt der Supervisor: „Sie sind jetzt Ihr eigener Therapeut. Das heißt, Sie sind ganz anderer Meinung als Ihr Kli-ent. Ihre Aufgabe ist es, etwas zu finden, was Ihrem Klienten hilft. Ich unterstütze Sie dabei. Ihr Klient sagt ... (der Supervisor wie-derholt die Annahme des KK) ... Was könnte Ihrem Klienten helfen?"

Dann formulieren Supervisor und Klient-therapeut eine Gegenstrategie. Der Zug endet damit, dass der Klienttherapeut die erarbeitete Gegenstrategie dem Klientklien-ten, den er auf den gegenüberliegenden Stuhl imaginiert, sagt.

Klient auf der Klientenposition: Prüfen der Gegenargumente

Die 3. Phase des Einpersonenrollenspiels beginnt, wenn der Klient auf die Klienten-position zurückwechselt und dann die Ge-genargumente prüft, die der Klientthera-peut ihm gesagt hat: Therapeut: „„Sie sind jetzt wieder Klient. Ihr Therapeut sagt ... (Therapeut wiederholt die Gegenstrate-gie). Was überzeugt Sie davon? ... Und was überzeugt Sie nicht?"

Die Stimmigkeitsprüfung erfolgt hier in 2 Schritten.

- Im 1 Schritt soll der Klient feststellen, welche Aspekte ihn überzeugen und warum. Dazu sollte sich der Therapeut unbedingt Zeit nehmen, die neuen Er-kenntnisse mit dem Klienten mehrmals durchzugehen, um sie im Gedächtnis des Klienten zu verankern und bereits erste Konsequenzen daraus abzuleiten.
- Im 2. Schritt der Stimmigkeitsprü-fung soll der Klient dann feststellen, welche Aspekte ihn nicht überzeugen (und warum nicht), ob es ein „Aber" gibt, einen gefühlsmäßigen Wider-stand oder ein (diffuses) Unbehagen. Der Therapeut macht hier deutlich,

dass es beim Einpersonenrollenspiel darum geht, solche Inhalte zu finden, die der Klient integrieren kann. Findet der Klient ein „Aber", klären Therapeut und Klient ausführlich. Dbei werden oft neue Schemaaspekte herausgearbeitet, die dann der Ausgangspunkt für einen neuen Zyklus sind.

Nachbesprechung

Jedes Einpersonenrollenspiel sollte mit dem Klienten nachbesprochen werden, und zwar im Hinblick auf folgende Fragen:

- Gab es für den Klienten Probleme im Einpersonenrollenspiel und kann der Therapeut den Klienten eventuell besser unterstützen?
- Was hat der Klient aus dem Einpersonenrollenspiel mitgenommen, was will er behalten, weiterentwickeln? Welche Aspekte müssen noch weiter bearbeitet werden?

Autorinnen/Autoren

Rainer Sachse
Prof. Dr., geb. 1948. 1969–1978 Studium der Psychologie an der Ruhr-Universität Bochum. Ab 1980 Wissenschaftlicher Mitarbeiter, 1985 Promotion, 1991 Habilitation. Privatdozent an der Fakultät für Psychologie der Ruhr-Universität Bochum. Seit 1998 außerplanmäßiger Professor; Leiter des Instituts für Psychologische Psychotherapie (IPP), Bochum. Arbeitsschwerpunkte: Persönlichkeitsstörungen, Psychosomatik, Klärungsorientierte Psychotherapie, Verhaltenstherapie.

Jana Fasbender
Dipl.-Psych., Psychologische Psychotherapeutin; Ausbildungskoordinatorin, Dozentin und Supervisorin des Instituts für Psychologische Psychotherapie (IPP), Bochum. Arbeitsschwerpunkte: Klärungsorientierte Psychotherapie, Achtsamkeitsbasierte Verfahren, Verhaltenstherapie.

Korrespondenzadresse

Prof. Dr. Rainer Sachse
Institut für Psychologische Psychotherapie
Prümerstr. 4
44787 Bochum
info@ipp-bochum.de

Literatur

[1] Sachse R, Püschel O, Fasbender J, Breil J. Klärungsorientierte Schemabearbeitung – Dysfunktionale Schemata effektiv verändern. Göttingen: Hogrefe; 2008

Bibliografie

DOI https://doi.org/ 10.1055/a-0592-0241 PiD - Psychotherapie im Dialog 2018; 19: 11–12
© Georg Thieme Verlag KG Stuttgart · New York
ISSN 1438–7026

E-Mental-Health

**Prof. Dr. phil.
Christoph Flückiger**

Universität Zürich
christoph.flueckiger@
psychologie.uzh.ch

**Prof. Dr. rer. nat.
Silke Wiegand-Grefe**

Universitätsklinikum
Hamburg Eppendorf
s.wiegand-grefe@uke.de

Wie fühlt sich Digitalisierung an? Erstaunlich unspektakulär spektakulär!

Wann haben Sie zum ersten Mal von der Chaostheorie gehört? Erinnern Sie sich an die Dramatik von damals, wie ein Schmetterlings-Flügelschlag in Europa einen Tropensturm auslösen könne? Erinnern Sie sich auch an die farbigen Mandelbrot´schen Apfelmännchen? Ein digitaler LSD-Trip auf dem ersten Apple Macintosh! Und heute: Erinnern Sie die informativen, schön aufbereiteten, intuitiv verstehbaren und präzisen Wettervorhersagen an die damalige Dramaturgie des Flügelschlags? Werden Sie heute stets an das Apfelmännchen erinnert, wenn Sie Ihr Apple iPhone zur Hand nehmen? Wohl kaum!

Große Veränderungen in kleinen Schritten

Möglicherweise geht es Ihnen soeben wie uns: Wir staunen primär! Wir staunen darüber, wie sich bis jetzt in unseren Breitengraden die digitale Revolution vergleichsweise gesittet vollzogen hat. Wir staunen darüber, wie spektakulär unspektakulär sich die Veränderungen eingestellt haben. Jahr für Jahr ein kleines Update hier und ein größeres Upgrade dort. Bisher kein Orwell´scher Überwachungsstaat nach chinesischem Vorbild, kein Einsturz der gesamten vordigital steckengebliebenen Autoindustrie nach amerikanischem Vorbild, keine präsidiale Erschütterung der basalen demokratischen Grundwerte durch erfolgreiche russische Hacker.

Die Digitalisierung vollzieht sich im Großen und Ganzen erstaunlich unaufregend. Sie fließt, wie das nachfolgende Themenheft eindrücklich belegt, ebenfalls in die Psychotherapie ein. Wir sind froh, dass Fallberichte und schriftliche Dokumentationen nicht mehr mit der Schreibmaschine verfasst werden müssen – genau mit mechanischen Schreibmaschinen, die einige von uns nur noch als Kinderspielzeug kennen. Keine Karteikarten mehr, um die Jahresabrechnungen in doppelter Buchführung zu verfassen – tempi passati!

Psychologische Interventionen werden besser erreichbar

Im vorliegenden Themenheft haben wir versucht, eine möglichst breite und praxisnahe Einführung in das Thema zusammenzustellen. Wir konnten Experten gewinnen, die ein differenziertes und (selbst-)kritisches Bild ihres Forschungsgegenstandes darstellen. Berger und Krieger bieten eine Übersicht über therapeutische Möglichkeiten, psychologische Interventionen via Internet und ohne Therapeuteneinsatz mit bestehenden Psychotherapieformen zu kombinieren. Der Beitrag von Wolf et al. stellt Interventionen zur Nachsorge vor, die niedrigschwellig genutzt werden können. Baumeister et al. zeigen auf, wie engmaschig die Verzahnung der modernen therapeutischen Formen für bestehende Therapien genutzt werden kann. Diese einführenden Beiträge dokumentieren eindrücklich, wie neue Medien dazu beitragen können, die Erreichbarkeit psychologischer Interventionen für die Gesamtbevölkerung zu verbessern.

Thorwart dokumentiert in seiner Zusammenstellung, was PsychotherapeutInnen bezüglich Schweigepflicht und Datenschutz konkret beachten sollen, wenn sie in der Therapie neue Kommunikationsmittel nutzen. Die darauffolgenden Beiträge stellen Chancen und Risiken bei der zeitnahen Erfassung des Patientenverhaltens dar: Rathner und Probst bieten eine breite Zusammenstellung von Mental-Health Apps, wie sie für Psychoedukation, Lebensstilmodifikation oder Gesundheitsmanagement in bestehenden Therapien genutzt werden können. Weiter fokussiert der Beitrag von Assmann et al. auf die Möglichkeiten von Verhaltensplänen bei Kindern und Jugendlichen. Held und Vîslă bieten eine Übersicht über die Chancen und Risiken des Ecological Momentary Assessments, wo klinisch relevante Daten außerhalb der Therapie erhoben und für die Therapie genutzt werden können. Diese Beiträge zeigen Möglichkeiten auf, wie moderne Medien relativ unaufgeregt in die eigene Praxis integriert werden können.

Die Digitalisierung ist in der Psychotherapie angekommen

Ein weiterer Themenblock stellt konkrete Interventionstools für spezifische Risikogruppen vor: Der Beitrag von Heim et al. dokumentiert mobile Angebote für Geflüchtete. Bernardy et al. bieten einen Einblick in ein Online-Programm für SchmerzpatientInnen. Tutus et al. stellen eine Plattform vor, die bestehende Therapien von Kindern und Jugendlichen und deren Eltern mit internetgestützten Interventionen ergänzt. Dorow et al. bieten einen Einblick in den Einsatz eines Selbstmanagement-Tools im stationärpsychiatrischen Setting. Zipfel et al. zeigen auf, wie digitale Applikationen bei Essstörungen und Psychoonkologie konkret eingesetzt werden können. Diese Beiträge dokumentieren nachdrücklich, dass die Digitalisierung in der Psychotherapie mit Sorgfalt angekommen ist.

Zum Abschluss bieten die beiden Beiträge „Über den Tellerrand" von Tribelhorn und Süess sowie ein Interview mit Rufer weiterführende Denkanstöße, wie wir uns und unsere Denksysteme in und mit der Digitalisierung umfassend verändern: Tempora mutantur, nos et mutamur in illis. Nah endlich, die ewige Konstante der Fließgeschwindigkeit menschlicher Veränderungswahrnehmung!

Wie im eingangs geäußerten Staunen angesprochen, birgt die Digitalisierung selbstverständlich nicht nur Gutes, sondern wohl ebenso Gefahren, die wir möglicherweise noch gar nicht kennen und die uns überraschen werden. Eine gute Strategie, sich vor bösen Überraschungen zu schützen, ist wohl die aktive, kritisch-differenzierte Auseinandersetzung mit dem Gegenstand. Und soeben staunen wir aufs Neue: Wir entdecken unser psychotherapeutisches Kerngeschäft!

Christoph Flückiger
Silke Wiegand-Grefe

E-Mental-Health

Technologischer Fortschritt

Rapide technologische Fortschritte, gesellschaftliche Entwicklungen hin zu einer „vernetzten Welt", aus der Smartphones und ein unbegrenzter Internetzugang nicht mehr weg zu denken sind sowie die hohe Nachfrage nach psychosozialer Unterstützung bei gleichzeitig nicht ausreichendem Versorgungsangebot, sind Gründe für die Nutzung neuer Technologien in der psychosozialen Versorgung. E-Mental-Health, d. h. Internetgestützte Interventionen, stellen hierbei eine orts- und zeitunabhängige Alternative dar.

Kategorisierung computergestützter Interventionen

Grundsätzlich können Hilfesuchende das Internet nutzen als:

- Informationsmedium, um z. B. über bestimmte Erkrankungen und ihre Behandlungsmöglichkeiten zu recherchieren,
- reines Kommunikationsmedium, in dem ein Austausch zwischen Hilfesuchenden oder auch Experten in Foren oder via E-Mail, Chat- und Videokonferenzen stattfindet,
- Interventionsangebot, d. h. die unmittelbare Nutzung von Präventions-, Selbsthilfe-, Behandlungs- oder Nachsorgeangeboten.

Überblick Internettherapien

Mittlerweile existiert eine Vielzahl an Angeboten, die sich jedoch hinsichtlich Qualität und zugrundeliegender evidenzbasierter Theorien und Methoden voneinander abgrenzen. Einzelne internetbasierte Interventionen lassen sich unterscheiden bezüglich:

- dem Ausmaß des therapeutischen Kontaktes (bei Verwendung des Internets als Kommunikationsmedium via E-Mail, Chat- oder Videotherapie ist der Kontakt deutlich höher als bei webbasierten Selbsthilfeprogrammen),
- den Formen des therapeutischen Kontaktes (text-, audio- oder audiovisuell-basiert, zeitgleich oder zeitversetzt),
- den Phasen, in der eine Intervention stattfindet (Präventions- und Gesundheitsförderung, Therapie, Nachsorge, Rückfallprophylaxe),
- den therapeutischen Ansätzen (kognitive Verhaltenstherapie, psychodynamische Behandlungen oder andere Ansätze wie interpersonelle Psychotherapie).

Chancen und Risiken von internetbasierten Interventionen

Durch die verschiedenen Interventionsangebote mit ihren spezifischen Merkmalen, ergeben sich jeweils Vor- und Nachteile für ihren Einsatz. Für eine internetbasierte Intervention spricht vor allem:

- die flexible Verfügbarkeit, d. h. der Hilfesuchende hat die Möglichkeit auch zu eher unüblichen Therapiezeiten Unterstützung zu bekommen. So können auch innerhalb eines kurzen Zeitraums intensive Übungen und Behandlungsmodule in Anspruch genommen und damit der eigene Lernprozess gefördert werden.
- das Ausbleiben von langen Wertezeiten. Trotz eines hohen Leidensdrucks und der Entscheidung für eine Therapie, finden nur wenige Betroffene schnell einen Behandlungsplatz; vielmehr müssen sie mit langen Wartezeiten von teilweise mehreren Monaten rechnen. Diese Versorgungslücke kann durch internetbasierte Angebote verkleinert werden.
- die Anonymität. Personengruppen, die bislang aus Gründen wie Scham oder dem Wunsch, Probleme alleine zu bewältigen, psychosoziale und psychiatrische Dienste nicht in Anspruch genommen haben, können durch E-Mental-Health erreicht werden. Gleichzeitig wird eventuell die Hürde zur Kontaktaufnahme mit einem herkömmlichen Therapieangebot abgebaut.
- der geringe Kostenaufwand. Selbsthilfeprogramme sind durch ihre leichte Vervielfältigkeit und geringerem personalen Aufwand mit niedrigeren Kosten verbunden.

Trotz der vielfältigen Vorteile, sind auch einige Risiken abzuwägen, die mit der Nutzung internetbasierter Therapie einhergehen:

- Hauptkennzeichen des E-Mental-Health ist die Behandlung auf Distanz; diese bringt den Nachteil mit sich, dass vor allem in akuten Krisen kein direkter Kontakt besteht, wodurch möglicherweise schnelle Handlungen nur eingeschränkt möglich sind.
- Außerdem kann die Abwesenheit des physischen Kontaktes zum einen dazu führen, dass Hilfesuchende bestimmte, für sie schwierige Themen, vermeiden. Zum anderen bleibt hierdurch die Kommunikation auf non- und paraverbaler Ebene aus, wodurch nicht nur Missverständnisse entstehen können, sondern auch grundsätzlich eine gewisse Schreibfertigkeit des Hilfesuchenden vorausgesetzt wird.
- Auch die flexible Nutzung und der fehlende regelmäßige, verbindliche Termin mit einem Behandelnden könnte möglicherweise die Compliance des Hilfesuchenden gefährden.
- Leider existieren durch die einfache Verbreitung im Internet und der mangelnden Hemmschwelle auch eine Vielzahl an unseriösen Angeboten.

Qualitätskriterien

Bislang gibt es kein Qualitätsmerkmal oder Siegel, das Hilfesuchende gut erkennen lässt, ob hinter einem internetbasierten Behandlungsangebot eine wirksame und gut untersuchte Intervention steht. Aus diesem Grund ist es schwierig solche von unwirksamen und unseriösen zu unterscheiden. Es bestehen jedoch einige Kriterien, die zur Prüfung herangezogen werden können. Hierzu gehören

- die Möglichkeit der Identifikation des Anbieters (Name und Kontaktdaten, Angabe zugehöriger Berufsorganisation),
- fachspezifische Qualifikation, v. a. berufliche Kompetenzen der Behandler, Angabe eines evtl. zugrundeliegenden Interventionsmanuals,
- Beschreibung der Indikation (spezifisch oder transdiagnostisch sowie Schweregrad der Symptome),
- transparente Darstellung der Intervention (Wirksamkeitsnachweise, Inhalte, Dauer und empfohlene, evidenzbasierte Nutzungsintensität),
- Aufzeigen von Grenzen und Kontraindikationen (v. a. deutlicher Hinweis auf Einschränkung bei akuten Krisen mit Angabe von Notfallnummern),
- Gesundheitsökonomische Aspekte wie Kosten-Nutzen-Verhältnis,
- Sicherstellung von Schweigepflicht und Datenschutz (z. B. anonyme Anmeldung bei der Intervention oder Austausch über verschlüsselte Verbindungen)

Diese Kriterien geben nicht nur Hilfesuchenden, sondern auch Ärzten und psychologischen Psychotherapeuten die Möglichkeit einer ersten Orientierung, ob ein Angebot empfehlenswert ist. Durch Prüfung der Qualität lassen sich zumindest einige der oben aufgelisteten Nachteile und Risiken mildern, bestenfalls sogar beseitigen.

Neuere Entwicklungen: Mobile Apps

Die Anzahl der Smartphone-Nutzer ist vor allem in den letzten Jahren stark gestiegen. Nicht nur Erwachsene, sondern auch Jugendliche und ältere Generationen nutzen ein mobiles Gerät mit freiem Internetzugang. Diese Entwicklung führte zu einem bereits riesigen Angebot teilweise kostenfreier Anwendungen anhand von Apps. Durch die ständige Verfügbarkeit gestaltet sich das Nutzen von Interventionen hierbei noch einfacher als bei computergestützten Angeboten. Vor allem im Rahmen der Diagnostik erscheinen mobile Apps als hilfreiche Unterstützung, da z. B. Symptomverläufe im Alltag zeitnah protokolliert sowie anhand von Verlaufskurven automatisch ausgewertet werden können. Außerdem ermöglicht der technische Fortschritt durch eingebaute Kameras und Sensoren weitere Möglichkeiten spezifische Informationen über das Verhalten und Erleben des Patienten zu erfassen. Vor allem ergänzend und unterstützend zur traditionellen Psychotherapie, z. B. bei der Umsetzung von erlernten neuen Fertigkeiten im Alltag, scheinen mobile Apps sinnvoll zu sein.

Autorinnen/Autoren

Katharina Senger

M. Sc. Psychologin, wissenschaftliche Mitarbeiterin in der Universitätsambulanz WiPP Landau sowie Lehrbeauftragte der Universität Koblenz-Landau, Campus Landau im Fachbereich Klinische Psychologie und Psychotherapie. Promotionsstipendiatin des WiPP e. V.

Literatur

[1]   Bauer S, Kordy H. E-Mental-Health. Neue Medien in der psychosozialen Versorgung. Heidelberg: Springer Medizin Verlag; 2008

[2]   Berger T. Internetbasierte Interventionen bei psychischen Störungen. Göttingen: Hogrefe Verlag GmbH & Co.KG; 2015

Bibliografie

DOI https://doi.org/10.1055/a-0592-0543
PiD - Psychotherapie im Dialog 2018; 19: 16–17
© Georg Thieme Verlag KG Stuttgart · New York
ISSN 1438–7026

Internet-Interventionen: Ein Überblick

Thomas Berger, Tobias Krieger

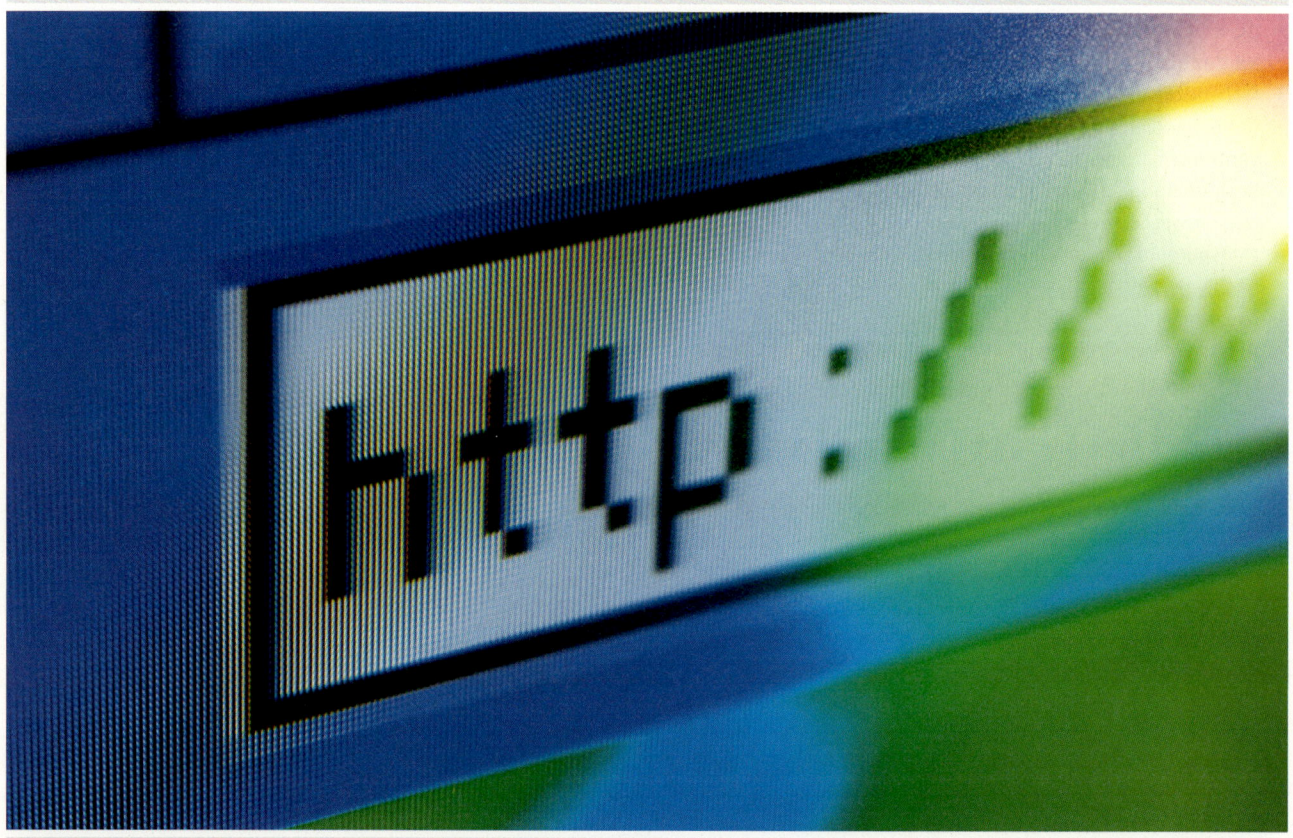

Quelle: PhotoDisc

Internettherapie? Wie soll das gehen? Via Internet kann doch keine Beziehung aufgebaut werden! Und was ist mit all den Selbsthilfe-Apps? Sind sie zu empfehlen und können sie auch in der herkömmlichen Therapie verwendet werden? Der Beitrag gibt einen Überblick über verschiedene Formen von Internet-Interventionen und deren aktuellen Stand in Forschung und Praxis.

Definition

In den letzten Jahren hat sich der Oberbegriff „Internet-Interventionen" für alle psychosozialen Angebote etabliert, die unter Nutzung des Mediums Internet das Ziel verfolgen, Betroffene bei der Bewältigung einer psychischen Symptomatik zu unterstützen und ihr präventiv entgegenzuwirken. Andere häufig verwendete Begriffe spezifizieren inhaltliche Ansätze (z. B. iCBT für „Internet-based cognitive-behavioral therapy"), verwendete Kommunikationsmittel (z. B. E-Mail-, Chat- oder Videotherapie) oder verschiedene Interventionsformate, die in ▶ **Abb. 1** entlang zweier Dimensionen verortet sind:

1. Verhältnis von Internet- und Face-to-Face-Sitzungen: Internet-Interventionen können vollständig via Internet durchgeführt oder mit mehr oder weniger Face-to-Face-Sitzungen kombiniert werden. Kombinationsformate werden heute auch im deutschen Sprachraum häufig als Blended Treatments bzw. Blended Therapies bezeichnet (▶ **Abb. 1**).

2. Grad der Automatisierung der Intervention: Können Interventionen mit Hilfe von webbasierten Selbsthilfeprogrammen und Apps vermittelt werden? Die Bearbeitung von Selbsthilfeprogrammen und Apps kann ganz ohne therapeutische Kontakte (ungeleite-

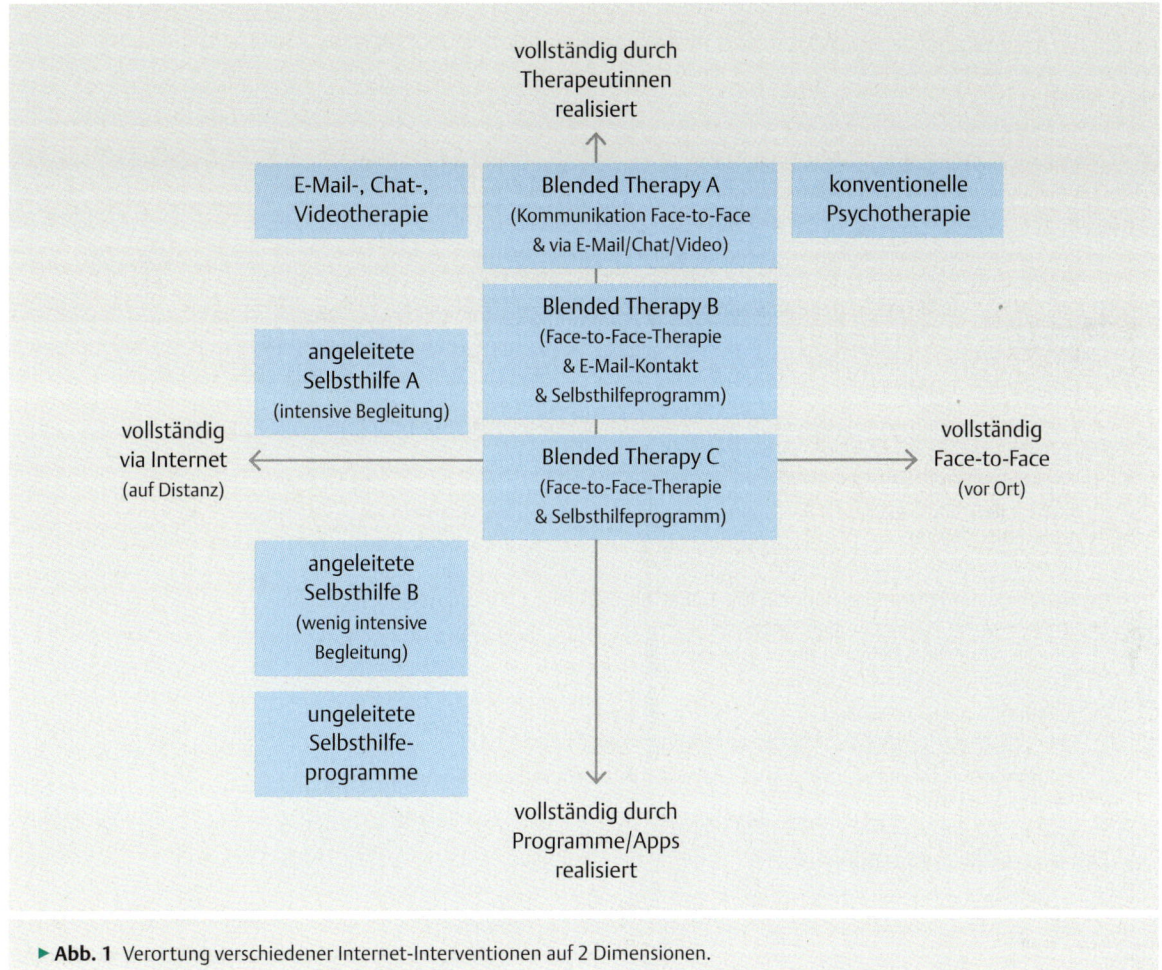

vollständig durch
Therapeutinnen
realisiert

E-Mail-, Chat-,
Videotherapie

Blended Therapy A
(Kommunikation Face-to-Face
& via E-Mail/Chat/Video)

konventionelle
Psychotherapie

Blended Therapy B
(Face-to-Face-Therapie
& E-Mail-Kontakt
& Selbsthilfeprogramm)

angeleitete
Selbsthilfe A
(intensive Begleitung)

vollständig
via Internet
(auf Distanz)

Blended Therapy C
(Face-to-Face-Therapie
& Selbsthilfeprogramm)

vollständig
Face-to-Face
(vor Ort)

angeleitete
Selbsthilfe B
(wenig intensive
Begleitung)

ungeleitete
Selbsthilfe-
programme

vollständig durch
Programme/Apps
realisiert

▶ **Abb. 1** Verortung verschiedener Internet-Interventionen auf 2 Dimensionen.

te Selbsthilfe), mit kurzen Online-Kontakten (angeleitete Selbsthilfe) oder in Kombination mit Face-to-Face-Sitzungen (Blended Treatments) bearbeitet werden.

Unterscheidungen

Die Unterscheidung der verschiedenen Internet-Interventionen ist wichtig, da es Unterschiede in der Wirksamkeit gibt. Im Folgenden werden die verschiedenen Formate und ihre empirische Evidenz dargestellt.

Webbasierte Selbsthilfeprogramme

In webbasierten Selbsthilfeprogrammen werden psychoedukative Informationen und therapeutische Übungen bereitgestellt, die Teilnehmende ganz aus eigener Kraft (ungeleitete Selbsthilfe) oder mit unterstützenden Online-Kontakten (angeleitete Selbsthilfe) bearbeiten. Viele dieser Selbsthilfeprogramme basieren auf störungsspezifischen, kognitiv-verhaltenstherapeutischen Manualen. Es gibt aber auch transdiagnostische Interventionen und Programme, die psychodynamischen oder integrativen Ansätzen folgen [1].

Die Programme sind meist in verschiedene Module oder Sitzungen aufgeteilt, die in vorgegebenen Zeiten (z. B. 1

Modul pro Woche) bearbeitet werden sollen. Inzwischen können die meisten Programme auf verschiedenen Endgeräten nutzerfreundlich verwendet werden. In ▶ **Tab. 1** sind die Inhalte eines solchen Programms am Beispiel eines webbasierten Selbsthilfeprogramms für verschiedene Angststörungen aufgeführt [2].

Angeleitete Selbsthilfeansätze

In angeleiteten Selbsthilfeansätzen wird die Arbeit mit einem webbasierten Selbsthilfeprogramm durch kurze wöchentliche Online-Kontakte von Fachpersonen unterstützt. Diese Unterstützung kann mehr oder weniger intensiv sein.

Eine wenig intensive Unterstützung beinhaltet meist ein kurzes, relativ standardisiertes Feedback zur Arbeit mit dem Selbsthilfeprogramm, sowie das Beantworten von Fragen [3]. Diese Form der Unterstützung dient vor allem der Motivation der Teilnehmenden, sich an die Vorgaben des Selbsthilfeprogramms zu halten und wird deshalb auch als „adhärenzfokussierte Anleitung" bezeichnet. Zeitlich und inhaltlich intensivere therapeutische Kontakte werden bisher vor allem in Ansätzen realisiert, die viele Schreibaufgaben beinhalten: Auf die von Klienten geschriebenen

▶ **Tab. 1** Inhalte eines webbasierten Selbsthilfeprogramms zur Behandlung verschiedener Angststörungen [2].

Modulnummer	Inhalt
1	• Motivationsarbeit (z. B. Erarbeiten von Gründen, die für die Arbeit an den Ängsten sprechen; Definieren von individuellen Zielen) • Einführen eines Online-Angsttagebuchs • Einführung in die angewandte Entspannung
2	• Psychoedukation: Informationen zu Angst und Angststörungen, Erklären von wichtigen aufrechterhaltenden Faktoren von Angststörungen und Vermitteln wichtiger Komponenten des kognitiv-behavioralen Behandlungsansatzes (z. B. negative Gedanken, Vermeidungsverhalten, Aufmerksamkeitsprozesse, Sicherheitsverhalten) • Informationen zum Behandlungsrational • Entwicklung eines eigenen, individuellen Erklärungsmodells der Angst • Übung zur angewandten Entspannung
3	• kognitive Restrukturierung: Identifizieren und Hinterfragen dysfunktionaler negativer Gedanken und Annahmen • Einführen eines Online-Gedankentagebuchs • Übung zur angewandten Entspannung
4	• Informationen und Übungen zur Reduktion der selbstfokussierten Aufmerksamkeit • Achtsamkeitsübungen • Übung zur angewandten Entspannung
5	• Exposition und Verhaltensexperimente: Planen und Durchführen von In-vivo-Expositionen • Einführen eines Online-Expositionstagebuchs • Sorgenkonfrontation, Einführen eines Grübelstuhls • Übung zur angewandten Entspannung
6	• Zusammenfassung und Repetition • Weiterführen von In-vivo-Expositionen und Verhaltensexperimenten
7	• Informationen zur Rolle von Stress und gesundheitsförderlichem Verhalten bei Angststörungen • Problemlösetraining
8	• Zusammenfassung • Informationen zur Rückfallprävention

FALLBEISPIEL

Angeleitete Selbsthilfe

Philipp sitzt im Zug auf dem Weg zur Uni und schaut auf sein Smartphone. Der 25-jährige Student liest noch einmal, was er am Vorabend auf seinem Laptop in ein Selbsthilfeprogramm zur Behandlung sozialer Ängste eingetragen hat: „Ich werde mich morgen im Seminar mindestens 2 Mal melden", hat er sich vorgenommen. Und: „Sätze nicht vorher im Kopf ausformulieren, einfach mal drauflosreden und den Blickkontakt mit den anderen Studierenden und der Dozentin halten."

In den letzten Wochen hatte Philipp mit Hilfe einer App gelernt, auf was er in sozialen Situationen achten soll. Und er hat zu Hause geübt – z. B. freies Reden vor einem auf dem Laptop dargebotenen Publikum. Vor dem Bildschirm ist ihm das ganz gut gelungen, aber jetzt, als es ernst wird, ist er doch sehr nervös. Er liest noch einmal die aufmunternden Worte, die ihm eine Psychologin gestern in der geschützten Selbsthilfeumgebung geschrieben hat.

Philipp arbeitet sich Schritt für Schritt durch verschiedene Module eines Selbsthilfeprogramms und wird gleichzeitig von der Psychologin unterstützt. Philipp hat sie nie gesehen. Einmal in der Woche erhält er eine schriftliche Rückmeldung. Die Psychologin gibt ihm ein Feedback zu den Einträgen in den Online-Tagebüchern, macht ihm Mut, beantwortet Fragen und erklärt kurz, welche Aufgaben als Nächstes auf ihn warten. Zu einer Psychotherapie wäre Philipp aufgrund seiner Ängste noch nicht fähig gewesen. Zu groß waren seine Hemmungen, jemandem von seinen Problemen zu erzählen.

Texte erfolgt i. d. R. eine relativ ausführliche und individualisierte Antwort [4].

Forschungsergebnisse

Ungeleitete und angeleitete Selbsthilfeprogramme sind die am häufigsten untersuchten Internet-Interventionen. Für diese Ansätze liegen inzwischen über 200 kontrollierte Studien vor [1]. ▶ **Tab. 2** gibt einen Überblick über Problem- und Störungsbereiche, für die in randomisierten kontrollierten Studien die Wirkung gezeigt wurde.

━━━━━ Merke

Die Forschung zeigt, dass angeleitete Selbsthilfeansätze wirksamer sind als ungeleitete [5].

Während Selbsthilfeprogramme ohne Begleitung zwar statistisch signifikante, aber im Schnitt nur kleine bis mittlere Effekte erzielen, werden für angeleitete Selbsthilfeprogramme im Schnitt mittlere bis große Effekte gefunden, die mit der Wirkung herkömmlicher Therapien vergleichbar sind. Diese Annahme einer Wirkäquivalenz von angeleiteten Selbsthilfeprogrammen und herkömmlichen Psychotherapien wird bisher durch Studien mit direkten Vergleichen der beiden Bedingungen gestützt [6].

Die Wirkunterschiede zwischen ungeleiteten und angeleiteten Selbsthilfeansätzen können zu einem Teil durch unterschiedliche Adhärenz- und Abbrecherraten erklärt

► **Tab. 2** Bereiche, in welchen die Wirkung von internetbasierten Selbsthilfeprogrammen empirisch gezeigt wurde (adaptiert nach [1]).

Psychiatrische Störungen	Somatische Störungen, Gesundheitsprobleme	Andere
• Depression (inkl. postpartale Depression) • bipolare Störung • Panikstörung mit/ohne Agoraphobie • soziale Angststörung • spezifische Phobie • generalisierte Angststörungen • hypochondrische Störungen • Angst und Depression gemischt • Zwangsstörung • posttraumatische Belastungsstörung • pathologisches Glücksspiel • verschiedene Essstörungen • körperdysmorphe Störung • verschiedene Substanzstörungen • Aufmerksamkeitsdefizit-/Hyperaktivitätsstörung	• Kopfschmerzen • Tinnitus • Diabetes • Schlafstörungen • chronische Schmerzen • Krebs • Reizdarmsyndrom • Enkopresis • Erektionsstörung • chronisches Erschöpfungssyndrom • multiple Sklerose • Übergewicht • Rauchen	• Paartherapie • Elterntraining • Stressbewältigungstraining • Perfektionismus • Selbstmitgefühl • Burnout • Prokrastination • komplizierte Trauer • Körperunzufriedenheit • unerfüllter Kinderwunsch

werden: Ungeleitete Programme werden weniger genutzt und häufiger abgebrochen als angeleitete Programme [3].

Es wird vermutet, dass sich Betroffene bei ungeleiteten Interventionen weniger einer Person oder Institution verpflichtet fühlen, was zu einer geringeren Adhärenz und zu höheren Dropout-Raten führt. Für diese Hypothese sprechen auch Befunde, dass bei Selbsthilfeangeboten, die in einem professionellen und persönlichen Kontext vermittelt werden (z. B. durch Hausärzte; nach einer diagnostischen Abklärung durch eine Fachperson), geringere Abbrecherquoten und höhere Effekte gefunden werden als bei Angeboten, die ohne vorherige Abklärung genutzt werden [7][8].

▬▬▬▬ Merke
Während ungeleitete Selbsthilfeprogramme oft mit hohen Abbrecherquoten und kleinen Effekten verbunden sind, liegen die Effekte von angeleiteten Selbsthilfeansätzen im Bereich herkömmlicher Therapien.

INFO
Therapiebeziehung
Kann in internetbasierten Ansätzen auch eine gute Therapiebeziehung aufgebaut werden? Und kommt dieser eine ähnliche Bedeutung zu wie Face-to-Face-Therapien?
Verschiedene Studien haben herausgefunden, dass unabhängig des Kommunikationsmediums gemäß Patienteneinschätzung im Schnitt eine mit Face-to-Face-Ansätzen vergleichbar gute therapeutische Beziehung zustande kommen kann [9]. Eine neue Metaanalyse zeigt außerdem, dass die Therapiebeziehung in Internet-Interventionen etwa gleich stark mit dem Behandlungsergebnis zusammenhängt wie in Face-to-Face-Therapien [10].

Chat-, E-Mail- und Videotherapien

Ein wichtiger Vorteil von Chat-, E-Mail- und Videotherapien (z. B. Skype) liegt darin, dass die Therapie zu Hause stattfinden kann – damit werden Menschen erreicht, die aufgrund mangelnder zeitlicher und örtlicher Flexibilität keinen Therapieplatz finden. Zeitliche Unabhängigkeit ist allerdings nur bei E-Mail-Therapien gegeben, in welchen zeitversetzt bzw. asynchron kommuniziert wird.

Im Gegensatz zu den o. g. Selbsthilfeansätzen ist die Ergebnislage bei Chat-, E-Mail- und Videotherapien noch spärlich. Die bisherigen Ergebnisse deuten aber darauf hin, dass das verwendete Medium bzw. Kommunikationsformat letztlich keinen Einfluss auf die Wirkung der Therapie hat, dass also Chat-, E-Mail- und Videotherapien genauso wirksam sein können wie Face-to-Face-Therapien [3].

▬▬▬▬ Merke
Bei individualisierten Chat-, E-Mail- und Videotherapien ist zu bedenken, dass der Arbeitsaufwand der Fachpersonen i. d. R. nicht geringer ist als bei herkömmlichen Therapien.

Gerade in E-Mail-Therapien, in welchen keine zeitliche Struktur gegeben ist, kann das Lesen und Schreiben sogar länger dauern als das Sprechen in herkömmlichen Therapien [11].

Blended Therapy

Unter Blended Therapy wird i. d. R. jegliche Art der Kombination von herkömmlicher Face-to-Face-Therapie und Internet-Interventionen verstanden (s. Baumeister in diesem Heft). Dies kann z. B. die Kombination von Face-to-Face- und E-Mail-Kontakten oder von Face-to-Face-Therapie und Selbsthilfeprogrammen sein (► **Abb. 1**). Der Schwerpunkt kann dabei eher auf der Face-to-Face-Therapie oder den Internet-Interventionen liegen.

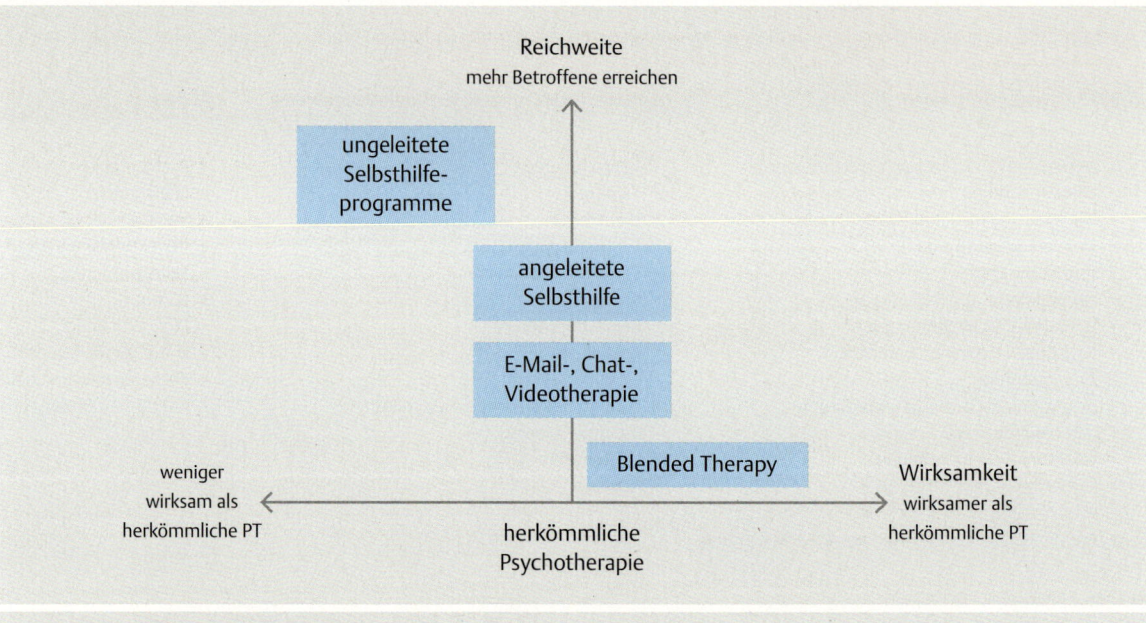

▶ **Abb. 2** Verortung verschiedener Internet-Interventionen bezüglich Reichweite und Wirksamkeit (PT = Psychotherapie).

Das jeweils ergänzende andere Format wird üblicherweise zur Vorbereitung, Vertiefung oder Wiederholung der therapeutischen Inhalte verwendet. Daneben werden spezifische Vorteile der beiden Behandlungsformate genutzt, z. B. der Alltagstransfer neuer Verhaltens- und Denkweisen mit Online-Hausaufgaben gefördert und individuelle Themen in den Face-to-Face-Sitzungen vertieft bearbeitet.

Mit Kombinationsbehandlungen (Blended Treatments) kann die Wirkung der Psychotherapie verbessert werden, indem zusätzlich zur herkömmlichen Psychotherapie Internet-Interventionen eingesetzt werden. Erste Studien, in denen herkömmliche Psychotherapie mit herkömmlicher Psychotherapie plus eines Selbsthilfeprogramms bei depressiven Patienten verglichen wurden, zeigten in der ambulanten und stationären Routinebehandlung eine Überlegenheit der Bedingung mit der zusätzlichen Internet-Intervention [12][13].

Besonders in Kombinationsformaten, die eine enge Verzahnung von Face-to-Face- und Online-Behandlungskomponenten vorsehen, können Internet-Interventionen Face-to-Face-Sitzungen ersetzen, und damit den Aufwand der Therapeuten reduzieren. In ersten Studien konnte der Einsatz von Programmen die Anzahl der Face-to-Face Sitzungen ohne Wirkungsverlust reduzieren [14]. Die Resultate größerer Studien stehen aber noch aus [15].

■■■■ Merke
Blended Therapies nutzen die jeweiligen Vorteile der beiden Behandlungsformate. Erste Studienergebnisse bezüglich Wirkung und Kosteneffektivität sind vielversprechend.

Relevanz

▶ **Abb. 2** verortet die dargestellten Internet-Interventionen auf 2 Dimensionen:
3. Reichweite: Anzahl der Betroffenen, die mit einer Intervention erreicht werden können
4. empirisch belegte Wirksamkeit im Vergleich zu konventionellen Therapien

Interventionen, die sowohl eine hohe Reichweite, als auch Wirksamkeit versprechen, haben das größte Potenzial, Prävalenz- und Inzidenzraten psychischer Störungen in der Bevölkerung zu reduzieren.

Eine hohe Reichweite geht auf Kosten der Wirksamkeit: Mit automatisierten Selbsthilfeprogrammen können zwar sehr viele Menschen erreicht werden, sie sind aber auch im Durchschnitt weniger wirksam als herkömmliche Psychotherapie. Solche Selbsthilfeprogramme sind damit wohl besonders im Public Health und Präventionsbereich interessant. Blended Therapies wiederum haben keine so hohe Reichweite wie Selbsthilfeinterventionen. Mit der Kombination der beiden Formate kann aber möglicherweise die Wirkung einer Psychotherapie verbessert werden.

Bei all diesen Vergleichen ist zu bedenken, dass hier Mittelwerte verglichen werden: Auch bei gleicher Wirkung werden manche Patienten besser von der einen und andere besser von der anderen Interventionsform profitieren.

■■■■ Merke
Die Frage, für welche Patienten Internet-Interventionen erfolgsversprechend sind und für welche nicht, kann noch nicht fundiert beantwortet werden.

Stand der Implementierung

Ein Problem mit Internet-Interventionen ist, dass sie zwar gut erforscht, aber – zumindest in deutschsprachigen Ländern – noch nicht in die Routinepraxis implementiert sind. Die für Betroffene entwickelten, empirisch-validierten Selbsthilfeprogramme wiederum können für Selbstzahler teuer sein und werden nur von bestimmten Krankenkassen im Rahmen von Modellprojekten bezahlt.

In bestimmten Ländern wie Schweden oder Australien sind Internet-Interventionen schon sehr viel stärker in die Routinepraxis implementiert, weil die zuvor an Universitäten entwickelten und evaluierten Programme in Kliniken transferiert und von dort aus den Bürgern zur Verfügung gestellt wurden. Beispiele für solche staatlich unterstützten bzw. vom Gesundheitssystem bezahlten virtuellen Kliniken sind die Mindspot Klinik in Australien (mindspot.org.au) oder die Internet Psychiatry Unit am Karolinska Institut in Schweden (web.internetpsykiatri.se/en).

Da der Kontext, in dem eine Internet-Intervention vermittelt wird, eine wichtige Rolle spielt, sollte jede Intervention auch im jeweiligen Implementierungskontext getestet werden. Inzwischen zeigen verschiedene Studien, dass Internet-Interventionen auch in der Routinepraxis funktionieren können [16], jedoch gibt es auch Ausnahmen [17][18].

Programmqualität und Qualitätsstandards

Inzwischen gibt es viele Programme, die der Selbsttherapie psychischer Probleme dienen sollen. Die meisten der oft zu geringen Kosten verfügbaren Programme und Apps sind aber nicht evidenzbasiert und viele sind inhaltlich von geringer Qualität [19]. Aus diesem Grund wurden in den letzten Jahren von verschiedenen Verbänden Qualitätskriterien und -standards ausgearbeitet (tinyurl.com/yapzt-pjl) [20]. Die dort ausgearbeiteten Qualitätskriterien beziehen sich ganz wesentlich auf einen adäquaten Umgang mit den wichtigsten Risiken von Internet-Interventionen:

Identität und Qualifikation der Anbieter

Bei seriösen Angeboten im Internet sollte unmittelbar ersichtlich sein, wer die angebotene Dienstleistung erbringt, welche Qualifikation der Anbieter mitbringt, was genau das Angebot und die Kosten des Angebotes sind, und in welcher Zeitspanne Ratsuchende mit einer Antwort von einer Fachperson rechnen können.

Vertraulichkeit und Datenschutz

Fragen zur Datensicherheit im Internet sind brandaktuell und sollten bei Internet-Interventionen oberste Priorität haben. Therapeuten sollten deshalb höchste Standards der Verschlüsselung der Datenübermittlung und -speicherung einhalten und Patienten über Risiken, Art, Umfang und Dauer der Datenspeicherung informieren.

Grenzen und Kontraindikation

Im Zentrum aller Indikationsüberlegungen steht die Patientensicherheit.

━━━━━━ **Merke**
Internetbasierte Interventionen eignen sich aufgrund der physischen Distanz und der oft zeitverzögerten Kommunikation nicht, um angemessen auf akute, insbesondere suizidale Krisensituationen zu reagieren.

In seriösen Angeboten werden Hilfesuchende deshalb schon auf der Homepage über diese Einschränkung informiert und es wird auf Notfallnummern hingewiesen. Bei vollständig via Internet durchgeführten Interventionen ist es üblich, zu Beginn einen individuellen Notfallplan zu erarbeiten, in welchem definiert ist, an wen sich Patienten vor Ort wenden können, wenn sie während der Behandlung in eine Krise geraten.

FAZIT

Internet-Interventionen wurden in den letzten Jahren intensiv beforscht, wobei sich insbesondere angeleitete Selbsthilfeprogramme in verschiedenen Problem- und Störungsbereichen als ähnlich wirksam erwiesen haben wie herkömmliche Psychotherapie. Die Forschung zeigt, dass dem therapeutischen Kontakt auch bei Internet-Interventionen eine wichtige Bedeutung zukommt – sie haben geringe Abbrecherraten.

Interessenkonflikt

Die Autoren geben an, dass keine Interessenkonflikte vorliegen.

Autorinnen/Autoren

Thomas Berger

Prof. Dr. phil.; Fachpsychologe für Psychotherapie (FSP), Professor für Klinische Psychologie und Psychotherapie an der Universität Bern. 1994–2000 Psychologiestudium Universität Bern, 2000–2005 Promotion und verhaltenstherapeutische Weiterbildung an der Universität Freiburg i.Br., 2010 Habilitation an der Universität Bern, 2013–2018 SNF-Förderungsprofessur Klinische Psychologie mit Schwerpunkt E-Mental-Health an der Universität Bern.

Tobias Krieger

Dr. phil.; Fachpsychologe für Psychotherapie (FSP), Klinischer und wissenschaftlicher Mitarbeiter am Psychologischen Institut und der Psychotherapeutischen Praxisstelle der Universität Bern. 2002–2008 Psychologiestudium an den Universitäten Bern (CH) und Rennes (F), 2013 Promotion an der Universität Zürich. Forschungsschwerpunkte: Psychotherapie affektiver Störungen, Selbstmitgefühl, internetbasierte Interventionen.

Korrespondenzadresse

Prof. Dr. Thomas Berger
Universität Bern
Abteilung Klinische Psychologie und Psychotherapie
Fabrikstr. 8
3012 Bern
Schweiz
thomas.berger@ptp.unibe.ch

Literatur

[1] Andersson G. Internet-delivered psychological treatments. Ann Rev Clin Psy 2016; 12: 157–179

[2] Berger T, Boettcher J, Caspar F. Internet-Based Guided Self-Help for Several Anxiety Disorders: A Randomized Controlled Trial Comparing a Tailored With a Standardized Disorder-Specific Approach. Psychother 2014; 51: 207–219

[3] Berger T. Internetbasierte Interventionen bei psychischen Störungen. Göttingen: Hogrefe; 2015

[4] Knaevelsrud C, Wagner B, Böttche M. Online-Therapie und -Beratung. Göttingen: Hogrefe; 2016

[5] Baumeister H, Reichler L, Munzinger M et al. The impact of guidance on Internet-based mental health interventions – a systematic review. Intern Interv 2014; 1: 205–215

[6] Carlbring P, Andersson G, Cuijpers P et al. Internet-based vs. face-to-face cognitive behavior therapy for psychiatric and somatic disorders: An updated systematic review and meta-analysis. Cogn Beh Ther 2018; 47: 1–18

[7] Johansson R, Andersson G. Internet-based psychological treatments for depression. Exp Rev Neurother 2012; 12: 861–870

[8] Berger T, Urech A, Krieger T et al. Effects of a transdiagnostic unguided Internet intervention ('velibra') for anxiety disorders in primary care: results of a randomized controlled trial. Psychol Med 2017; 47: 67–80

[9] Berger T. The therapeutic alliance in internet interventions: A narrative review and suggestions for future research. Psychother Res 2017; 27: 511–524

[10] Flückiger C, Del Re AC, Wampold BE et al. The alliance in adult psychotherapy: A meta-analytic synthesis. Psychother 2018; epub ahead of print

[11] Vernmark K, Lenndin J, Bjärehed J et al. Internet administered guided self-help versus individualized e-mail therapy: A randomized trial of two versions of CBT for major depression. Behav Res Ther 2010; 482010: 368–376

[12] Berger T, Krieger T, Sude K et al. Evaluating an e-mental health program ("deprexis") as adjunctive treatment tool in psychotherapy for depression: Results of a pragmatic randomized controlled trial. J Aff Dis 2018; 227: 455–462

[13] Zwerenz R, Becker J, Knickenberg RJ et al. Online Self-Help as an Add-On to Inpatient Psychotherapy: Efficacy of a New Blended Treatment Approach. Psychother Psychosom 2017; 86: 341–350

[14] Thase ME, Wright JH, Eells TD et al. Improving the Efficiency of Psychotherapy for Depression: Computer-Assisted Versus Standard CBT. Am J Psy 2018; 175: 242–250

[15] Kleiboer A, Smit J, Bosmans J et al. European COMPARative Effectiveness research on blended Depression treatment versus treatment-as-usual (E-COMPARED): study protocol for a randomized controlled, non-inferiority trial in eight European countries. Trials 2016; 17: 387

[16] Andersson G, Hedman E. Effectiveness of guided Internet-based cognitive behavior therapy in regular clinical settings. Verhaltensther 2013; 23: 140–148

[17] Gilbody S, Littlewood E, Hewitt C et al. Computerised cognitive behaviour therapy (cCBT) as treatment for depression in primary care (REEACT trial): large scale pragmatic randomised controlled trial. BMJ 2015; 351: h5627

[18] Fuhr K, Fahse B, Hautzinger M et al. Erste Erfahrungen zur Implementierung einer internet-basierten Selbsthilfe zur Überbrückung der Wartezeit auf eine ambulante Psychotherapie. Psychother Psych Med 2018; 68: 234–241

[19] Terhorst Y, Rathner E-M, Baumeister H et al. Hilfe aus dem App-Store? Eine systematische Übersichtsarbeit und Evaluation von Apps zur Anwendung bei Depressionen. Verhaltensther 2018: epub ahead of print

[20] Klein JP, Gelinger G, Knaevelsrud C et al. Internetbasierte Interventionen in der Behandlung psychischer Störungen. Nervenarzt 2016; 87: 1185–1193

Bibliografie

DOI https://doi.org/10.1055/a-0592-0282
PiD - Psychotherapie im Dialog 2018; 19: 18–24
© Georg Thieme Verlag KG Stuttgart · New York
ISSN 1438-7026

Chancen moderner Medien für psychotherapeutische Nachsorge und Rückfallprophylaxe

Markus Wolf, Markus Moessner, Stephanie Bauer

Quelle: istockphoto

Psychotherapie ist wirksam – aber die wenigsten Patienten genesen infolge einer Therapie vollständig. Häufig bestehen Restsymptome und Belastungsfaktoren im sozialen und beruflichen Umfeld, die die Funktionsfähigkeit im Alltag weiter beeinträchtigen. Das Risiko für einen Rückfall ist groß. Können moderne Medien in der Nachsorge eingesetzt werden, um das Rückfallrisiko zu minimieren?

Nachsorge und Rückfallprävention

Der Begriff „Rückfallprävention" wird meist im Zusammenhang mit spezifischen Interventionsmethoden verwendet, die oftmals auf kognitiv-verhaltenstherapeutischen Erklärungsmodellen aufbauen. Rückfallprävention soll auf mögliche Krisen vorbereiten und Möglichkeiten zu deren Bewältigung antizipieren. In vielen gängigen Therapiemanualen zu verschiedenen Störungsbildern ist Rückfallprophylaxe ein fester Bestandteil. Zudem liegen mittlerweile insbesondere im Bereich depressiver Störungen

spezifische Manuale für die Rückfallprophylaxe vor. Alle Methoden haben zum Ziel, die in der Akuttherapie erzielten Fortschritte zu erhalten und Rückfällen vorzubeugen.

Psychotherapeutische „Nachsorge" ist hingegen breiter konzipiert. Der Begriff fokussiert stärker auf die praktische Versorgungssituation und ist eine Art Sammelbegriff für jegliche therapeutische Maßnahmen zur möglichst nahtlosen, systematischen Weiterbetreuung im Anschluss an eine vorgängige Akutbehandlung. Übergeordnete Ziele

Wolf M et al. Chancen moderner Medien für psychotherapeut... PiD - Psychotherapie im Dialog 2018; 19: 25–32

25

der Nachsorge sind die Förderung des Therapietransfers und die Stabilisierung der Patienten während der kritischen Phase des Übergangs vom geschützten Rahmen einer Psychotherapie in den Alltag. Ausgehend vom Modell der Reha-Nachsorge der Deutschen Rentenversicherung werden im Folgenden verschieden Online-Nachsorgeinterventionen dargestellt.

Psy-RENA

Die systematische Nachsorge der Deutschen Rentenversicherung Psy-RENA [1] ist ein Nachsorgeangebot für Patienten, die aufgrund einer psychischen bzw. psychosomatischen Erkrankung eine stationäre Rehabilitationsmaßnahme absolviert haben. Die Nachsorge erfolgt im Gruppensetting und soll bei den Teilnehmern Konfliktlösefähigkeiten schulen und die Teilhabe am Arbeitsleben sowie an gesellschaftlichen Aktivitäten fördern. An den bis zu 25 wöchentlichen, jeweils 90-minütigen Gruppensitzungen, die von qualifizierten Psychotherapeuten durchgeführt werden, können bis zu 10 Personen teilnehmen. Die Nachsorge findet an speziell eingerichteten Zentren statt, soll spätestens 3 Monate nach Abschluss der Rehabilitationsmaßnahme beginnen und nicht länger als 12 Monate dauern.

Internet- und smartphonegestützte Programme

Distanzen zwischen Klinik und Wohnort, der Mangel an geeigneten ambulanten Angeboten vor Ort, Aufwand und lange Anfahrtswege beschränken die Reichweite herkömmlicher Nachsorge und begünstigen hohe Abbruchquoten. Dies hat in Deutschland früh die Versorgungsforschung angeregt und eine Reihe innovativer Projekte zum Einsatz moderner Kommunikationsmedien in der Nachsorge angestoßen. Im Folgenden sollen einige Ansätze exemplarisch vorgestellt werden, wobei wir den Überblick auf Angebote beschränken, zu denen bereits empirische Evaluationsergebnisse vorliegen (▶ Tab. 1).

Internet-Brücke

Das an der Forschungsstelle für Psychotherapie am Universitätsklinikum Heidelberg in Kooperation mit den Panorama Fachkliniken Scheidegg initiierte Projekt nutzt synchrone und asynchrone Kommunikationsmedien, damit Patienten und Therapeuten im Anschluss an die Akuttherapie in Kontakt bleiben können [2][3]. Unter Anleitung erfahrener Gruppentherapeuten nehmen Patienten für 8–12 Wochen an therapeutisch moderierten, störungsübergreifenden Gruppensitzungen in einem Chatraum teil. Die Moderation der wöchentlichen 90-minütigen Sitzungen, an der i. d. R. zwischen 8–10 Patienten teilnehmen, übernehmen Therapeuten der jeweiligen vorbehandelnden Klinik. Dies fördert die Kontinuität der therapeutischen Beziehung und die Konzepttreue der Intervention.

Inhalte der ähnlich wie herkömmliche Gruppentherapien strukturierten Sitzungen sind einerseits Erfahrungsaustausch unter den ehemaligen Patienten, andererseits dienen die Sitzungen der Identifikation von Problemen bei der Umsetzung erlernter Strategien in den Alltag und der gezielten Erarbeitung möglicher Lösungswege. In umfangreichen kontrollierten Beobachtungsstudien war die Teilnahme an der Chat-Nachsorge im Vergleich zu Kontrollgruppen mit einer besseren Stabilisierung der psychischen Symptomatik und einer verringerten Rückfallrate assoziiert. Eine weitere Stärke zeigte sich in der Teilnahmebereitschaft und den geringen Abbrecherquoten [2][4][5].

Gemischte Befunde zeigten sich in Studien zu anderen Störungsbildern, in denen ein ähnlicher Ansatz bei somatisch vorbehandelten Patientengruppen erprobt wurde, z. B. Patienten mit chronischem Rückenschmerz [6] oder im Anschluss an ambulante Prostatakrebsbehandlung [7]. Dies lenkt den Blick auf mögliche Einflussfaktoren auf die Implementierung der Online-Nachsorge.

Rehabilitationsnachsorge W-RENA

Die transdiagnostische web-basierte Rehabilitationsnachsorge W-RENA, entwickelt an den Universitäten Marburg und Lüneburg, verfolgt ähnliche Ziele wie die Internet-Brücke. W-RENA wurde für Patienten konzipiert, die eine stationäre psychosomatische Rehabilitation absolviert haben. Die 5 Module sollen Patienten dabei unterstützen, erlernte Strategien aufrecht zu erhalten und in den Alltag zu integrieren [8]. Über einen Zeitraum von 12 Wochen erstellen Teilnehmer einen persönlichen Entwicklungsplan, führen ein Web-Tagebuch, partizipieren an einem moderierten Forum und erhalten supportive Rückmeldungen von einem Therapeuten oder Coach. In einer randomisiert-kontrollierten Studie führte die Teilnahme am Programm bei geringer Abbrecherquote zu einer Stabilisierung der psychischen Symptomatik [8].

Gesundheitstraining Stressbewältigung am Arbeitsplatz online

Eines der wenigen Online-Programme mit psychodynamischem Hintergrund ist das am Universitätsklinikum Mainz entwickelte „Gesundheitstraining Stressbewältigung am Arbeitsplatz-online" (GSA-online [9]). Das Programm basiert auf einem supportiv-expressiven, schreibtherapeutischen Ansatz und soll Patienten nach der stationären psychosomatischen Rehabilitation bei der beruflichen Wiedereingliederung unterstützen.

Über einen Zeitraum von 12 Wochen verfassen Teilnehmer regelmäßige Tagebucheinträge, zu denen sie binnen 24 Stunden von einem geschulten Online-Therapeuten Rückmeldung erhalten. Flankierend stehen auf der Plattform Informations- und Motivationsfilme zum Abruf bereit. Eine Evaluationsstudie, in der die Wirksamkeit der Intervention bei orthopädischen, kardiologischen und psychosomatischen Reha-Patienten untersucht wurde, zeigte signifikan-

26

Wolf M et al. Chancen moderner Medien für psychotherapeut… PiD - Psychotherapie im Dialog 2018; 19: 25–32

► **Tab. 1** Ausgewählte internet- oder smartphonebasierte Interventionen für die psychotherapeutische Nachsorge und Rückfallprävention.

Name	Therapeutische Grundausrichtung	Format	Indikationsbereich	Beispielreferenz
eATROS	KVT	synchrone und asynchrone Kommunikation, Einzelsetting	depressive Störungen	[10]
Gesundheitstraining Stressbewältigung am Arbeitsplatz (GSA-online)	psychodynamisch, supportiv-expressiv	angeleitete Selbsthilfe, Einzelsetting	subsyndromale depressive Symptomatik	[9]
IN@	KVT	Einzelsetting, angeleitete Selbsthilfe, synchrone und asynchrone Kommunikation	Essstörungen (Bulimia nervosa)	[13]
Internet-Brücke	integrativ, KVT	synchrone und asynchrone Kommunikation, Einzel- und Gruppensetting	transdiagnostisch	[2][3]
SMS-Brücke	KVT	Kurzmitteilungen (SMS), Einzelsetting	Essstörungen (Bulimia nervosa)	[11]
SUMMIT	integrativ, KVT, Selbstmanagement	integrative Online-Plattform, synchrone und asynchrone Kommunikation, Einzel- und Gruppensetting	rezidivierende Depression	[16]
VIA	KVT	Einzelsetting, angeleitete Selbsthilfe, synchrone und asynchrone Kommunikation	Essstörungen (Anorexia nervosa)	[12]
W-RENA	integrativ, KVT	integrative Online-Plattform, asynchrone Kommunikation, Einzel- und Gruppensetting	transdiagnostisch	[8]

te, wenngleich kleine Effekte im Vergleich zu einer Kontrollgruppe in Bezug auf die psychische Symptomatik und die subjektive Prognose der Erwerbstätigkeit [9].

eATROS

In einer Kooperation zwischen der Psychosomatischen Fachklinik Bad Dürkheim und der Universität Mannheim wurde das Programm eATROS für die Nachsorge nach stationärer psychosomatischer Rehabilitation entwickelt [10]. Dabei handelt es sich um ein verhaltenstherapeutisches E-Coaching, bei dem Patienten 3 Monate dabei unterstützt werden, die während der Therapie erlernten Verhaltensweisen im Arbeitsalltag umzusetzen. Gezielte Übungen sollen die Tagesstrukturierung und Selbstregulationsfähigkeiten fördern. Ein Tele-Coach bewertet die wöchentlichen Selbstbeobachtungen der Teilnehmer und gibt zeitnah Rückmeldung, bei Bedarf auch in Form von Telefongesprächen.

Zusätzlich umfasst das Programm Audiodateien mit Entspannungsübungen, Listen mit positiven Aktivitäten, einen persönlichen Notfallplan und Verlaufserhebungen der Symptomatik. In einer Studie konnten die depressiven Symptome der Teilnehmer nach 3 Monaten besser stabilisiert werden als in der Kontrollgruppe, die im Anschluss an die Rehabilitation keinen Zugang zum Programm erhalten hatte. Auch zeigte sich eine günstigere Entwicklung bei den Selbstregulationskompetenzen der Teilnehmer [10].

SMS-Brücke

Die folgenden Beispiele beziehen sich auf stationär behandelte Patientinnen mit Essstörungen.

━━━━ **Merke**

Patientinnen mit Essstörungen sind eine hoch relevante Zielgruppe, da die oftmals moderaten Therapieerfolge gepaart mit einem hohen Rückfallrisiko längerfristig angelegte Behandlungsstrategien nahelegen.

Die „SMS-Brücke" wurde am Universitätsklinikum Heidelberg in Kooperation mit der Psychosomatischen Klinik Bad Pyrmont entwickelt und folgt dem Konzept der Internet-Brücken, nutzt allerdings einfache Textnachrichten zur Vermittlung einer stützenden Minimalintervention im Anschluss an die Akutbehandlung [11].

Die Teilnehmerinnen senden über einen Zeitraum von 16 Wochen wöchentlich eine SMS mit einem strukturierten Kurzbericht zu den Kernsymptomen ihrer Essstörung und erhalten unmittelbar danach eine unterstützende SMS als Antwort. Die Antwortnachrichten werden unter Rückgriff auf einen Algorithmus, der die Symptommuster auswertet, automatisiert aus einer umfangreichen Datenbank ausgewählt. Die Nachrichten verfolgen im Wesentlichen das Ziel, psychosoziale Unterstützung zu signalisieren, positive Entwicklungen zu unterstützen und im Fall negativer Entwicklungen die Aufmerksamkeit auf erlernte Handlungsalternativen zu richten.

Die SMS-Brücke wurde im Rahmen einer randomisiert-kontrollierten Studie an einer Stichprobe von 184 zuvor stationär behandelten Patientinnen mit Bulimia nervosa (BN) getestet. 8 Monate nach Programmstart erfüllten mehr Teilnehmerinnen (51 %) der SMS-Brücke die Kriterien einer

Wolf M et al. Chancen moderner Medien für psychotherapeut… PiD · Psychotherapie im Dialog 2018; 19: 25–32

27

(Teil-)Remission als die Patientinnen der Kontrollgruppe (36 %), die die Regelbehandlung erhalten hatten [11].

Virtuelles Interventionsprogramm für Anorexia nervosa

Das „virtuelle Interventionsprogramm für Anorexia nervosa" (VIA [12]) wurde in einer Kooperation u. a. der Klinik Roseneck in Prien und der LMU München als internetbasiertes Programm zur Rückfallprophylaxe nach stationärer Psychotherapie entwickelt. VIA basiert auf publizierten Behandlungsmanualen für die Behandlung, Selbsthilfe und Nachsorge bei Anorexia nervosa (AN). Das Programm vermittelt verhaltenstherapeutische Techniken, die als psychoedukative Inhalte und in Form von schriftlichen Aufgaben und Verhaltensübungen umgesetzt sind.

Die Inhalte werden in einer Abfolge von 9 Kapiteln über einen Zeitraum von 9 Monaten von den Teilnehmerinnen erarbeitet. Weitere Funktionen umfassen regelmäßige Online-Befragungen und Rückmeldungen zum Symptomverlauf, ausdruckbare Essprotokolle und Tagebücher sowie die Möglichkeit zur Interaktion mit Therapeuten über Online-Chats, E-Mail oder in Diskussionsforen. Im Rahmen einer multizentrischen Studie mit 258 stationär behandelten AN-Patientinnen zeigten die Teilnehmerinnen in der Interventionsgruppe eine stärkere Gewichtszunahme und bessere Verläufe zentraler Essstörungssymptome als die Patientinnen der Kontrollgruppe [12].

Internet-Intervention IN@

Einen ähnlichen Ansatz der angeleiteten Selbsthilfe verfolgt die Internet-Intervention IN@ [13], ein an der Universität Dresden entwickeltes Programm zur Nachsorge von Patientinnen mit BN. Das Programm basiert auf den Prinzipien der KVT und soll Patientinnen dabei unterstützen, die in der Therapie erreichten Verbesserungen in Bezug auf die bulimische Kernsymptomatik aufrechtzuerhalten und Rückfälle zu verhindern.

IN@ umfasst 11 webbasierte Sitzungen, die in einem Zeitraum von 9 Monaten im Anschluss an die stationäre Behandlung durchlaufen werden. Begleitet wird das Programm durch Therapeuten, die per E-Mail individuelles Feedback zu den bearbeiteten Modulen geben und in Online-Chats für Fragen zur Verfügung stehen. Ergebnisse der Studie zeigten keine signifikanten Effekte der Intervention auf dem Hauptkriterium, der Abstinenz bzgl. bulimischer Symptome; allerdings konnte auf einzelnen Symptomdimensionen im Vergleich zur Kontrollgruppe eine Stabilisierung festgestellt werden [13].

Von der Nachsorge zum Krankheitsmanagement – SUMMIT

Die meisten psychischen Erkrankungen treten episodisch auf. Längsschnittstudien zeigen, dass ein beträchtlicher Teil einen chronischen Verlauf nimmt. Aber auch Daten aus der Versorgung legen den Schluss nahe, dass die meisten Patienten wiederholte Krankheits- und Behandlungsepisoden durchlaufen [14].

▬▬▬ Merke

Dies impliziert ein Verständnis psychischer Erkrankungen (insbesondere depressiver Störungen) als chronische Krankheiten, deren Therapie langfristig und über einzelne Akutbehandlungen hinaus konzipiert werden sollte.

Passende Angebote sollten integrativ, individualisiert und adaptiv gestaltet sein und die aktive Beteiligung der Patienten fördern. Bei der Umsetzung solcher Strategien kann Technik eine wichtige Rolle übernehmen, wie das Beispiel SUMMIT zeigt.

Konzept

Aufbauend auf den positiven Erfahrungen aus der Internet-Brücke wurde an der Universität Heidelberg das Programm „Supportives Monitoring und Krankheitsmanagement über das Internet" (SUMMIT [15][16]) entwickelt. SUMMIT trägt dem Umstand Rechnung, dass die meisten psychischen Erkrankungen episodisch verlaufen und Patienten auch nach erfolgreicher Akutbehandlung mit wiederkehrenden Krankheitsphasen rechnen müssen. Das Konzept des Programms folgt nicht einem festen Behandlungsmanual oder -ablauf – SUMMIT stellt vielmehr eine Behandlungsstrategie dar, die auf den Prinzipien des Selbstmanagements aufbaut und eine konzeptionelle Nähe zu adaptiven, gestuften Behandlungsmodellen aufweist [17][18].

SUMMIT kombiniert eine Reihe von Interventionsbausteinen, die eine längerfristig angelegte, individualisierte Unterstützung von Menschen mit episodisch-wiederkehrenden oder chronischen Störungsbildern über einzelne Krankheitsphasen hinweg ermöglichen sollen. Ausgangspunkt bei der Konzeption war die Überlegung, dass Phasen mit Symptombelastungen bis hin zu Rückfällen zu erwarten sind, deren Häufigkeit, Dauer und Ausprägung aber positiv beeinflusst werden können, sofern die Person bedarfsabhängig im Alltag bei der Vorbeugung und Bewältigung von Krisensituationen unterstützt wird [16].

Ziel

SUMMIT soll im Sinne einer präventiven Intervention dabei unterstützen, symptomfreie Phasen zu verlängern. Übergänge in eine Krise oder in einen Rückfall sollen hinausgezögert werden. Im Fall einer sich ankündigenden gesundheitlichen Krise unterstützt die Intervention den Patienten dabei, negative Entwicklungen früh zu erkennen und zeitnah angemessen darauf zu reagieren, um den Schweregrad einer Krise abzumildern. Im Idealfall handelt die betroffene Person vor Eintreten eines schweren Rückfalls bzw. nimmt geeignete Therapiemaßnahmen in Anspruch,

28

Wolf M et al. Chancen moderner Medien für psychotherapeut... PiD - Psychotherapie im Dialog 2018; 19: 25–32 um den Übergang in einen symptomfreien Zustand zu beschleunigen und die Zeit in der Krise zu verkürzen.

Plattform

Im Rahmen der SUMMIT-Studie wurde eine Plattform entwickelt, über die Patienten mit rezidivierender Depression im Anschluss an ihre Akutbehandlung prinzipiell zeitlich unbegrenzt begleitet werden können [15]. Die Plattform kann über einen Zeitraum von 12 Monaten nach Bedarf und eigenen Präferenzen jederzeit genutzt werden. Am Ende der Akutbehandlung werden Patienten für das Programm registriert und erhalten eine kurze Einführung in den Programmaufbau, der die folgenden Elemente umfasst:

1. Information und Psychoedukation: Die Teilnehmer finden evidenzbasierte Informationen zu depressiven Erkrankungen, deren Prävalenz, Diagnostik, Klassifikation, Ursachen, Risikofaktoren sowie Therapie und Rückfallprophylaxe.

2. Online-Diskussionsforum: Im geschützten und moderierten Forum können sich registrierte Teilnehmer untereinander austauschen und vor dem Hintergrund ähnlicher (Krankheits-)Erfahrungen unterstützen. In Unterforen können fachliche Fragen gestellt und beantwortet werden, andere Bereiche sind für oder Blogs und Online-Tagebücher reserviert. Das Forum wird von Teammitgliedern begleitet und bzgl. potenziell unangemessener Inhalte (in Bezug auf Suizidalität) und Einhaltung der „Netiquette" überwacht.

3. Krisenmanagementplan: Am Ende der Akuttherapie formuliert ein Bezugstherapeut zusammen mit dem Patienten einen individuellen Krisenplan, der die zentralen Punkte der Akuttherapie aufgreift und relevante Informationen und Strategien des Patienten in Bezug auf die Störung und deren (Selbst-)Management zusammenfasst. Der Krisenplan steht dem Teilnehmer auf der Plattform zur Verfügung, er beinhaltet bewährte und rückfallpräventive Maßnahmen, individuelle Frühwarnzeichen, therapeutisch indizierte Maßnahmen, professionelle (Notfall-)Kontakte und Behandlungseinrichtungen sowie persönliche Kontakte und Ansprechpartner in Familie und Freundeskreis.

4. Supportives Monitoring und Feedbacksystem: Dies ist das Kernstück von SUMMIT. Im Sinne einer Minimalintervention erlaubt es den Teilnehmern ihre Kernsymptomatik über längere Zeit hinweg zu erheben und zu beobachten, um daraus Rückschlüsse für ihr Gesundheitsverhalten zu ziehen [19]. Zudem steuert der Monitoring-Algorithmus – im Sinne adaptiver Interventionen – zentrale Funktionen und „Entscheidungen" im Programm. Teilnehmer erhalten alle 2 Wochen eine Aufforderung, online einen kurzen Fragebogen zu ihrer Symptomatik, Medikamenteneinnahme und aktuellen Behandlungssituation auszufüllen. Der Algorithmus wertet die Daten aus und generiert automatisch eine auf die Symptome und deren Verlauf ab-

gestimmte Nachricht, die unmittelbar per E-Mail oder SMS an den Teilnehmer versendet wird. Die supportiven Nachrichten folgen KVT-Prinzipien, signalisieren Unterstützung und sollen insbesondere bei negativen Symptomverläufen dazu anregen, zuvor besprochene bzw. bewährte Maßnahmen zu ergreifen, den Krisenplan zu Rate zu ziehen oder Kontakt mit dem SUMMIT-Expertenteam per Online-Chat oder einem Therapeuten vor Ort aufzunehmen.

5. Online-Expertenchats: Über einen Terminplan können sich Teilnehmer in monatlichen Gruppenchats einloggen oder aber bedarfsabhängig für Einzelsitzungen mit einem Experten anmelden. Die Gruppenchats sind offen für alle registrierten Teilnehmer und dauern 60 Minuten; dort können u. a. allgemeine krankheitsbezogene Fragen mit einem Experten geklärt werden. In Einzelchats können Teilnehmer im Fall gesundheitlicher Verschlechterungen zeitnah persönliche Fragen klären. Einzeltermine sind binnen 24 Stunden erreichbar. Sie ersetzen kein Therapiegespräch; vielmehr sind sie ein niedrigschwelliges Beratungsangebot, in dessen Rahmen die aktuelle Situation des Teilnehmers beleuchtet und unter Rückgriff auf den individuellen Krisenplan und Symptomverlauf weitere Schritte besprochen und geplant werden. Im Rahmen der SUMMIT-Studie wurden die Chats von Mitgliedern des Projektteams angeboten.

Wirksamkeit

Das Programm wurde in einer randomisierten kontrollierten Studie an einer Stichprobe von 232 Patienten mit rezidivierender Depression an 6 Kliniken in Deutschland evaluiert [15][16]. Hauptzielkriterium der Studie war der Anteil „guter Wochen", d. h. Wochen mit lediglich minimaler depressiver Symptomatik gemessen über einen Zeitraum von 24 Monaten. Patienten der Kontrollgruppe erhielten die Regelbehandlung in Anlehnung an Leitlinien zur Behandlung unipolarer Depression. Zusätzlich zur Regelbehandlung erhielten die Teilnehmer der Interventionsgruppe für 12 Monate Zugang zum Programm, wobei in der Studie 2 Varianten verglichen wurden: die moderierte Variante mit der Möglichkeit zur persönlichen Unterstützung in Online-Chats und eine rein automatisierte Version, ohne persönliche Chat-Unterstützung.

Wie die Ergebnisse zeigen, erhöhte sich der Anteil „guter Wochen" in den Interventionsgruppen im Vergleich zur Kontrollgruppe, die in nur knapp ⅓ der Beobachtungszeit (31 %) weitgehend symptomfreie Wochen zeigte. Allerdings fanden sich keine Unterschiede zwischen den Varianten mit (48 % „gute Wochen") und ohne (52 %) persönliche Unterstützung [16]. Entgegen den Erwartungen wurde das persönliche Kontaktangebot nur von knapp 20 % der Teilnehmer in Anspruch genommen; für zukünftige Programmversionen legen die Ergebnisse nahe, die Kontaktangebote in die Hände der Bezugstherapeuten oder andere vertraute Behandler zu legen.

Wolf M et al. Chancen moderner Medien für psychotherapeut… PiD - Psychotherapie im Dialog 2018; 19: 25–32

29

Potenzial

Online-Programme haben unzweifelhaft Vorteile – sowohl für Betroffene als auch für die Anbieter und das Versorgungssystem [20]. Die Reichweite der Anbieter therapeutischer Leistungen wird erhöht und unterstützt so die Umsetzung komplexer Interventionsstrategien nach dem Modell der kollaborativen, interprofessionellen oder integrierten Versorgung. Angesichts der derzeit fragmentierten Angebotsstruktur können Medien einen Beitrag dazu leisten, Lücken in der Versorgung zu überbrücken und einzelne Glieder in der Versorgungskette besser zu verknüpfen.

In Ergänzung wirksamer Akuttherapien können neue, individualisierte und adaptive Interventionen geschaffen werden, die bestehende Angebote kombinieren. Dies verbessert die zeitnahe, bedarfsabhängige und individualisierte Vermittlung geeigneter Unterstützung und trägt zum gezielten Ressourceneinsatz bei.

▬▬▬ Merke
Angesichts begrenzter ambulanter Therapieplätze verbessern die Angebote den Zugang zu evidenzbasierten Interventionen und senken die Schwelle zur Inanspruchnahme professioneller Unterstützung, was insbesondere mit Blick auf unterversorgte Patientengruppen von großer Bedeutung ist.

Online-Interventionen sind rasch verfügbar, meist ohne den zusätzlichen Aufwand durch Anfahrtswege erreichbar und können bedarfsgerecht auf die Situation des Patienten angepasst werden, was sie besonders im Nachsorgebereich zur sinnvollen Ergänzung ambulanter Angebote qualifiziert.

Herausforderungen

Fortbildungs- und Weiterbildungsangebote sind bislang nur lückenhaft verfügbar und stammen vorwiegend aus dem Beratungskontext. Auch technische Hürden oder teilweise berechtigte Bedenken bzgl. des Datenschutzes oder der (kommerziellen) Verwendung hochsensibler Informationen können Therapeuten wie auch Patienten insbesondere bei der Nutzung kommerzieller Angebote abschrecken. Hinzu kommen Kosten und Aufwand für Bereitstellung, Pflege, Wartung, Datenschutz und Anpassung der technischen Lösungen, was Kliniken angesichts der sich ständig weiterentwickelnden Technik vor große Herausforderungen stellt. Hier sind gesundheitspolitische Weichenstellungen notwendig, die neben Fragen der technischen Realisierung telemedizinischer Anwendungen auch Antworten auf bislang offene Fragen der Kostenübernahme der Angebote regeln sollten.

Im Hinblick auf die Implementierung bestehen ebenfalls noch Herausforderungen: Studien zeigen, dass es jenseits technisch raffinierter Lösungen den persönlichen thera-

peutischen Kontakt braucht, um die Akzeptanz, Motivation und Teilnahmebereitschaft der Patienten zu fördern.

▬▬▬ Merke
Die Verbreitung einzelner Programme nach dem Gießkannenprinzip ohne nachhaltige und auf die Zielgruppe abgestimmte Implementierungsstrategien birgt die Gefahr, dass Compliance, Nutzung und Wirksamkeit der Angebote im Vergleich zu den unter Idealbedingungen entstandenen Forschungsresultaten zurückfallen.

Abschließend muss betont werden, dass der derzeitige Forschungsstand aus methodischen Gründen als vorläufig zu werten ist. Teilweise wurden Interventionen gegen sog. Wartelisten geprüft oder es wurden selektive Patientengruppen untersucht, die möglicherweise besonders motiviert oder technikaffin waren. Dies spiegelt sich im teilweise recht hohen Bildungsstand der Studienteilnehmer wieder.

Ausblick

In nachfolgenden Schritten sollten die regulatorischen, versorgungspolitischen und auch ethisch-therapeutischen Grundlagen geschaffen werden, die eine sichere und nachhaltige Implementierung der Angebote rechtfertigen. Erste vielversprechende Entwicklungen zeichnen sich bereits ab: So erarbeiten verschiedene Fachverbände derzeit Standards und Richtlinien für den Einsatz psychotherapeutischer internetbasierter Interventionen.

Angesichts der wachsenden Relevanz des Themas hat die Deutsche Rentenversicherung ein Rahmenmodell zur Umsetzung von Nachsorgeangeboten mittels moderner Kommunikationsmedien vorgelegt [21]. Das Modell formuliert Qualitätsstandards, die Anbieter von Nachsorgeinterventionen nach dem Modell der Rentenversicherung berücksichtigen müssen. Die Initiative der DRV stellt einen ersten Schritt dar, der wichtige Impulse geben kann für die Entwicklung und nachhaltige Implementierung neuartiger Nachsorgeangebote.

FAZIT

Das Potenzial moderner Medien für eine verbesserte Versorgung ist vorhanden, wird aber noch zu wenig systematisch genutzt. Das Feld steht vor der Aufgabe, den Schritt in die Versorgungsrealität zu gehen. Der Bereich der Nachsorge nimmt in diesem Zusammenhang eine Vorreiterrolle ein. Die Kritikpunkte lassen sich lösen und werden die Verbreitung technischer Anwendungen auch in der Psychotherapie nicht aufhalten.

Interessenkonflikt

Die Autoren geben an, dass keine Interessenskonflikte bestehen.

Autorinnen/Autoren

Markus Wolf

Promotion an der Universität Heidelberg, seit 2015 Oberassistent am Lehrstuhl Klinische Psychologie mit Schwerpunkt Psychotherapieforschung an der Universität Zürich. Forschungsschwerpunkte: Psychotherapieforschung und Versorgungsforschung, Sprache und Kommunikation, Nutzung von Informations- und Kommunikationstechnologie in der psychosozialen Versorgung (E-Mental-Health).

Stephanie Bauer

PD Dr. rer. soc., Dipl.-Psych.; Leiterin der Forschungsstelle für Psychotherapie am Universitätsklinikum Heidelberg. Forschungsschwerpunkte: Nutzung von Informations- und Kommunikationstechnologien in der psychosozialen Versorgung (E-Mental-Health), Essstörungen.

Markus Moessner

Dr. phil., Dipl.-Psych.; seit 2006 wissenschaftlicher Mitarbeiter an der Forschungsstelle für Psychotherapie am Universitätsklinikum Heidelberg. Forschungsschwerpunkte: Psychotherapie-Prozess-Ergebnisforschung, Nutzung von Informations- und Kommunikationstechnologien in der psychosozialen Versorgung (E-Mental-Health).

Korrespondenzadresse

Dr. phil. Markus Wolf
Universität Zürich
Psychologisches Institut
Klinische Psychologie mit Schwerpunkt
Psychotherapieforschung
Binzmühlestr. 14, Box 16
CH-8050 Zürich
markus.wolf@psychologie.uzh.ch

Literatur

[1] Deutsche Rentenversicherung. Fachkonzept: Reha-Nachsorge bei psychischen Erkrankungen (Psy-RENA) 2017. Im Internet: https://www.deutsche-rentenversicherung.de/Allgemein/de/Inhalt/2_Rente_Reha/02_reha/05_fachinformationen/infos_fuer_rehaeinrichtungen/_downloads/fachkonzept_psy_rena.html; Stand: 10.09.2018

[2] Golkaramnay V, Bauer S, Haug S et al. The exploration of the effectiveness of group therapy through an Internet chat as aftercare: A controlled naturalistic study. Psychother Psychosom 2007; 76: 219–225

[3] Wolf M, Zimmer B, Dogs P. Chat- und E-Mail-Brücke: Nachsorge nach stationärer Psychotherapie. In: Bauer S, Kordy H, Hrsg. E-Mental Health. Heidelberg: Springer 2008: 219–235

[4] Bauer S, Wolf M, Haug S et al. The effectiveness of internet chat groups in the relapse prevention after inpatient psychotherapy. Psychother Res 2011; 21: 219–226

[5] Kordy H, Theis F, Wolf M. Moderne Informations- und Kommunikationstechnologie in der Rehabilitation. Mehr Nachhaltigkeit durch Internet-vermittelte Nachsorge. Bundesgesundheitsblatt Gesundheitsforschung Gesundheitsschutz 2011; 54: 458–464

[6] Moessner M, Aufdermauer N, Baier C et al. Wirksamkeit eines Internet-gestützten Nachsorgeangebots für Patienten mit chronischen Rückenschmerzen. Psychother Psychosom Med Psychol 2014; 64: 47–53

[7] Lange L, Fink J, Bleich C et al. Effectiveness, acceptance and satisfaction of guided chat groups in psychosocial aftercare for outpatients with prostate cancer after prostatectomy. Internet Interv 2017; 9: 57–64

[8] Ebert D, Tarnowski T, Gollwitzer M et al. A transdiagnostic internet-based maintenance treatment enhances the stability of outcome after inpatient cognitive behavioral therapy. A randomized controlled trial. Psychother Psychosom 2013; 82: 246–256

[9] Zwerenz R, Becker J, Gerzymisch K et al. Evaluation of a transdiagnostic psychodynamic online intervention to support return to work. A randomized controlled trial. Plos One 2017; 12: e0176513

[10] Schmädeke S, Bischoff C. Wirkungen smartphonegestützter psychosomatischer Rehabilitationsnachsorge (eATROS) bei depressiven Patienten. Verhaltenstherapie 2015; 25: 277–286

[11] Bauer S, Okon E, Meermann R et al. Technology-enhanced maintenance of treatment gains in eating disorders: efficacy of an intervention delivered via text messaging. J Consult Clin Psychol 2012; 80: 700–706. doi:10.1037/a0028030

[12] Fichter MM, Quadflieg N, Nisslmüller K et al. Does internet-based prevention reduce the risk of relapse for anorexia nervosa? Behav Res Ther 2012; 50: 180–190

[13] Jacobi C, Beintner I, Fittig E et al. Web-based aftercare for women with Bulimia Nervosa following inpatient treatment: Randomized controlled efficacy trial. J Med Internet Res 2017; 19: e321

[14] Melchior H, Schulz H, Härter M. Faktencheck Gesundheit: Regionale Unterschiede in der Diagnostik und Behandlung von Depressionen. Gütersloh: Bertelsmann Stiftung; 2014. Im Internet: https://www.bertelsmann-stiftung.de/fileadmin/files/user_upload/Faktencheck_Depression_Studie.pdf; Stand: 02.08.2018

[15] Kordy H, Backenstrass M, Hüsing J et al. Supportive monitoring and disease management through the internet. An internet-delivered intervention strategy for recurrent depression. Contemp Clin Trials 2013; 36: 327–337

[16] Kordy H, Wolf M, Aulich K et al. Internet-delivered disease management for recurrent depression. A multicenter randomized controlled trial. Psychother Psychosom 2016; 85: 91–98

Wolf M et al. Chancen moderner Medien für psychotherapeut… PiD - Psychotherapie im Dialog 2018; 19: 25–32

31

[17] Bauer S, Wolf M, Moessner M et al. Stepped Care in der psychosozialen Versorgung. Verhaltensther Verhaltensmed 2008; 29: 227–242

[18] Lorig KR, Holman H. Self-management education: History, definition, outcomes, and mechanisms. Ann Behav Med 2003; 26: 1–7

[19] Wolf M. Supportives Monitoring in der Psychotherapie. Psychotherapeut 2011; 56: 485–491

[20] Moessner M, Bauer S. E-Mental-Health und internetbasierte Psychotherapie. Auf dem Weg in die Versorgung. Psychotherapeut 2017; 62: 251–266

[21] Deutsche Rentenversicherung. Anforderungen an Tele-Reha-Nachsorge. Anlage 3 zum Rahmenkonzept zur Nachsorge nach medizinischer Rehabilitation 2017. Im Internet: https://www.deutsche-rentenversicherung.de/Allgemein/de/Inhalt/2_Rente_Reha/02_reha/05_fachinformationen/infos_fuer_rehaeinrichtungen/_downloads/nachsorge_tele_reha.html; Stand: 10.09.2018

Bibliografie

DOI https://doi.org/10.1055/a-0592-0219
PiD - Psychotherapie im Dialog 2018; 19: 25–32
© Georg Thieme Verlag KG Stuttgart · New York
ISSN 1438–7026

Blended Psychotherapy – verzahnte Psychotherapie: Das Beste aus zwei Welten?

Harald Baumeister, Cora Grässle, David D. Ebert, Lena V. Krämer

Psychotherapie und Digitalisierung – zwei scheinbar unvereinbare Begriffe, die jedoch zunehmend in einem Atemzug verwendet werden. Von der „One size fits all"-Prophezeiung bis zum Untergang der Versorgung psychisch erkrankter Menschen findet eine teils hoch emotionale und oftmals wenig wissenschaftlich fundierte Diskussion statt. Verzahnte Psychotherapie kann ein Ansatz sein, der beide Welten verbindet.

Einleitung

Die Wirksamkeit von Psychotherapie zur Behandlung psychischer Störungen ist vielfach aufgezeigt [1]. Doch selbst in Ländern mit einem gut ausgebauten Gesundheitsversorgungssystem sind die Behandlungsraten bei bestehend großem Bedarf gering:

━━━━━━━ **Merke**
In Deutschland bleiben je nach Störung ca. 28–63 % der behandlungsbedürftigen Personen unbehandelt [2].

Internet- und mobilbasierte Interventionen (IMIs) können eine Möglichkeit bieten, zeitnah evidenzbasierte psychologische Interventionen zur Verfügung zu stellen und dadurch zur Verringerung des Versorgungsengpasses beizutragen [3]. Die Forschung zu IMIs bezieht sich bislang nahezu ausschließlich auf Stand-alone-IMIs, d. h. Online-Interventionen, die für sich stehend alternativ zur Vor-Ort-Behandlung eingesetzt werden [3]. In zahlreichen klinischen Studien hat sich die Wirksamkeit von IMIs zur Behandlung psychischer Störungen gezeigt, mit im Durchschnitt vergleichbarer Wirksamkeit therapeutisch begleiteter IMIs im Vergleich zur Vor-Ort-Psychotherapie (insbesondere gut untersucht bei depressiven und Angststörungen [4][5]).

Die Studienlage bezieht sich jedoch stets auf Teilnehmer, die sich eine Behandlung ihrer Probleme auch ausschließlich mittels einer Online-Intervention vorstellen können. Studien zur Akzeptanz von IMIs zeigen, dass dies nur auf einen geringen Teil der Zielpopulation zutrifft [6].

━━━━━━━ **Merke**
Die ausschließliche Fernbehandlung, wie sie bei IMIs in Stand-alone-Maßnahmen erfolgt, ist in Deutschland durch die aktuell gültigen Berufsordnungen derzeit noch weitgehend eingeschränkt.

Weit weniger gut wissenschaftlich untersucht (aber deutlich relevanter für die psychotherapeutische Versorgung von Patienten mit psychischen Störungen in Deutschland sowie berufsrechtlich unmittelbar umsetzbar) sind sog. „Blended Therapy"-Ansätze, d. h. die Verzahnung evidenzbasierter Online-Interventionselemente mit der psychotherapeutischen Routineversorgung [7].

Blended Psychotherapy

Unter Blended Psychotherapy verstehen wir im weiteren Sinn die Nutzung etablierter Vor-Ort-Therapieansätze verzahnt mit dem Einsatz elektronischer Medien wie Smartphone, Computer oder anderen elektronischen Geräten (z. B. Virtual-Reality-Brillen). Im engeren Sinn befasst sich der vorliegende Beitrag auf die Verzahnung von Vor-Ort-Psychotherapie mit internet- und mobilbasierten Interventionsangeboten.

Neben dem Begriff Blended Psychotherapy bestehen auch die Begriffe „Blended Treatment" und „Blended Care". Ein deutschsprachiger Begriff hat sich bislang nicht etabliert – könnte aber „verzahnte Psychotherapie" sein. Die Verzahnung von F2F-Therapie und Online-Interventionen kann auf unterschiedliche Weise erfolgen [7] (▶ **Tab. 1**).

Sequenzielle verzahnte Psychotherapie

Nach Erbe et al. [7] kann verzahnte Psychotherapie sequenziell im Sinne eines Stepped-Care-Ansatzes stattfinden. Die Online-Intervention wird hier vor (Stepping-up-Ansatz) oder nach (Stepping-down-Ansatz) der klassischen Vor-Ort-Therapie eingesetzt und kann helfen, Versorgungslücken zu schließen, die Intensität der verabreichten Behandlungen gestuft an den Bedarf der Patienten anzupassen sowie die Nachhaltigkeit von Therapieeffekten durch eine niederschwellige, langfristige Online-Nachsorge der Patienten zu erhöhen.

Baumeister H et al. Blended Psychotherapy – verzahnte Psychothe... PiD - Psychotherapie im Dialog 2018; 19: 33–38

33

▶ **Tab. 1** Varianten der verzahnten Psychotherapie.

Verzahnte Psychotherapie	Erläuterung
1. sequenziell	
a) stepping-up	Online-Interventionen gehen Vor-Ort-Interventionen zeitlich voraus (z. B. als Wartezeitüberbrückung oder als Stepped-Care-Ansätze im engeren Sinne)
b) stepping-down	Vor-Ort-Interventionen gehen Online-Interventionen zeitlich voraus (z. B. als Nachsorgemaßnahme nach einer stationären psychosomatischen Behandlung)
2. integriert	
a) Online-Interventionen zur Unterstützung der Vor-Ort-Therapie	Integration von Online-Interventionen in die Vor-Ort-Psychotherapie zur Flexibilisierung und Erweiterung der psychotherapeutischen Möglichkeiten
b) Vor-Ort-Sitzungen zur Unterstützung von Online-Interventionen	Integration von Vor-Ort-Sitzungen zur Aufklärung und Diagnostik, Sicherstellung der Sorgfaltspflicht, Qualitätskontrolle und Krisenintervention sowie zur Steigerung der Online-Interventionsadhärenz
c) Fokus Wirksamkeit	Intensivierung von Vor-Ort-Psychotherapie durch Hinzufügen von Online-Interventionen mit dem Ziel, die Wirksamkeit von Psychotherapie weiter zu steigern
d) Fokus Ressourcen	Ersetzen von Vor-Ort-Terminen durch Online-Interventionen mit dem Ziel der verbesserten Allokation von therapeutischen Ressourcen
e) als Bestandteil einer integrierten Versorgung	Online-Psychotherapie als Teil der Gesundheitsversorgung, z. B. im Rahmen von Disease-Management-Programmen, Collaborative Care und integrierten Versorgungsansätzen

Als Stepping-up-Varianten werden häufig Online-Interventionen als Wartezeitüberbrückung sowie als Teil von Stepped-Care-Ansätzen diskutiert [7][8][9]. So können bereits vor Therapiebeginn hilfreiche Übungen bereitgestellt und erste Inhalte als Therapievorbereitung vermittelt werden. Stepped-Care-Ansätze im eigentlichen Sinn weichen hiervon insofern ab, dass Patienten nach einem definierten Behandlungsalgorithmus nur dann die nächste, ggf. intensivere, invasivere und auch kostenintensivere Behandlung erhalten, wenn die vorherige Stufe nicht zu einer ausreichenden Behandlungsresponse führte und die weiterführende Behandlung als zielführend, potenziell wirksam und ausreichend wirtschaftlich eingestuft wird [9][10].

━━━━━ Merke

Gerade bei subklinischen bis leichtgradigen psychischen Störungen bietet sich der Stepping-up-Ansatz an, da er am ehesten sicherstellt, dass die betroffenen Personen die am wenigsten invasive, aber dennoch ausreichend unterstützende Intervention erhalten, um den Leidensdruck zu lindern und das Funktionsniveau zu verbessern.

Als Stepping-down-Variante werden Online-Interventionen insbesondere als Nachsorgemaßnahme nach intensiven, meist stationären Behandlungsmaßnahmen diskutiert und wurden in Deutschland bislang vor allem im Kontext der psychosomatischen Rehabilitation untersucht [11]. Prinzipiell bietet sich dieser Ansatz aber generell für eine nachhaltige Überführung der Therapieergebnisse in den Alltag von Patienten an, mit einem spezifischen Fokus auf die Steigerung der Selbstmanagementkompetenz der Patienten.

Integrierte verzahnte Psychotherapie

Verzahnte Psychotherapie kann auch bedeuten, Vorteile aus der gleichzeitigen Nutzung von Online- und Vor-Ort-Interventionen zu ziehen. Beide Interventionen werden hierbei vernetzt eingesetzt, sodass beide Verfahren substanziell zum Behandlungsverlauf beitragen: Mit Fokus auf die Vor-Ort-Psychotherapie, die durch Online-Interventionen ergänzt wird, über ein sich abwechselndes gleichberechtigtes Miteinander der verschiedenen Zugangswege bis hin zur Durchführung von Online-Interventionen ergänzt durch Vor-Ort-Sitzungen.

Oftmals folgt die Integration von Online-Interventionen in die etablierte Vor-Ort-Psychotherapie dem Rational der Flexibilisierung der Psychotherapiemöglichkeiten und dem von Patienten auch selbst eingebrachten Wunsch der Digitalisierung (Terminplanung via E-Mail oder WhatsApp, Frage nach empfehlenswerten Apps, digitalisierte Übungen und Hausaufgaben etc.). Dabei bietet sich der Technologieeinsatz für verschiedenste Therapieziele an:

- Vor- und Nachbereitung von Vor-Ort-Sitzungen
- Adhärenzförderung und Durchführungsoptimierung von Übungen durch Feedback- und Erinnerungsfunktionen
- Diagnostik im Alltagsgeschehen und in zeitlicher Nähe zu den Problemsituationen der Patienten als Erkenntnisgewinn für die nächste Therapiesitzung
- Unterstützung des Verhaltensänderungsprozesses durch die Bereitstellung von Übungsmaterialien und motivationsfördernden Features
- Einbindung von mobilbasierten Notfallsystemen für Patienten mit erhöhtem Eigen- und Fremdgefährdungspotenzial

34

Baumeister H et al. Blended Psychotherapy – verzahnte Psychothe… PiD - Psychotherapie im Dialog 2018; 19: 33–38

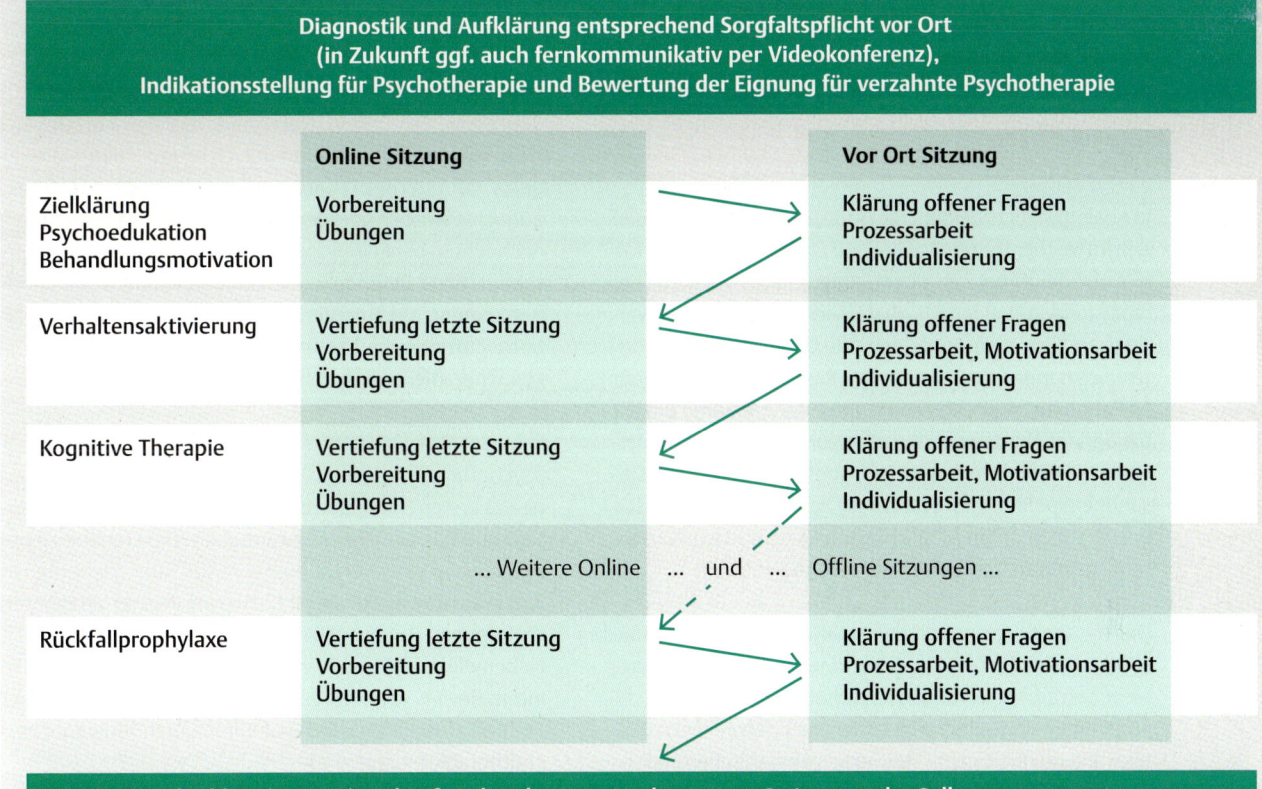

Diagnostik und Aufklärung entsprechend Sorgfaltspflicht vor Ort (in Zukunft ggf. auch fernkommunikativ per Videokonferenz), Indikationsstellung für Psychotherapie und Bewertung der Eignung für verzahnte Psychotherapie		
	Online Sitzung	**Vor Ort Sitzung**
Zielklärung Psychoedukation Behandlungsmotivation	Vorbereitung Übungen	Klärung offener Fragen Prozessarbeit Individualisierung
Verhaltensaktivierung	Vertiefung letzte Sitzung Vorbereitung Übungen	Klärung offener Fragen Prozessarbeit, Motivationsarbeit Individualisierung
Kognitive Therapie	Vertiefung letzte Sitzung Vorbereitung Übungen	Klärung offener Fragen Prozessarbeit, Motivationsarbeit Individualisierung
	... Weitere Online ... und ... Offline Sitzungen ...	
Rückfallprophylaxe	Vertiefung letzte Sitzung Vorbereitung Übungen	Klärung offener Fragen Prozessarbeit, Motivationsarbeit Individualisierung
Abschluss (Vor Ort) und ggf. Online-basierte Nachsorge zur Steigerung des Selbstmanagement und zur Stabilisierung der Therapieerfolge über die Zeit		

▶ **Abb. 1** Beispielhafter Ablauf einer verzahnten Online-Offline-Psychotherapie (mod. nach [12]).

Im Gegensatz hierzu dient die Integration von Vor-Ort-Sitzungen in für sich stehende Online-Interventionen:

- psychotherapeutische Aufklärung und Diagnostik vor Ort
- Sicherstellung der Sorgfaltspflicht, der Qualitätskontrolle und Krisenintervention
- Ziel der Steigerung der Interventionsadhärenz und der Wirksamkeit von Online-Interventionen
- Ziel der Vertiefung und Individualisierung von standardisierten Online-Interventionen durch Vor-Ort-Sitzungen

Aktuelle Forschungsbemühungen in diesem Bereich zielen vermehrt auch auf die enge Verzahnung beider Zugangswege, um das Beste aus 2 Welten miteinander zu verbinden. In Anlehnung an Kooistra et al. [12] könnte der Ablauf einer verzahnten Psychotherapie dabei wie in ▶ **Abb. 1** dargestellt erfolgen. Varianten dieses Ablaufs sind vielfältig denkbar und lassen sich u. a. systematisieren, ob mit der Verzahnung insbesondere eine Steigerung der Wirksamkeit oder verbesserte Ressourcennutzung der begrenzten Therapeutenzeit intendiert ist.

Bei einer Steigerung der Wirksamkeit kann eine wöchentliche Vor-Ort-Sitzung mit einer wöchentlichen, therapeutisch unbegleiteten Online-Sitzung kombiniert werden, um derart die Therapiedosis zu erhöhen, ohne substanziell mehr therapeutische Zeit zu benötigen. Vereinzelte Studien legen nahe, dass gerade die in der Forschung häufig evaluierten Kurz- bis Ultrakurzinterventionen mit oftmals weniger als 16 Therapiesitzungen das potenzielle Wirksamkeitsmaximum von Psychotherapie nur unzureichend ausschöpfen [14]. Gleichzeitig zeigt sich ein signifikanter Wirksamkeitszuwachs bei einer Steigerung der Therapiefrequenz unabhängig von der Gesamtzahl an Therapiesitzungen pro Patient [15].

▬▬▬▬ Merke

Die Ergänzung von Online-Sitzungen könnte eine Lösung sein, die Wirksamkeit von Psychotherapie substanziell zu verbessern, ohne dabei den Ressourcenaufwand gleichermaßen substanziell erhöhen zu müssen.

Bei einem Ressourcenfokus stellt sich die Frage, wie viel Vor-Ort-Psychotherapie notwendig ist, um eine ausreichende Therapiewirksamkeit zu erreichen. Evidenz gibt es hierzu bislang nicht. Aus dem Bereich der therapeutisch unbegleiteten und begleiteten internet- und mobilbasierten Selbsthilfeinterventionen ist jedoch bekannt, dass zum einen therapeutisch begleitete Interventionen therapeu-

Baumeister H et al. Blended Psychotherapy – verzahnte Psychothe... PiD - Psychotherapie im Dialog 2018; 19: 33–38

35

tisch unbegleiteten Interventionen signifikant überlegen sind [16]. Zum anderen spricht jedoch auch vieles dafür, dass ein Mehr an investierter Therapiezeit ab einer therapeutischen, noch weiter zu erforschenden Kontaktzeit zu keinem inkrementellen Wirksamkeitszuwachs mehr führt [16].

In Analogie hierzu besteht die Frage, ob Vor-Ort-Sitzungen z. B. im wöchentlichen Wechsel mit Online-Sitzungen erfolgen und derart bei z. B. einer Halbierung der Vor-Ort-Therapiestunden eine vergleichbare Wirksamkeit erreicht werden kann wie zuvor im reinen Vor-Ort-Setting. So könnten die knappen therapeutischen Ressourcen einem Mehr an Patienten zugutekommen, unter der Annahme gleichbleibender Therapieressourcen in unserem Gesundheitssystem. Bei diesem Ansatz ist insbesondere auch die Gesundheitspolitik gefordert darauf zu achten, dass aus den bestehenden guten Möglichkeiten keine kostenminimierungsgeleitete Gesundheitsversorgung entsteht.

Der Ansatz der integrierten verzahnten Psychotherapie kann auch im Kontext der Gesundheitsversorgung insgesamt betrachtet werden, da psychotherapeutische Techniken einen sinnvollen, wirksamen aber derzeit viel zu selten implementierten Baustein unserer psychischen und somatischen Gesundheitsversorgung darstellen. In diesem Kontext könnten onlinebasierte Selbsthilfeinterventionen integraler Bestandteil einer bio-psycho-sozialen Gesundheitsversorgung werden, indem Patienten in Disease-Management-Programmen (DMP), integrierten Versorgungsmaßnahmen und Collaborative-Care-Ansätzen vermehrt von dem hohen Potenzial psychotherapeutischer Techniken profitieren könnten.

Evidenzbasierung

Die Forschung zur unterstützenden Wirkung internetbasierter Interventionen bezüglich der klassischen Vor-Ort-Therapie steht noch am Anfang. Lindhiem et al. [17] untersuchten in einer Metaanalyse den Einfluss mobiler Technologien auf die Wirksamkeit von Vor-Ort-Psychotherapie. Die Autoren konnten in allen 25 Studien einen größeren Behandlungserfolg durch den Einsatz von internetbasierten Apps, SMS-Unterstützung und ähnlichen Technologien feststellen.

Ly et al. [18] verglichen die Wirksamkeit einer klassischen Vor-Ort-Verhaltenstherapie für Depression mit einer verzahnten Psychotherapievariante. Während die Kontrollgruppe an 10 Vor-Ort-Sitzungen teilnahm, wurden in der Experimentalgruppe nur 4 Vor-Ort-Sitzungen durchgeführt. Zusätzlich erhielten die Probanden der Experimentalgruppe Zugang zu einer verhaltenstherapeutischen Smartphone-App. Die Befunde sprachen für die Wirksamkeit der verzahnten Psychotherapie und die Autoren konnten keine Überlegenheit der klassischen Vor-Ort-Therapie feststellen. Die Psychotherapeuten wendeten in der ver-

zahnten Therapiebedingung im Durchschnitt 47 % weniger Zeit auf.

Kooistra et al. [12] entwickelten eine verzahnte KVT für depressive Störungen. Nach einer initialen Vor-Ort-Sitzung wurden abwechselnd Vor-Ort- und Online-Sitzungen einer internetbasierten Intervention durchgeführt. Zunächst wurden nach jeder Online-Sitzung Erinnerungsnachrichten per E-Mail und therapeutisches Feedback versendet. Erste Befunde weisen im Vergleich zur Standardbehandlung auf eine Verbesserung der Symptome, eine hohe Zufriedenheit seitens der Patienten und eine kürzere Therapiedauer durch verzahnte Psychotherapie hin.

Schuster et al. [19] untersuchten eine verzahnte Gruppenpsychotherapie gegenüber einer Wartelistenkontrollgruppe mit ersten Hinweisen auf die Durchführbarkeit, Akzeptanz und Wirksamkeit dieses Ansatzes. Das Ergebnis zeigte sich auch in einer verzahnten KVT für Tumorpatienten in Bezug auf ihre Rezidivangst [20] sowie in einer verzahnten KVT gegen Fatigue bei Patienten mit Typ-I-Diabetes [21]. Neben diesen Erkenntnissen berichteten Erbe et al. [7] in ihrem Review von weniger Therapieabbrüchen und einer Zeitersparnis für Psychotherapeuten durch verzahnte Psychotherapieansätze.

Zusammenfassend deuten die bisherigen Befunde auf die Durchführbarkeit und die Wirksamkeit verzahnter Psychotherapie in Bezug auf verschiedene Problembereiche und Settings hin.

▬▬ Cave

Die Evidenz ist jedoch noch als vorläufig zu bewerten, mit Mangel an umfangreichen, qualitativ hochwertigen, multizentrischen klinischen Studien, die differenzierte Aussagen zur Wirksamkeit, Kosteneffektivität und effektmoderierenden Variablen erlauben.

Ausblick

Das Forschungs- und Anwendungsfeld der verzahnten Psychotherapie steckt noch in den Kinderschuhen. Zwar gibt es erste Hinweise darauf, dass die Integration von Online-Interventionen in die Psychotherapie zu Effektivitätssteigerungen führen kann, jedoch gibt es nur wenige Anhaltspunkte, auf welche Art und Weise die Verzahnung erfolgen sollte.

Therapeuten sind bisher bei der Auswahl der Technologien weitestgehend auf sich selbst gestellt. Sie stehen dabei einer unüberschaubaren Vielfalt an Apps, Programmen und Internetanwendungen gegenüber, die insbesondere unkontrolliert über die App Stores angeboten werden. Die Qualität der Angebote ist meist nicht auf den ersten Blick ersichtlich und eine Beurteilung zeitaufwändig [22]. Im App-Bereich gibt es erste Vorstöße zur Systematisierung und Bewertung von Apps [22]. Auf der anderen Seite steht

36

Baumeister H et al. Blended Psychotherapy – verzahnte Psychothe… PiD - Psychotherapie im Dialog 2018; 19: 33–38 eine Vielzahl an evidenzbasierten internet- und mobilbasierten Stand-alone-Interventionen [3][4], deren Module und Inhalte sich durchaus auch für die verzahnte Psychotherapie anbieten. Deren Verfügbarkeit ist jedoch eingeschränkt, da sie entweder ausschließlich im Forschungskontext Anwendung finden, zugangsbeschränkt oder unzureichend modular aufgebaut sind, um sinnvoll in den Psychotherapieprozess eingebaut werden zu können (z. B. MoodGym.de, frei zugänglich, s. Beitrag von Dorow et al. in diesem Heft).

Eine zunehmende Kommerzialisierung onlinebasierter Psychotherapie ist in den nächsten Jahren zu erwarten, was die Verfügbarkeit verbessern wird, nicht jedoch zwingend auch die Transparenz und Qualität der angebotenen Interventionen. Damit einhergehend bedarf es neuer berufs-, sozial- und medizinrechtlicher Regelungen, die die Zulassung, Qualitätssicherung und Vergütung von Online-Interventionen als integraler Bestandteil einer verzahnten Psychotherapie sicherstellen [11].

Zuletzt müssen für eine Verbreitung von verzahnten Psychotherapiemodellen die Therapeuten selbst gewonnen werden. Über Schulungen und State-of-the-art-Artikel können Therapeuten gezielt über die Einsatzmöglichkeiten und Rahmenbedingungen informiert werden. Für viele Therapeuten ist der Einsatz elektronischer Medien Neuland und es bedarf Handlungsanleitungen sowie Fortbildungen für den Einsatz. Diese könnten von einer Übersicht über die Vielfalt elektronischer Medien (inkl. Qualitätsbewertung) über die Vermittlung von Handlungskompetenzen im Umgang mit internet- und mobilbasierten Programmen bis hin zu Informationen über die differenzielle Indikation von verzahnter Psychotherapie reichen (bzgl. Störungsbildern, Patientenmerkmalen). Insbesondere im letztgenannten Bereich ist jedoch die Forschungslücke noch groß und es bedarf dringend weiterer Forschung zur differenziellen Anwendung von verzahnter Psychotherapie.

FAZIT

Verzahnte Psychotherapie bietet vielfältige Möglichkeiten. Rechtliche Rahmenbedingungen sowie Qualitätsmängel begrenzen jedoch die Anwendung von Online-Elementen in der eigenen Routine. Die derzeitigen Entwicklungen sprechen sehr dafür, dass die Psychotherapie der Zukunft nicht mehr ausschließlich analog sein wird. Es erscheint empfehlenswert, die Entwicklung im Bereich Online-Psychotherapie nicht einfach nur abzuwarten, sondern selbst aktiv mitzugestalten.

Interessenkonflikt

Prof. Baumeister und Dr. Ebert sind im Bereich E-Health beratend (teils honoriert) für verschiedene Krankenkassen, Gesellschaften und Verbänden im Gesundheitswesen, Wirtschaftsunternehmen und Psychotherapeutenkammern tätig. Sie erhielten Reisemittel, Kongressgebühren und Honorare für Vorträge und Workshops. Forschungsdrittmittel erhielten sie u.a. von von EU, DFG, BMBF, DRV-Bund, Barmer, SVLFG und verschiedenen Stiftungen. Dr. Ebert hat Anteile an GET.ON Health Trainings. Dr. Krämer und Frau Grässle berichten von keinen potentiellen Interessenskonflikten.

Autorinnen/Autoren

Harald Baumeister
Prof. Dr. seit 2015 Leiter der Abteilung für Klinische Psychologie und Psychotherapie sowie Klinischer Leiter der psychotherapeutischen Hochschulambulanz der Universität Ulm. Das Forschungskonzept der Abteilung vertritt einen interdisziplinären Ansatz zur versorgungsnahen Erforschung psychischer und psychosomatischer Störungen mit den Schwerpunkten E-Mental-Health, Depression, Somato-Psychologie und Versorgungsforschung (https://www.uni-ulm.de/in/psy-klips/forschung/forschung).

Cora Grässle, Abteilung Klinische Psychologie und Psychotherapie, Institut für Psychologie und Pädagogik, Universität Ulm

David Ebert, Lehrstuhl für Klinische Psychologie und Psychotherapie, Institut für Psychologie, Universität Erlangen-Nürnberg

Lena Krämer, Abteilung für Rehabilitationspsychologie und Psychotherapie, Institut für Psychologie, Universität Freiburg

Korrrespondenzadresse

Prof. Dr. Harald Baumeister, Dipl. Psych., PP
Abteilung für Klinische Psychologie und Psychotherapie
Institut für Psychologie und Pädagogik
Universität Ulm
Albert-Einstein-Allee 47
89069 Ulm
harald.baumeister@uni-ulm.de

Literatur

[1] Huhn M, Tardy M, Spineli LM et al. Efficacy of pharmacotherapy and psychotherapy for adult psychiatric disorders. JAMA Psy 2014; 71: 706–715

[2] Mack S, Jacobi F, Gerschler A et al. Self-reported utilization of mental health services in the adult German population-evidence for unmet needs? Int J Methods Psychiatr Res 2014; 23: 289–303

Baumeister H et al. Blended Psychotherapy – verzahnte Psychothe… PiD - Psychotherapie im Dialog 2018; 19: 33–38

37

[3] Paganini S, Lin J, Ebert DD et al. Internet- und mobilebasierte Intervention bei psychischen Störungen. NeuroTransm 2016; 27: 48–57

[4] Ebert DD, van Daele T, Nordgreen T et al. Internet- and mobile-based psychological interventions: applications, efficacy, and potential for improving mental health: A report of the EFPA e-health taskforce. Eur Psychol 2018; 23: 167–187

[5] Königbauer J, Letsch J, Doebler P et al. Internet- and mobile-based depression interventions for people with diagnosed depression: a systematic review and meta-analysis. J Affect Dis 2017; 223: 28–40

[6] Baumeister H, Seifferth H, Lin J et al. Impact of an acceptance facilitating intervention on patients' acceptance of Internet-based pain interventions: a randomized controlled trial. Clin J Pain 2015; 31: 528–535

[7] Erbe D, Eichert H-C, Riper H et al. Blending face-to-face and Internet-based interventions for the treatment of mental disorders in adults: systematic review. JMIR 2017; 19: e306

[8] Grünzig S-D, Baumeister H, Bengel J et al. Effectiveness and acceptance of a web-based depression intervention during waiting time for outpatient psychotherapy: study protocol for a randomized controlled trial. Trials 2018; 19: 285

[9] Watzke B, Heddaeus D, Steinmann M et al. Effectiveness and cost-effectiveness of a guideline-based stepped care model for patients with depression: study protocol of a cluster-randomized controlled trial in routine care. BMC Psy 2014; 14: 230

[10] Domhardt M, Baumeister H. Psychotherapy of adjustment disorders: current state and future directions. World J Biol Psy; in press

[11] Baumeister H, Lin J, Ebert DD. Internet- und mobilebasierte Ansätze: Psychosoziale Diagnostik und Behandlung in der medizinischen Rehabilitation. Bundesgesbl 2017; 60: 436–444

[12] Kooistra LC, Ruwaard J, Wiersma JE et al. Development and initial evaluation of blended cognitive behavioural treatment for major depression in routine specialized mental health care. Int Interv 2016; 4: 61–71

[13] Kooistra LC, Wiersma JE, Ruwaard J et al. Blended vs. face-to-face cognitive behavioural treatment for major depression in specialized mental health care: study protocol of a randomized controlled cost-effectiveness trial. BMC Psy 2014; 14: 290

[14] Harnett P, O'Donovan A, Lambert M. The dose response relationship in psychotherapy: implications for social policy. Clin Psychol 2010; 14: 39–44

[15] Erekson DM, Lambert MJ, Eggett DL. The relationship between session frequency and psychotherapy outcome in a naturalistic setting. J Consult Clin Psychol 2015; 83: 1097–1107

[16] Baumeister H, Reichler L, Munzinger M et al. The impact of guidance on Internet-based mental health interventions – a systematic review. Int Interv 2014; 1: 205–215

[17] Lindhiem O, Bennett CB, Rosen D et al. Mobile technology boosts the effectiveness of psychotherapy and behavioral interventions. Behav Modif 2015; 39: 785–804

[18] Ly KH, Topooco N, Cederlund H et al. Smartphone-supported versus full behavioural activation for depression: A Randomised Controlled Trial. PLoS One 2015; 10: e0126559

[19] Schuster R, Leitner I, Carlbring P et al. Exploring blended group interventions for depression: Randomised controlled feasibility study of a blended computer- and multimedia-supported psychoeducational group intervention for adults with depressive symptoms. Int Interv 2017; 8: 63–71

[20] van de Wal M, Thewes B, Gielissen M et al. Efficacy of blended cognitive behavior therapy for high fear of recurrence in breast, prostate, and colorectal cancer survivors: The SWORD Study. J Clin Oncol 2017; 35: 2173–2183

[21] Menting J, Tack CJ, van Bon AC et al. Web-based cognitive behavioural therapy blended with face-to-face sessions for chronic fatigue in type 1 diabetes: a multicentre randomised controlled trial. Lancet Diab Endocrinol 2017; 5: 448–456

[22] Terhorst Y, Rathner E-M, Baumeister H et al. Hilfe aus dem App-Store? Eine systematische Übersichtsarbeit und Evaluation von Apps zur Anwendung bei Depressionen. Verhaltensther 2018; 28: 101–112

Bibliografie

DOI https://doi.org/10.1055/a-0592-0264
PiD - Psychotherapie im Dialog 2018; 19: 33–38
© Georg Thieme Verlag KG Stuttgart · New York
ISSN 1438–7026

38

Baumeister H et al. Blended Psychotherapy – verzahnte Psychothe... PiD - Psychotherapie im Dialog 2018; 19: 33–38

Mit Sicherheit zum Erfolg

Erarbeiten Sie sich den kompletten Prüfungsstoff. Über 1500 Fragen aus allen Themenbereichen der Psychiatrie und Psychotherapie sowie der Psychosomatischen Medizin und Psychotherapie. Alle Fragen mit präzisen Antworten und ausführlichen Erläuterungen.

Stressfreie und effektive Vorbereitung

- Testen der Prüfungstauglichkeit durch die Simulation zu Hause
- systematisches Lernen und praxisnahe Erfolgskontrolle
- realistische Einschätzung des Leistungsstandes
- Tipps zur Einreichung der Unterlagen und zur Antragstellung

Neu

- erweitert um das Fachgebiet Psychosomatik
- neues Kapitel Schlafmedizin

Facharztprüfung Psychiatrie, Psychotherapie und Psychosomatik
Klein/Pajonk/Wirsching
2018. 4., überarb. u. erw. Aufl.
432 S., 10 Abb., kart.
ISBN 978 3 13 240329 1
99,99 € [D]
102,80 € [A]

 Buch plus Online-Version in der eRef

Versandkostenfreie Lieferung innerhalb Deutschlands!

 Telefonbestellung:
0711/8931-900

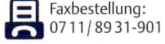 Faxbestellung:
0711/8931-901

 Kundenservice
@thieme.de

 www.thieme.de/shop

iHealth Diaries – how to do it right

Mira Assmann, Ulla Martens, Sarah von Spiczak, Michael Siniatchkin

Bei der Kommunikation zwischen Klinikern und Patienten ist aktuell nicht mehr Frage, ob diese auch digital stattfindet, sondern wie. Die bisherige Evidenz zeigt Ansätze, die internetbasierte und traditionelle Interventionen kombinieren. Interessant sind dabei u. a. die Möglichkeiten, die für Verlaufskontrolle und Nachsorge im klinischen Bereich entstehen. Der Beitrag skizziert Chancen und Grenzen zur Bestimmung von Qualitätskriterien.

Elektronische Tagebücher

Die Chancen der Neuen Medien für den Bereich der Gesundheits- und Klinischen Psychologie sind evident. Für internetbasierte psychologische Angebote sprechen ihre:
- Niedrigschwelligkeit
- Bereitschaft zur Selbstöffnung
- räumliche und zeitliche Flexibilität [1]
- Reduktion der Angst vor Stigmatisierung
- Wegfall sozialer Barrieren [2]

Neben ökonomischen Aspekten und einer großen Reichweite spricht auch die Möglichkeit der Qualitätskonstanthaltung der Intervention für ein Online-Programm. Zudem ist eine aktive Beteiligung der Teilnehmer unumgänglich, wodurch Selbstwirksamkeit in besonderem Maß gestärkt werden kann. Internetbasierte Interventionen ermöglichen es also, die Nachhaltigkeit verschiedener Therapien zu erhöhen, ohne jedoch dabei die Selbstbestimmung der Teilnehmer einzuschränken. Demgegenüber stehen:
- gefährdete Vertraulichkeit der Daten
- eingeschränkte Reaktionsmöglichkeiten in Krisensituationen
- Einschränkungen bezüglich unmittelbaren Austauschs
- fehlende oder reduzierte Compliance
- leichtere Vermeidung schwieriger Themen [2]

Empirisch wird Evidenz für die Wirksamkeit psychologischer Online-Programme geliefert. Auch erlaubt die aktuelle Studienlage bereits Rückschlüsse auf onlinespezifische motivationale Faktoren und eine differenzierte Betrachtung der Compliance. Es ist bei der Diskussion und Abwägung von Vor- und Nachteilen internetbasierter Verfahren wichtig zu beachten, dass sich diese je nach Ansatz unterscheiden können [3]. Anders formuliert: Um angemessene internetbasierte Therapieverfahren für die Kinder- und Jugendpsychotherapie zu konzipieren, sollten verschiedene Ansätze mit entsprechend spezifischen Chancen und Risiken betrachtet werden.

Es wurde Mitte der 80er Jahre von Herrn Prof. Dr. med. G. Rabending an der Universität Greifswald entwickelt und seit 1996 von der DESITIN Arzneimittel GmbH unterstützt und weiterentwickelt wurde. Seit dem Jahr 2000 ist EPI-Vista® als Online-Anwendung frei verfügbar.

EPI-Vista wurde 2007 im DRK-Norddeutschen Epilepsiezentrum für Kinder und Jugendliche für eine kontinuierliche Dokumentation epileptischer Anfälle und laufender Behandlungen eingeführt. Die Basis dieses Online-Verfahrens stellt ein elektronisches Tagebuch dar, das es ermöglicht, über einen längeren Zeitraum Symptomentwicklung und Therapien zu verfolgen, was besonders bei Epilepsien mit dem komplexen Verlauf und Medikamentenresistenz von großer Bedeutung ist.

███ Merke

EPI-Vista ermöglicht es, den Überblick über Änderungen der Behandlungsstrategie zu bewahren und Entscheidungen basierend auf einer langen und objektivierten Symptombeobachtung zu treffen.

Die Vorteile von EPI-Vista wurden bereits in mehreren Publikationen dargelegt [4][5]. Die Einträge in EPI-Vista wurden bislang zuverlässig von den meisten Familien mit einem an Epilepsie erkrankten Kind durchgeführt, da die Nutzung dieser elektronischen Tagebücher obligatorisch zum Therapiekonzept gehört. Zudem wird eine fortlaufende poststationäre Beratung und Nachsorge angeboten, die die Eintragungen in EPI-Vista nutzt. Damit ist EPI-Vista in das telemedizinische Versorgungskonzept des Epilepsiezentrums integriert.

Im Jahre 2015 wurde im Norddeutschen Epilepsiezentrum mit der Unterstützung der Damp-Stiftung ein Ver-

▶ **Abb. 1** EPI-Vista® (Produkt der Desitin Arzneimittel GmbH) – Management der Verstärkerpläne. Quelle: www.epivista.de

sorgungsprojekt gestartet, das auf die Verbesserung der stationären Diagnostik und Behandlung von Kindern und Jugendlichen mit Epilepsien und psychiatrischen Komorbiditäten zielte. Ca. 30 % der Kinder und Jugendlichen mit Epilepsien leidet unter Angststörungen, Depressionen, ADHS, Autismus oder anderen psychischen Störungen und benötigen eine regelmäßige pharmakologisch-psychotherapeutische Behandlung. Das Versorgungskonzept beinhaltet grundlegend folgende Bausteine:

1. stationäre Diagnostik/Verhaltensbeobachtung
2. Elternberatung/Elterntraining
3. Verhaltens- bzw. Verstärkerpläne
4. medikamentöse Einstellung (bei Bedarf)
5. Einarbeitung in das Konzept der EPI-Vista
6. Durchführung täglicher Symptomregistrierung elektronischer Verstärkerpläne über 6 Monate

7. telefonische Beratung bei Krisen und Non-Compliance

Neue Bausteine in EPI-Vista ermöglichen zudem:
1. tägliche Registrierung von psychiatrischen Symptomen sowie psychopharmakologischer Behandlung
2. wöchentliche oder tägliche Festlegung von Zielen (max. 3) für Verhaltensänderung sowie Vereinbarung von Belohnung bei Zielerreichung
3. tägliche Evaluation des Erreichens dieser Ziele (▶ **Abb. 1**)
4. tägliche Registrierung von besonderen Problemen (z. B. starke Ausraster), außerordentlichen Ereignissen (z. B. Klassenfahrt), besonderen Maßnahmen

In ▶ **Abb. 1** wird ersichtlich, dass die Verhaltens- und Verstärkerpläne flexibel in die elektronischen Tagebücher in-

Assmann M et al. iHealth Diaries – how to do it right PiD - Psychotherapie im Dialog 2018; 19: 40–45

tegriert sind und jederzeit vom Therapeuten kontrolliert werden können. Wenn diese Pläne suboptimal umgesetzt wurden (unrealistische Ziele, unbedeutende Verstärkung, wenig individuell, zu lange Absichtskontrolle etc.), wurde zu den Familien Kontakt aufgenommen, um die Pläne zu optimieren. Telefonische Gespräche dienten auch der Verbesserung der Compliance und der Installation zusätzlicher therapeutischer Maßnahmen zwecks Stärkung der Beziehungen innerhalb der Familie.

FALLBEISPIELE

Fall 1

9-jähriger Patient mit einer idiopathischen fokalen Epilepsie mit bioelektrischem Status im Schlaf, leichter intellektueller Behinderung und Störung der Impulskontrolle. Im Klinikkontext impulsives und Aufmerksamkeit forderndes Verhalten. Im häuslichen Kontext grenzüberschreitendes Verhalten gegenüber Eltern als auch Bruder, dominantes Spielverhalten.

Verlauf der Behandlung

Zusätzlich zu Einzelgesprächen nahm der Vater an einem gruppenbasierten Elterntraining nach Plan E [6] während des stationären Aufenthalts seines Sohnes teil. Es wurden Verstärkerpläne erarbeitet, welche in EPI-Vista hinterlegt wurden. Die Eltern sollten jeden Tag sowohl die Ausprägung des kindlichen Problemverhaltens kodieren als auch angeben, ob und inwieweit Verstärkung eingesetzt wurde. Die Compliance der Eltern bezüglich der Eintragung der Symptomstärke und der Umsetzung des Verstärkerplans in EPI-Vista war während der ersten 2 Wochen nach Verlassen der Klinik weitgehend gegeben. In der telefonischen Rücksprache äußerte der Vater, dass er die Dokumentation in EPI-Vista nicht täglich, sondern wochenweise vornehme. Es blieb offen, ob diese auf Basis von handschriftlichen Notizen oder aus der Erinnerung heraus erfolgte. In der Symptomstärke änderte sich nichts. Für die psychologische Beratung ergab sich einerseits das Problem, dass die Umsetzung der Verstärkerpläne aufgrund der fehlenden Dokumentation nicht nachvollzogen werden konnte. Andererseits war unklar, inwieweit die hohe Erwartungshaltung der Eltern an das Verhalten ihres intellektuell eingeschränkten Jungen die Dokumentation der Symptomstärke beeinflusste und ob nicht ggf. verzerrte Erinnerungen aufgrund der nicht täglichen Dokumentation die Wahrnehmung der Verhaltensprobleme weniger differenziert ausfallen ließ.

Bei Wiederaufnahme des Jungen 1 Jahr später zeigte er sich im klinischen Kontext deutlich weniger impulsiv, während die Eltern selbst weiterhin eine große Unzufriedenheit mit seinem Verhalten berichteten.

Fazit

Um psychotherapeutische Interventionen telemedizinisch modifizieren zu können, bedarf es der differenzierten Information. In diesem beschriebenen Fall waren die online gelieferten Informationen nur auf die Dokumentation des kindlichen, aber nicht des elterlichen Verhaltens beschränkt. Bereits in der unmittelbaren Zusammenarbeit mit den Eltern während des Klinikaufenthalts brachten diese zum Ausdruck, dass sie selbst wenig investieren und verändern wollten. Auch war die Reflexionsfähigkeit des eigenen Verhaltens des Vaters eingeschränkt und Aussagen waren pauschal. Diese Problematik kam in der Online-Intervention verstärkt zum Tragen, da die Zeit für die tägliche Dokumentation nicht investiert wurde. Auch in der Zielsetzung wurde nur noch das Ziel verfolgt, das leicht zu erreichen war und die Eltern von ihrem Kind entlastete. Das Online-Programm konnte die Veränderungsmotivation auf elterlicher Seite nicht verbessern. Auch deutete sich hier bereits an, dass die telefonische Nachfrage von Seiten der Psychologin über den Verlauf der Intervention als Kontrolle anstatt als Hilfestellung wahrgenommen wurde, was zu einer Verschlechterung der Compliance führte.

Fall 2

12-jähriger Patient mit idiopathischer fokaler Epilepsie sowie einer emotionalen Störung mit Trennungsangst des Kindesalters. Übermäßig ausgeprägte Angst vor Trennung von der Mutter; auch bei kurzzeitigen Trennungen reagiert er mit körperlichen Symptomen (Bauchweh, Durchfall) und kann seine unrealistische Besorgnis, dass seiner Mutter etwas zustoßen könne, nicht kontrollieren.

Verlauf der Behandlung

Mit dem Jungen wurden Strategien erarbeitet, die ihn in Angstsituationen beruhigen und ablenken sollten. Anschließend wurde zusammen mit ihm und seinen Eltern ein Verstärkerplan erstellt, welcher entsprechend in EPI-Vista hinterlegt wurde. Die Eltern sollten die tägliche Umsetzbarkeit sowie die Stärke der Trennungsangst ihres Sohnes dort dokumentieren. Sie zeigten sich hoch compliant in der Durchführung des Verstärkerplans, nutzten jedoch zu keinem Zeitpunkt die Dokumentation in EPI-Vista. Stattdessen suchten sie regelmäßig eigeninitiativ telefonisch Kontakt zur Psychologin, um Schwierigkeiten in der Umsetzung der Intervention zu besprechen. Während sich anfänglich eine Besserung der Symptomatik zeigte, kam es im weiteren Verlauf zwischenzeitlich zu erheblichen Problemen in der Form, dass alle Verstärker ihre Wirkung verloren, der Junge keine Veränderungsmotivation mehr aufwies und die Angstsymptomatik zunahm. Die Eltern wandten sich immer wieder ratsuchend telefonisch an die Psychologin, um neue Strategien zu erfragen, die sie dann glaubhaft konsequent umsetzten. EPI-Vista wurde von den Eltern lediglich zur Nachrichtenübermittlung benutzt, jedoch nicht zur Verhaltensdokumentation.

Fazit
Der Leidensdruck der Eltern, die durch die Trennungsangst ihres Sohnes signifikant in ihrem Alltag eingeschränkt waren, trug zu einer hohen Compliance der empfohlenen therapeutischen Interventionen bei. Es ist wahrscheinlich, dass die Familie die Dokumentation umgesetzt hätte, wenn diese als Bedingung für die telefonische Beratung formuliert worden wäre.

Die beiden Fallbeispiele demonstrieren, dass bei der Anwendung von Online-Interventionen je nach Elternpersönlichkeit und in Abhängigkeit vom Krankheitsverständnis (Einsicht in elterliche Anteile) unterschiedliche Compliance-Probleme auftreten können. Deutlich wurde:

━━━━━━━ **Merke**
Familien brauchen eine ausführliche und individuelle Anleitung und evtl. eine enge Begleitung bei der Online-Therapie, um alle Behandlungsphasen sicher und zuversichtlich zu durchlaufen.

Aufgrund des zeitlichen Aufwands für die Diagnostik und Erstellung des Verstärkerplans fiel die Erklärung und Begründung für die Wichtigkeit der Online-Dokumentation für die Nachsorge und den Therapieerfolg zu kurz aus, da die Aufenthaltsdauer knapp bemessen war. Zukünftig sollte hierauf unter Berücksichtigung der elterlichen Persönlichkeit verstärkt der Fokus gelegt werden. Nur so kann die wahrgenommene Diskrepanz zwischen dem hohen täglichen Aufwand und dem langsam einsetzenden Therapieerfolg in der Anwendung der verhaltenstherapeutischen Module von EPI-Vista reduziert werden.

Wirksamkeit online

Der Vergleich internetbasierter und face-to-face kognitiv-behavioraler Therapie (KVT) bei psychiatrischen und somatischen Störungen zeigte [7], dass die Gesamteffekte beider Therapieformen statistisch gleichwertig sind. Die Autoren betonen aber, dass nur wenige der bisher veröffentlichten Studien sich auf ein spezifisches Störungsbild beziehen und somit bisher eher generelle Aussagen zu den Effekten internetbasierter KVT möglich sind. Vorangegangene Studien liefern weitere Evidenz für die Annahme, dass internetbasierte KVT gleichwertige Effektstärken wie die Therapie face-to-face aufweist [8][9]. Follow-up-Studien zeigen langfristige Therapieeffekte auch 5 Jahre nach der internetbasierten Intervention [10].

Darüber hinaus gibt es erste Evidenz dafür, dass sich auch bei Kindern und Jugendlichen KVT erfolgreich über internetbasierte Formate vermittelt bei psychiatrischen und somatischen Störungsbildern anwenden lässt [11]. Auch bezüglich Elterntrainings gibt es erste Evidenz für erfolgreiche Online-Verfahren. Die Untersuchung der internetbasierten Parent-Child Interaction Therapy (PCIT) im Vergleich mit der klinischen PCIT [12] zeigt, dass ein Training via Webcams und Bluetooth-Kopfhörern für die Eltern und Kinder gleichermaßen profitabel ist. Bezüglich wahrgenommener Barrieren zur Durchführung des Trainings wurde die internetbasierte Version von den Eltern sogar besser bewertet.

Compliance bei Online-Programmen

Die Compliance scheint ein großes Problem der Online-Programme auszumachen, wobei es hierzu widersprüchliche Thesen in der Literatur gibt. Es gibt Evidenz dafür, dass die Dropout-Rate bei Online-Verfahren stärker ist als bei Face-to-Face-Interventionen [3][13], aber es gibt ebenso Analysen, die zu gegenteiligen Schlüssen kommen [7]. Es fällt auf, dass vor allem bei Interventionen, die sich lediglich eine Methode zunutze machen, z. B. reine Online-Module [14], ein höheres Dropout berichtet wird als bei sog. Blended Treatments (Mischbehandlungen) [13][15]. In den Bereich der Blended Treatments fallen Therapieansätze, die internetbasierte und traditionelle Face-to-Face-Interventionen oder Kommunikationsformen kombinieren [3]. Als Gründe für Dropouts werden aufgeführt [13]:

- mangelnde Zeit
- fehlende Motivation
- technische Probleme
- depressive Episoden
- physische Erkrankungen
- fehlender Face-to-Face-Kontakt
- Bevorzugung einer medikamentösen Behandlung
- wahrgenommenes Fehlen von Behandlungserfolgen
- Verbesserung des Zustands
- Belastung durch das Programm

Wirkfaktoren

Die theoretisch-methodische Grundlage hat einen entscheidenden Einfluss: Interventionen, die auf der Theorie des geplanten Verhaltens (TPB) [16] basierten, zeigten einen wesentlich stärkeren Einfluss auf das Verhalten als alle anderen theoriebasierten wie nicht theoriebasierten Programme. Bezüglich der Wirksamkeit angewandter Techniken hatten Interventionen zu Stress-Management und Kommunikations-Skills den stärksten Einfluss auf Verhalten. Monitoring von Verhaltens-Outcome zeigte lediglich einen geringen Einfluss. Entscheidend scheint aber, dass Interventionen, die mehrere Techniken zur Verhaltensänderung integrierten, tendenziell größere Effekte im Vergleich zu den Interventionen hatten, die weniger Techniken einschlossen. Die Effektivität eines Programms konnte durch zusätzliche Kommunikation, vor allem via SMS, gesteigert werden.

Empfehlungen

Als Konsequenz lassen sich folgende Empfehlungen festhalten:

- Ein Online-Portal sollte flexibel, in übersichtliche Module eingeteilt, adaptiv und individualisiert aufgebaut sein.
- Alarmzeichen für bevorstehende und akute Probleme sollten automatisiert erkannt werden.
- Zeitnahes Feedback und/oder eine persönliche Kontaktaufnahme sollten ermöglicht werden.
- Das Programm sollte sich ständig an neue Entwicklungen, Erwartungen und Ansprüche aller Beteiligten sowie wissenschaftliche Erkenntnisse anpassen können.
- Psychoedukation durch verschiedene Impulse (Texte, Videos etc.) zu verschiedenen Themen (Erkrankungsbilder, Umgangsweisen mit Problemverhalten, Aufbau von Ressourcen) sollte kontinuierlich angeboten werden.
- Eine wenig zeitaufwändige und einfache Registrierung verschiedener Symptome (Stimmung, Schmerzen), Probleme (Streit, Stress), Parameter (Herzfrequenz, Bewegung über Smartphone/Smartwatch) und Interventionen (Psychotherapie, Medikamente) sollte gewährleistet werden.
- Die eingesetzten psychotherapeutischen Techniken (Schreibaufträge, Verhaltenspläne, empfohlene Maßnahmen) sollten theoriebasiert und empirisch validiert sein.

FAZIT

Online-Interventionen leisten dann erfolgreich einen Beitrag zur psychosozialen Versorgung (unter bestmöglicher Compliance), wenn sie zu einem möglichst frühen Zeitpunkt ansetzen, theoriebasiert und multimethodal konzipiert sind, an den Bedarf angepasst informieren, verschiedene Techniken der Verhaltensänderung anwenden und individuell abgestimmtes Feedback ermöglichen.

Interessenkonflikt

Es bestehen keine Interessenkonflikte, insbesondere erfolgt keinerlei Beeinflussung von Therapieentscheidungen durch das Pharmaunternehmen. Persönliche Daten und Eintragungen sind für die Desitin Arzneimittel GmbH nicht einsehbar und werden entsprechend geltender Datenschutzverordnungen gespeichert. Der Zugang zum Programm EPI-Vista erfolgt durch den Patienten, der aktiv einem Datenaustausch mit dem DRK-Norddeutschen Epilepsiezentrum zustimmt.

Autorinnen/Autoren

Mira Assmann
Psychologin (M.Sc.), Kinder- und Jugendpsychotherapeutin in Ausbildung, wissenschaftliche Mitarbeiterin am Institut für Medizinische Psychologie und Medizinische Soziologie in Kiel, Masterstudium der Klinischen Psychologie und Gesundheitspsychologie an der Freien Universität Berlin. 2013–2016 Mitarbeit im universitären Forschungsprojekt zu psychologischen Online-Interventionen der Arbeitsgruppe von Prof. Dr. Knaevelsrud, aktuell Promotion mit Entwicklung eines Online-Trainings für Eltern.

Ulla Martens,
Norddeutsches Epilepsiezentrum Raisdorf

Sarah von Spiczak,
Norddeutsches Epilepsiezentrum Raisdorf

Michael Siniatchkin,
Institut für Medizinische Psychologie und Medizinische Soziologie (IMPS) Kiel, Evangelisches Klinikum Bethel (EvKB) Bielefeld

Korrrespondenzadresse

Mira Assmann
M.Sc. Psychologin (Klinische Psychologie
und Gesundheitspsychologie)
Institut für Medizinische Psychologie
und Medizinische Soziologie
Preußerstr. 1–9
24105 Kiel
assmann@med-psych.uni-kiel.de

Literatur

[1] Goldbeck L, Tutus D, Lehmann C et al. WEPCARE – eine internetbasierte Schreibtherapie für Eltern eines chronisch kranken Kindes. Ulm: DGKJP-Kongress; 24.03.2017

[2] Berger T, Caspar F. Internetbasierte Psychotherapie. Psychiatr Psychother up2d 2011; 5: 29–43

[3] Berger T. Internetbasierte Interventionen bei psychischen Störungen. Göttingen: Hogrefe; 2015

[4] Doege C, May TW, Siniatchkin M et al. Myoclonic astatic epilepsy (Doose syndrome) – A lamotrigine responsive epilepsy? Eur J Paed Neur 2012; 17: 29–35

[5] Strzelczyk A, Schubert-Bast S, Reese JP et al. Evaluation of health-care utilization in patients with Dravet syndrome and on adjunctive treatment with stiripentol and clobazam. Epil Beh 2014; 34: 86–91

[6] Schwenck C, Reichert A. Plan E – Eltern stark machen. Modulares Training für Eltern von psychisch kranken Kindern und Jugendlichen. Weinheim: Beltz; 2012

[7] Carlbring P, Andersson G, Cuijpers P et al. Internet-based vs. face-to-face cognitive behavior therapy for psychiatric and somatic disorders: an updated systematic review and meta-analysis. Cogn Beh Ther 2018; 47: 1–18. doi:10.1080/16506073.2017.1401115

[8] Andersson G, Cuijpers P. Internet-based and other computerized psychological treatments for adult depression: A meta-analysis. Cogn Beh Ther 2009; 38: 196–205. doi:doi.org/10.1080/16506070903318960

[9] Andrews G, Cuijpers P, Craske MG et al. Computer therapy for the anxiety and depressive disorders is effective, acceptable and practical health care: A meta-analysis. PLoS One 2010; 5: e13196. doi:doi.org/10.1371/journal.pone.0013196

[10] Hedman E, Furmark T, Carlbring P et al. Five-year follow-up of internet-based cognitive behaviour therapy for social anxiety disorder. J Med Int Res 2011; 13: e39. doi:doi.org/10.2196/jmir.1776

[11] Vigerland S, Lenhard F, Bonnert M et al. Internet-delivered cognitive behavior therapy for children and adolescents: A systematic review and meta-analysis. Clin Psychol Rev 2016; 50: 1–10. doi:doi.org/10.1016/j.cpr.2016.09.005

[12] Comer JS, Furr JM, Miguel EM et al. Remotely delivering real-time parent training to the home: An initial randomized trial of Internet-delivered parent-child interaction therapy (I-PCIT). J Consul Clin Psy 2017; 85: 909–917. doi:dx.doi.org/10.1037/ccp0000230

[13] Christensen H, Griffiths KM, Farrer L. Adherence in internet interventions for anxiety and depression. J Med Int Res 2009; 11. doi:doi.org/10.2196/jmir.1194

[14] Camden C, Foley V, Anaby D et al. Using an evidence-based online module to improve parents' ability to support their child with Developmental Coordination Disorder. Disabil Health J 2016; 9: 406–415

[15] Zhao J, Freeman B, Li M. Can Mobile Phone Apps Influence People's Health Behavior Change? An Evidence Review. J Med Int Res 2016; 18: e287. doi:10.2196/jmir.5692

[16] Ajzen I. From Intentions to Actions: Theory of Planned Behavior. In: Kuhl J, Beckman J, Hrsg. Action Control. From Cognition to Behavior. Heidelberg: Springer; 1985. doi:10.1007/978–3-642–69746-3_2

Bibliografie

DOI https://doi.org/10.1055/a-0592-0455
PiD - Psychotherapie im Dialog 2018; 19: 40–45
© Georg Thieme Verlag KG Stuttgart · New York
ISSN 1438–7026

Schweigepflicht, Datenschutz und Diskretion in der webbasierten Psychotherapie

Jürgen Thorwart

Obwohl die Schweigepflicht seit Jahrtausenden als eine der zentralen Voraussetzungen für die Behandlung körperlicher und psychischer Beschwerden gilt, sind Verletzungen der Schweigepflicht in der Medizin und der Psychotherapie nicht selten. Mit der elektronischen Datenverarbeitung stellen sich neue, sehr komplexe Fragen des Datenschutzes und der Vertraulichkeit – insbesondere für psychotherapeutische Angebote, die das Internet nutzen.

Die Schweigepflicht in der historischen Entwicklung

Das Gebot der Verschwiegenheit im Zusammenhang mit der (ärztlichen) Behandlung von Menschen ist seit mehr als 2000 Jahren in unseren ethisch-moralischen Vorstellungen verankert. Der hippokratische Eid ist bis heute Grundlage verschiedener Eidesformeln und Gelöbnisse.

„Was immer ich sehe und höre, bei der Behandlung oder außerhalb der Behandlung, im Leben der Menschen, so werde ich von dem, was niemals nach draußen ausgeplaudert werden soll, schweigen, indem ich alles Derartige als solches betrachte, das nicht ausgesprochen werden darf." [1]

▬▬▬ Merke
Galt der Grundsatz der Wahrung der Vertraulichkeit und Verschwiegenheit zunächst für die Beziehung zwischen Arzt und Patient, so hat sich der Personenkreis im Lauf der Zeit deutlich erweitert [2].

Die ärztliche Schweigepflicht ist heute in erster Linie aus den Berufsordnungen der Ärzte (Landesärztekammern) abgeleitet. Daneben werden verschiedene andere Tätigkeiten psychotherapeutischer, psychologischer und beraterischer Art seit einigen Jahrzehnten durch ein Berufsgeheimnis geschützt: Das Strafgesetzbuch (§ 203 StGB – Verletzung von Privatgeheimnissen) sanktioniert die unbefugte Offenbarung anvertrauter Geheimnisse bei bestimmten Berufsgruppen (u. a. Ärzte, Psychologische Psychotherapeuten, Kinder- und Jugendlichenpsychotherapeuten, Psychologen, Sozialpädagogen) und im Zusammenhang bestimmter Tätigkeiten (z. B. in einer Jugendberatungsstelle), unabhängig vom Grundberuf.

Dabei ist nicht nur das Individualinteresse der Betroffenen an der Geheimhaltung der von ihnen anvertrauten Tatsa-

chen geschützt, „mittelbar wird damit auch *das allgemeine Vertrauen in die Verschwiegenheit der Angehörigen bestimmter Berufe* geschützt, so dass z. B. der Schutz des ärztlichen Berufsgeheimnisses dem Interesse an einer funktionsfähigen ärztlichen Gesundheitspflege dient, die ohne ein vertrauensvolles Verhältnis zwischen Arzt und Patient nicht möglich ist" [3].

Neben der *strafrechtlichen* Verschwiegenheitspflicht bestehen auch *berufsrechtliche* (die schon erwähnten Berufsordnungen der Ärzte und die der Landeskammern für Psychologische Psychotherapeuten und Kinder- und Jugendlichenpsychotherapeuten), *sozialrechtliche* (z. B. § 73 Abs. 1b SGB V – Berichts- und Schweigepflicht von Fachärzten gegenüber Hausärzten), *zivilrechtliche* (Nebenpflicht aus dem Behandlungsvertrag: §§ 630a-h BGB) *arbeits-* und *vereinsrechtliche* Schweigepflichten (z. B. psychotherapeutische Institute sowie Berufs- und Fachgesellschaften).

Aus dem Rahmen der strafrechtlich und berufsrechtlich geregelten Schweigepflicht fällt der Heilberuf des Heilpraktikers (ggf. beschränkt auf das Gebiet der Psychotherapie), da weder eine staatlich geregelte Ausbildung noch Kammern existieren.

Diskretion und Psychotherapie

Die Verschwiegenheit von Psychotherapeuten ist heute als eine der zentralen Voraussetzungen erfolgreicher Behandlungen unumstritten. Hier kann man Freud, der sich als Arzt dem hippokratischen Eid verpflichtet sah, als Pionier der Schweigepflicht bezeichnen. Er erkannte auch, dass die von ihm als Diskretion bezeichnete Verschwiegenheit nicht nur eine für Behandlungen notwendige Voraussetzung, sondern behandlungstechnisch von größter Bedeutung für die von ihm entwickelte Methode der Psychoanalyse ist: „Wir schließen einen Vertrag miteinander. Das kranke Ich verspricht uns vollste Aufrichtigkeit, d. h.

die Verfügung über allen Stoff, den ihm seine Selbstwahrnehmung liefert, wir sichern ihm strengste Diskretion zu und stellen unsere Erfahrung in der Deutung des vom Unbewussten beeinflussten Materials in seinen Dienst." [4]

Dass er selbst die Schweigepflicht verletzte und auch über anderweitige Grenzverletzungen seiner Schüler schwieg, deutet an, dass hehre Grundsätze keineswegs zuverlässig verhindern, dass andere Züge der Persönlichkeit an die Oberfläche dringen [2].

Verletzungen der Schweigepflicht

Bereits der Besuch in vielen Arztpraxen verdeutlich die Problematik: Namen anderer Patienten können mitgehört werden, weil diese von Arzthelferinnen am Telefon genannt werden, nebst Ratschlägen zum Umgang mit Symptomen, verschriebenen Medikamenten oder Diagnosen; Computerbildschirme mit Patientendaten sind so einsehbar, dass sie gelesen werden können; auf dem Tresen liegen die Karteikarten von Patienten; Türen von Behandlungszimmern werden nicht geschlossen oder sind nicht ausreichend schalldicht.

Auch Psychotherapeuten verletzten keineswegs selten ihre Schweigepflicht: Kollegen treffen sich auf Kongressen oder Fortbildungsveranstaltungen und sprechen über ehemalige Patienten und wie sich diese nach dem Stellenwechsel weiterentwickelt haben; Klinikberichte, die dem Bericht an den Gutachter beiliegen, werden nicht sorgfältig genug anonymisiert; Kollegen tauschen sich ohne Wissen der Betroffenen über gleichzeitig behandelte Angehörige aus; Falldarstellungen werden ohne Einwilligung der Betroffenen veröffentlicht – und/oder nicht so verändert, dass kein Personenbezug mehr hergestellt werden kann; Informationen über Aus- bzw. Weiterbildungsteilnehmer aus der Selbsterfahrung, Lehrtherapie oder Lehranalyse werden Angehörigen des Ausbildungsinstituts bekannt; Reinigungspersonal hat Zugang zu Patientendaten, da diese nicht entsprechend der datenschutzrechtlichen Regelungen aufbewahrt werden; Handynutzer haben keinen Überblick, ob die Adressdaten von Patienten an Dritte übermittelt werden (können) und verfügen nicht über eine Datenträgerverschlüsselung; Dateien bzw. Festplatten mit Patientendaten auf Laptops oder PCs werden nicht verschlüsselt und/oder bei Austausch so zerstört, dass eine Wiederherstellung der Daten nicht möglich ist. Das sind nur einige Beispiele, die aufzeigen, dass die Schweigepflicht und der Datenschutz oft nicht den Stellenwert genießen, der ihnen (nicht nur angesichts der allerorten beschworenen Schweigepflicht) zukommen müsste.

Wie ist das zu erklären? Die Auseinandersetzung mit Fragen der Schweigepflicht und des Datenschutzes ist mühsam. Es geht um hochkomplexe Fragen und Sachverhalte, die in einer Psychotherapeuten meist fremden juristischen Sprache erörtert werden. Neben dem dadurch ausgelösten

Gefühl der Überforderung und Unlust kommt hinzu, dass viele Kollegen nicht über Grundkenntnisse der elektronischen Datenverarbeitung verfügen; zugleich haben sie keinen Überblick, wo welche Daten vorhanden sind und was in vernetzten Systemen mit ihnen geschieht.

▬▬▬▬ **Merke**

Vielen ist in keiner Weise klar, dass ihr praxisbezogener Umgang mit Handy und Computer nicht den Grundanforderungen des Datenschutzes und der Schweigepflicht genügt!

Eine ganz andere Facette des Problems hat mit der psychotherapeutischen Haltung und hier insbesondere dem Umgang mit den schwierigen Seiten des Berufs zu tun.

▬▬▬▬ **Merke**

Das Gefühl der Überforderung mündet leicht (im Sinn einer Verkehrung von Ohnmacht in Macht) in zynische oder auch grenzverletzende Verhaltensweisen, beispielsweise ("Wissen ist Macht") in Schweigepflichtverletzungen.

Dies gilt umso mehr für Kollegen, die selbst unter seelischen Belastungen oder psychischen Erkrankungen leiden. Hilfreich kann hier die kollegiale Intervision sein, die nicht verurteilend, aber konfrontierend die therapeutische Beziehung und den Beitrag des Psychotherapeuten in den Blick nimmt.

Veränderungen des Bezugsrahmens

Spätestens seit der Einführung der Psychotherapie als Leistung der Gesetzlichen Krankenkassen unterliegt die Erbringung psychotherapeutischer Leistungen den Regelungen des Sozialrechts (Sozialgesetzbuch/SGB). Es beinhaltet eine Reihe von Regelungen, die den Datenschutz und die Schweigepflicht berühren. Die Offenbarung von Patientendaten geschieht hier auf der Grundlage einer ggf. erteilten Einwilligung (wie beispielsweise bei der Übermittlung von Berichten an den Hausarzt gemäß § 73 Abs. 1b SGB V) oder es besteht eine Übermittlungsbefugnis durch eine entsprechende Vorschrift – etwa die Übermittlung der Abrechnungsdaten an die Kassenärztlichen Vereinigungen [5]. Davon unberührt ist eine Vielzahl weiterer Tatbestände außerhalb des SGB, aus denen sich Offenbarungspflichten oder -befugnisse für Psychotherapeuten ergeben.

In der aktuellen Diskussion um die Einführung der Telematik-Infrastruktur mit Online-Abgleich der Versicherten-Stammdaten und weiterer Anwendungen (z. B. Notfalldatensatz, elektronisches Rezept) wird zuweilen übersehen, dass im Rahmen der Quartalsabrechnungen längst schon weitaus sensiblere Patientendaten von Psychotherapeuten auf zentrale Server der Kassenärztlichen Vereinigungen übermittelt werden (z. B. Diagnosen und erbrachte Leistungen). Angesichts der Tatsache, dass solche hochsensible Informationen enthaltenden Datenmengen Begehrlichkeiten wecken, scheint es nur eine Frage der Zeit, wann sie in die Hände unbefugter Dritter gelangen.

Heikler noch ist sich die Sachlage bei der elektronischen Patientenakte, für deren Einführung eine (sichere) Telematik-Infrastruktur die Voraussetzung ist. Da bereits private Anbieter mit kommerziellen Interessen auf den Markt drängen, sehen sich nun auch Gesundheitspolitiker auf den Plan gerufen, ihnen nicht das Feld zu überlassen. Auch wenn die Übermittlung von Daten nur mit Einwilligung der Betroffenen möglich sein wird, bleiben Fragen nach ihrer Sicherheit. Denn es geht hier neben administrativen und medizinischen insbesondere auch um solche Daten, die der geschützten innersten Sphäre der Persönlichkeit angehören und damit den Kernbereich privater Lebensgestaltung und des Persönlichkeitsrechts darstellen (so das Bundesverfassungsgericht im Zusammenhang der Frage der – hier verfassungskonformen – Verwertung von Tagebuchaufzeichnungen in einem Strafverfahren [6]). Im Bereich der Psychotherapie wären das beispielsweise Berichte an die Gutachter, die dann, möglicherweise auch in einem besonders gesicherten Bereich der E-Akte, auf Servern gespeichert, eingesehen und heruntergeladen werden können.

Mit der Einwilligung der Betroffenen wäre dieses Verfahren juristisch einwandfrei. Doch ist das Risiko, dass solche Daten unsachgemäß oder missbräuchlich verwendet werden, nicht zu vernachlässigen. Allerdings hat sich die Bereitschaft, höchst persönliche Daten mehr oder weniger öffentlich zugänglich zu machen, seit den Zeiten des Volkszählungsurteils und des darin vom Bundesverfassungsgericht postulierten Recht auf informationelle Selbstbestimmung [7] drastisch verändert.

Psychotherapie und Internet

Merke
Das Internet hat neue Möglichkeiten des Kontakts mit Patienten eröffnet, die inzwischen auch von vielen Psychotherapeuten genutzt werden.

Das gilt für den Austausch von Daten mit und über Patienten per E-Mail oder mittels unterschiedlicher Messenger- bzw. Chat-Dienste und Social-Media-Foren (Terminvereinbarungen und -absagen, Mitteilungen von Psychotherapeuten oder Patienten zwischen den Stunden; Austausch von Informationen über Patienten unter Kollegen bis hin zu zeitnahen Beratungen und therapeutischen Interventionen von Patienten, die sich hilfesuchend melden), wie auch für die audio- und videobasierte Kommunikation über das Internet. Bereits heute werden Psychotherapiesitzungen (oder auch Supervisons- bzw. Intervisionssitzungen) über das Internet abgehalten (Internetbasierte Telefonie, Skype u. a. m.).

Während die Muster-Berufsordnung der Bundespsychotherapeutenkammer in § 20 Abs. 1 die „Durchführung einzelner therapeutischer Schritte (...) auch außerhalb der Praxisräume" unter Berücksichtigung bestimmter Voraussetzungen (Durchführungsnotwendigkeit, keine Beeinträchtigung berufsrechtlicher Belange) zulässt [8], gehen manche Landeskammern schon weiter. In Bayern lautet die entsprechende Regelung: „Ist eine Behandlung in einer Praxis aufgrund psychischer oder körperlicher Einschränkungen der Patientin oder des Patienten nicht möglich, kann die Behandlung in Ausnahmefällen unter den Voraussetzungen des Satzes 2 auch vollständig außerhalb der Praxis stattfinden." [9]

Hochproblematisch ist, dass die Kommunikation in vielen Fällen nicht vollständig oder gar nicht verschlüsselt stattfindet und daher bei den meisten verwendeten Kommunikationsmedien Datenschutz und Schweigepflicht verletzt werden (hier sind „berufsrechtliche Belange" berührt [9]).

Merke
Die Übermittlung von Daten darf insofern immer nur mit Einwilligung der Patienten und dem Hinweis auf entsprechende Gefahren erfolgen. Aber auch dann bleibt doch sehr fraglich, ob auf der Basis eines gänzlich ungenügenden Schutzes sensibelster Daten eine Psychotherapie lege artis durchgeführt werden kann.

Zwischenmenschliche Kontakte und Internet

Bei allen über technische Medien vermittelten Austauschmöglichkeiten zwischen Menschen stellt sich neben der Datensicherheit die Frage der unmittelbaren Authentizität des Kontakts. Das galt und gilt nicht erst, seit wir mit dem Internet und seinen vielfältigen Möglichkeiten konfrontiert sind, sondern auch schon in Zeiten des (analogen) Telefons und der Post.

Die Unmittelbarkeit zwischenmenschlicher Austauschprozesse spielt gerade in der Psychotherapie eine zentrale Rolle, um einen möglichst vielfältigen bzw. umfassenden Eindruck des Verhaltens und Erlebens der Patienten zu können [10]. Das gilt umso mehr für die psychoanalytisch begründeten Verfahren, die sich neben dem bewusst Wahrnehmbaren insbesondere der unbewussten Prozesse (Träume, Fehlleistungen, spontane Einfälle, Körpergeräusche u. a. m.) annehmen. Die Vermittlung solcher Prozesse ist über technische Medien keineswegs unmöglich, aber doch erheblich eingeschränkt. Das lässt sich am Beispiel von Briefen oder Mails darlegen, die in aller Regel keineswegs so spontan innere Vorgänge zum Ausdruck bringen können, wie es über verbale und nonverbale Kommunikationskanäle (Mimik, Gestik, Tonalität, Duktus, Ausstrahlung etc.) möglich bzw. nicht zu vermeiden ist.

Im Unterschied zum unmittelbaren Kontakt bieten solche medialen Techniken die Möglichkeit, aufschlussreiche „Fehler" und unbedachte, vielleicht beim nochmaligen Lesen auch beschämende Passagen zu ändern oder zu löschen.

Eine Fernbehandlung war Ärzten bislang berufsrechtlich untersagt. Der 121. Ärztetag hat nun im Mai 2018 mit überwältigender Mehrheit eine Änderung der Musterberufsordnung (§ 7 Abs. 4) beschlossen. Danach gilt: „Eine ausschließliche Beratung oder Behandlung über Kommunikationsmedien ist im Einzelfall erlaubt, wenn dies ärztlich vertretbar ist und die erforderliche ärztliche Sorgfalt insbesondere durch die Art und Weise der Befunderhebung, Beratung, Behandlung sowie Dokumentation gewahrt wird und die Patientin oder der Patient auch über die Besonderheiten der ausschließlichen Beratung und Behandlung über Kommunikationsmedien aufgeklärt wird." [11]. Es dürfte nur eine Frage der Zeit sein, wann eine vergleichbare Regelung Eingang in die Musterberufsordnung der Bundespsychotherapeutenkammer finden wird.

Datenschutz und Schweigepflicht in der internetbasierten Psychotherapie

Die Bundespsychotherapeutenkammer hat in einer überaus differenzierten Stellungnahme „Internet in der Psychotherapie" auf Möglichkeiten und Gefahren dieses Bereichs hingewiesen.

Zwar können so auch Patienten behandelt werden, die aus körperlichen und/oder psychischen Gründen eine Praxis nicht aufsuchen können, doch stellen sich hier eine Reihe fachlicher und berufsrechtlicher Fragen.

Hinsichtlich der Vertraulichkeit der Kommunikation und Datenschutz fordert die Stellungnahme: „Für die psychotherapeutische Behandlung ist es unbedingt erforderlich, insbesondere E-Mail-Kommunikation und Video-Telefonate auf dem technisch höchsten Standard zu verschlüsseln und vor Ausspähen und Abfangen von Daten zu schützen. Ohne eine geschützte Internetverbindung kann ein Psychotherapeut die notwendige Vertraulichkeit nicht gewährleisten. Auch bei Internetprogrammen mit standardisierten Fragen und Antworten ist Datenschutz auf technisch höchstem Niveau notwendig.

Patienten sollten detailliert darüber informiert werden, welche Daten wie und wo erhoben und gespeichert werden, wie sie diese einsehen, weiterverwenden und löschen lassen können. In diesem Zusammenhang sollte auch auf die Grenzen der Datensicherheit hingewiesen werden. Grundsätzlich ist anzustreben, dass die Patienten selbst die Verfügungshoheit über die von ihnen erhobenen Daten

haben und kontrollieren können, wer in Patientendaten Einblick erhält." [12]

Im Hinblick auf die Telematik-Infrastruktur fordert sie Anwendungen, „mit denen Patienten und Psychotherapeuten sicher miteinander kommunizieren können". Alle im Rahmen von Prävention und Behandlung psychischer Erkrankungen eingesetzten Internetprogramme, müssten über „mindestens ebenso hohe Standards der Datensicherheit verfügen wie die Telematikinfrastruktur selbst". Und: „Diese Standards müssen auch bei der Nutzung von Gesundheits-Apps auf Smartphones und Tablets sichergestellt werden." [2]

FAZIT

Die von der Bundespsychotherapeutenkammer geforderten Standards für die Nutzung elektronischer Medien im Rahmen des heute üblichen ambulanten und stationären psychotherapeutischen Rahmens wie auch der sich zunehmend etablierenden Angebote der webbasierten Psychotherapie sind ergänzende Angebote und lassen sich unter bestimmten Voraussetzungen fachlicher und berufsrechtlicher Art integrieren: „Das Internet kann die Psychotherapie in Praxis und Klinik ergänzen und die Versorgung psychisch kranker Menschen bereichern, es kann sie jedoch nicht ersetzen." [7]

Bei den psychoanalytisch begründeten Verfahren dürfte dies aus behandlungstechnischen Gründen (Fokussierung unbewusster Prozesse etwa im Rahmen der Übertragung und Gegenübertragung) kaum möglich sein. Die Bundespsychotherapeutenkammer weist allerdings auf Studienergebnisse zu Internetprogrammen hin, die auch psychodynamische Ansätze als theoretische Basis genutzt haben [7].

Psychotherapeutische Interventionen im oder über das Internet dürfen keinesfalls zu Lasten bewährter fachlicher Standards gehen – insbesondere aber auch nicht zu Lasten der Vertraulichkeit des geschützten therapeutischen Raums. Dadurch wäre nicht allein die einzelne Psychotherapie gefährdet, sondern damit geriete der gesamte Berufsstand in ein schiefes Licht.

Interessenkonflikt

Der Autor gibt an, dass kein Interessenkonflikt besteht.

Autorinnen/Autoren

Jürgen Thorwart
Dr. phil. Dipl.-Psych. Psychologischer
Psychotherapeut, Psychoanalytiker (DGPT) in
eigener Praxis in Neufahrn/Freising. Berater
und stellvertretender Vorsitzender des
Ethikvereins e. V. (www.ethikverein.de).
Arbeitsschwerpunkte: Schweigepflicht &
Datenschutz, Ethik in Psychoanalyse und
Psychotherapie, analytische Psychosentherapie und
Berufspolitik.

Korrrespondenzadresse

Dr. Jürgen Thorwart
Praxis für Psychotherapie und Psychoanalyse
Marktplatz 13
85375 Neufahrn
j.thorwart@freenet.de

Literatur

[1] Deichgräber K. Der hippokratische Eid. 4. Aufl. Stuttgart: Hippokrates; 1983: 15

[2] vgl. Thorwart J. Diskretion, Schweigepflicht und Psychoanalyse. Über Schwierigkeiten des Umgangs mit anvertrauten Geheimnissen. Psyche – Z Psychoanal 2015; 69: 295–327

[3] Lenckner T, Eisele J. § 203 StGB Verletzung von Privatgeheimnissen. In Schönke/Schröder: Strafgesetzbuch. Kommentar. 28. Aufl. München: C. H. Beck; 2010: 1828–1856

[4] Freud S. Abriß der Psychoanalyse. GW XVII 1940a: 63–138; London: Imago Publishing 1941, Frankfurt/M. Fischer Taschenbuch Verlag 1999

[5] Bundesärztekammer & Kassenärztliche Bundesvereinigung (2018): Hinweise und Empfehlungen zur ärztlichen Schweigepflicht, Datenschutz und Datenverarbeitung in der Arztpraxis. Dt Ärztebl 9.3.2018: A1–A19 (A3)

[6] Bundesverfassungsgericht. Beschluss des Zweiten Senats vom 14. September 1989 Az. 2 BvR 1062/87

[7] Bundesverfassungsgericht. Beschluss vom 15. Dezember 1983, Az. 1 BvR 209, 269, 362, 420, 440, 484/83

[8] Bundespsychotherapeutenkammer. Musterberufsordnung für die Psychologischen Psychotherapeutinnen und Psychotherapeuten und für die Kinder- und Jugendlichenpsychotherapeutinnen und -psychotherapeuten v. 17. Mai 2014

[9] Bayerische Landeskammer der Psychologischen Psychotherapeuten und der Kinder- und Jugendlichenpsychotherapeuten. Berufsordnung für die Psychologischen Psychotherapeutinnen und Psychotherapeuten und für die Kinder- und Jugendlichenpsychotherapeutinnen und -psychotherapeuten Bayerns vom 18. Dezember 2014: § 20 Abs. 1

[10] Bundespsychotherapeutenkammer: BPtK-Standpunkt. Internet in der Psychotherapie (23.6.2017): 2f, 8

[11] Bundesärztekammer: Pressemitteilung vom 10.5.2018: 121. Deutscher Ärztetag ebnet den Weg für ausschließliche Fernbehandlung

[12] Bundespsychotherapeutenkammer: BPtK-Standpunkt. Internet in der Psychotherapie (23.6.2017): 4

Bibliografie

DOI https://doi.org/10.1055/a-0592-0350
PiD - Psychotherapie im Dialog 2018; 19: 46–50
© Georg Thieme Verlag KG Stuttgart · New York
ISSN 1438–7026

Mobile Applikationen in der psychotherapeutischen Praxis: Chancen und Grenzen

Eva-Maria Rathner, Thomas Probst

Aufgrund der weiten Verbreitung von Gesundheits-Apps ist es von besonderer Bedeutung, die Qualität in den Fokus zu rücken. Doch wie können Wirksamkeit und Datenschutz für Leistungsträger, Leistungserbringer und End-User sichtbar gemacht werden? Der Beitrag geht dieser Frage nach, damit informierte Gesundheitsentscheidungen getroffen werden können.

Verbreitung von mHealth-Apps

Derzeit besitzen 69 % der Deutschen ein Smartphone und 60 % davon haben zumindest eine mHealth-App (engl. mobile health) installiert. Inhalte der installierten mHealth Apps sind [1]:

- Aufzeichnung von Körper- und Fitnessdaten (27 %)
- edukative Apps (20 %)
- Apps zur Verhaltensänderung/Lebensstilmodifikation (11 %)
- Apps, die beim Gesundheitsmanagement in Bezug auf Medikamente und Impfungen helfen (2 %)

Männer und Frauen nutzen mHealth-Apps gleichermaßen. Personen zwischen 18–29 Jahren nutzen mHealth-Apps am häufigsten, Personen zwischen 30–59 Jahren moderat und Personen über 60 Jahre kaum. Da ältere Personen häufiger von chronischen Erkrankungen betroffen sind und dadurch vermehrt Unterstützung beim Krankheitsmanagement bedürfen, ist eine Förderung der digitalen Kompetenzen von Älteren erklärtes Ziel, um die bestehende Gesundheitsversorgung durch internet- und mobilebasierten Interventionen (IMIs) in Zukunft zu komplementieren. Die häufigsten Gründe zur Nutzung von mHealth-Apps sind [1]:

- eigenes Interesse an Gesundheitsthemen
- Aufzeichnen von Daten
- Nutzung für Familienangehörige und Freunde

Im internationalen Vergleich liegt Deutschland bei der Nutzung von IMIs deutlich zurück. Ein Grund dafür könnte sein, dass IMIs in Deutschland im Vergleich zu Ländern wie den Niederlanden, Großbritannien, Skandinavien, Australien und Neuseeland kaum im Gesundheitssystem implementiert sind [2].

Potenzial

Ein großes Potenzial liegt in der Inklusion von bisher unterversorgten Bevölkerungsgruppen, z. B. Personen aus dem ländlichen Raum, Kindern und Jugendlichen, Älte-

ren, Personen mit Behinderung sowie Minoritäten. mHealth-Apps können unabhängig vom sozioökonomischen Status, der geografischen Situation und teilweise auch sprach- und barrierefrei benutzt werden. Sie können sowohl als Unterstützung zur Diagnostik, zur Verlaufsmessung, als (Begleit-)Behandlung, als Vorbereitung auf eine Psychotherapie, in der Rehabilitation als auch in der Rückfallprophylaxe eingesetzt werden [3]. Diagnostik und Verlaufsmessung können einerseits durch aktive Nutzereingaben und andererseits durch passives Verhaltenstracking erreicht werden [4].

Merke
mHealth-Apps können zu einer Steigerung der Behandlungsadhärenz führen.

Dies geschieht über die Einbettung von Interventionen in den Alltag durch zeitlich abgestimmte, maßgeschneiderte Erinnerungen und Aufforderungen. Darüber hinaus regen viele mHealth-Apps zur wiederholten Benutzung an und erhöhen somit die Wahrscheinlichkeit, an einer Verbesserung des Gesundheitszustands zu arbeiten. mHealth-Apps können sowohl von Personen mit und ohne klinischer Diagnose eingesetzt werden, um erwünschte Verhaltensweisen zu fördern [5].

Personen mit chronischen Erkrankungen stellen eine bedeutende Zielgruppe dar [6]. Chronisch Erkrankte können von Lebensstilveränderungen in hohem Ausmaß in Hinblick auf den künftigen Krankheitsverlauf profitieren. Des Weiteren stellt die Online-Versorgung chronisch Erkrankter aufgrund ihres hohen Behandlungsbedarfs und der damit verbundenen hohen Behandlungskosten ein Potenzial zur Entlastung des traditionellen Gesundheitssystems dar. In diesem Sinne können IMIs dazu beitragen, Patienten zum selbstbestimmten Gesundheitsmanagement zu ermächtigen. Die Nutzung von mHealth-Apps führt nachweislich zur Förderung der Autonomie und Erhöhung von Selbstwirksamkeitserwartungen [7].

Wirksamkeit

Die Wirksamkeit von IMIs zur Prävention, Behandlung und Nachsorge psychischer Erkrankungen ist wissenschaftlich sowohl in Einzelstudien als auch in Meta-Analysen belegt [8][9][10]. Die Bundespsychotherapeutenkammer [11] hat in einem Standpunkt deutlich gemacht, dass Internetprogramme die Regelversorgung in Zukunft komplementieren sollten. In Hinblick auf mHealth ist die Befundlage noch bescheidener. Unterschiede zu webbasierten Interventionen sind die veränderte Darbietung am Smartphone und die damit einhergehenden veränderten Ansprüche, z. B.:

- kürzere Dauer der Interventionen
- Spielcharakter
- Audio- statt Textdateien
- vereinfachte Bedienung
- Schlankheit des Designs

Darüber hinaus bieten mHealth-Apps die Möglichkeit zu Echtzeitinterventionen (z. B. Abspielen einer Atemübung bei akutem Bedarf) und zur automatisierten (passives Tracking von Smartphone-Nutzungsverhalten, Bewegungsdaten, Schlafzeiten etc.) sowie manuellen Dateneingabe (z. B. Befindlichkeit, Hausübungen etc.).

▬▬▬▬ Merke
Im Gegensatz zu Internetprogrammen können einmal installierte mHealth-Apps auch ohne Internetverbindung offline benutzt werden, was ihre Einsetzbarkeit im Alltag begünstigt.

Erste Meta-Analysen deuten darauf hin, dass mHealth Apps gleich wirksam wie klassische Psychotherapie bei Depressionen, affektiven Erkrankungen und Angsterkrankungen sein könnten. [8][9][10].

Akzeptanz

Bei Behandlern gering

Trotz der positiven Befundlage zur Wirksamkeit von IMIs [12] ist die Akzeptanz bei den Behandlern über verschiedene Berufsgruppen hinweg gering. Dies ist von hoher Relevanz, da End-User maßgeblich von Expertenmeinungen beeinflusst werden.

Die Akzeptanz von IMIs hängt von Eigenschaften der Intervention sowie von internalen (z. B. Wissen, Kompetenzen und Einstellungen) und externalen Faktoren (z. B. Politik, Gesundheitswesen, technische und institutionelle Ressourcen) ab. Besonders hoch sind Bedenken gegenüber des Einsatzes von IMIs in Hinblick auf Datensicherheit und die geringe Reaktionsfähigkeit in kritischen Situationen (z. B. Selbst- oder Fremdgefährdung) bei Behandelnden. Skepsis gegenüber Datenschutz tritt besonders häufig auf, wenn sich Behandelnde nicht ausreichend informiert fühlen.

Mögliche Potenziale in der Nutzung von IMIs werden in Bezug auf Kosteneffektivität, der Nachsorge von Patienten und der Möglichkeit zur Versorgung größerer Patientengruppen gesehen. In Bezug zu Therapiebereichen ist die Akzeptanz bei den Behandelnden für Prävention und Rückfallprophylaxe/Rehabilitation, Selbsthilfe und Psychoedukation am höchsten. Jugendliche und junge Erwachsene werden von Behandlern als relevanteste Zielgruppe genannt. In Hinblick auf Störungsbilder ist die Akzeptanz über den Einsatz von IMIs zur Behandlung von Depression und Angsterkrankungen am höchsten.

Zusammenfassend zeigt sich, dass Behandelnde derzeit im deutschsprachigen Raum annehmen, dass IMIs mehr Vor- als Nachteile mit sich bringen. Es zeigten sich geschlechterspezifische Unterschiede in Bezug auf eine positivere Einstellung von männlichen Behandlern gegenüber IMIs. Darüber hinaus haben das Alter und die Vertrautheit mit Technologien einen bedeutenden Einfluss auf die Einstellung.

▬▬▬▬ Merke
Behandelnde mit einer höheren Sicherheit im Umgang mit Technologien erwarten sich einen höheren Nutzen von IMIs. Mit zunehmendem Alter des Behandelnden sinkt die Akzeptanz gegenüber IMIs.

Bei Usern breit gefächert

Die Akzeptanz von niederschwelligen mobilen Gesundheitsapplikationen zum Dokumentieren von Verläufen (Tracking) bei End-Usern ist hoch. Dieser hohe Prozentsatz an Usern spiegelt sich in rein psychotherapeutischen Interventionen jedoch nicht wider: Beispielsweise repräsentieren Schmerzpatienten eine User-Gruppe mit geringer Akzeptanz von IMIs, die jedoch durch Informationsvideos signifikant erhöht werden kann.

Patienten, die an Diabetes und/oder Depressionen erkrankt sind, zeigen gegenüber dem Einsatz von IMIs eine geringe Akzeptanz. Konträr zur Gruppe der Schmerzpatienten konnte die Akzeptanz im Allgemeinen nicht durch ein Informationsvideo verändert werden [13]. Spezifische Subgruppen wie jüngere, weibliche und krankheitsbezogen vermehrt gestresste Patienten erhöhten jedoch die Akzeptanz durch das Ansehen des Informationsvideos. Daraus lässt sich schließen, dass akzeptanzfördernde Interventionen (z. B. Videos, Broschüren, Fortbildungen, Zeitschriftenartikel und Schulungen) ihr Potenzial am stärksten entfalten, wenn sie an die Zielgruppe angepasst werden.

Risiken: Notsituationen, Intransparenz und Datenschutz

Die Explosion in der Anzahl der verfügbaren mHealth-Apps liegt vor allem an deren wirtschaftlicher Rentabilität: Der

Umsatz hat sich seit 2013 auf 23 Milliarden US-Dollar verfünffacht [14]. Die Beurteilung von App-Qualität sowie Datensicherheit ist in diesem rasant wachsenden sekundären Gesundheitsmarkt für End-User und Behandelnde kaum mehr möglich.

Die CHARISMHA-Studie [15] verweist auf folgende Risiken bei der mHealth-App-Nutzung:

- mangelnde Funktionstüchtigkeit
- Verbreitung von falschen Informationen
- Fehldiagnostik und Fehlbehandlungen
- unerwünschte Nebenwirkungen

Bei einer Mehrheit der verfügbaren mHealth-Apps fehlt eine verständliche Datenschutzerklärung, sodass den Endnutzern nicht klar ist, welche Daten aufgezeichnet werden, wie diese am Endgerät gesichert sind, wie die Daten übertragen werden, wo die Daten gespeichert werden und mit wem die Daten geteilt werden. Dies ist besonders im Bereich mHealth besorgniserregend, da gesundheitsbezogene Daten (Diagnosen, Medikamenteneinnahme, E-Mail-Adressen) hoch sensibel sind und eines erhöhten Datenschutzes bedürfen (s. Infobox „Checkliste Datenschutz").

━━━━━ Merke
Ein wichtiger Kritikpunkt ist die mangelnde Erkennung von Notsituationen, z. B. Selbst- oder Fremdgefährdung durch Algorithmen.

Singh et al. [6] konnten zeigen, dass nur 23 % der mHealth-Apps adäquat auf gefährliche Nutzereingaben reagierten. Dies verdeutlicht den enormen Verbesserungsbedarf in Hinblick auf die Reaktionsfähigkeit von mHealth-Apps in potenziell gefährlichen Situationen.

INFO
Checkliste Datenschutz
1. Gibt es eine Datenschutzerklärung?
   - Falls ja, entspricht sie der Datenschutzgrundverordnung?
2. Werden Daten gesammelt?
   - Falls ja, welche Daten werden erfasst?
   - Sind es sensible Daten (z. B. Diagnosen, Klarnamen, Symptomverläufe, Gesundheitsverhalten, E-Mail-Adressen etc.)?
   - Sind die Daten am mobilen Endgerät gesichert (z. B. Passwortschutz)?
   - Werden die Daten gesichert übertragen?
   - Werden die Daten auf einem gesicherten Server gespeichert?
   - Kann die Freigabe der Daten widerrufen werden?
   - Mit wem werden Daten geteilt?
3. Ist die App medizinproduktekonform?

Verbesserung der rechtlichen Grundlage

Die neue EU-Datenschutzgrundverordnung (DSGVO; s. Infobox „Rechtliche Grundlagen") regelt nun das Grundrecht auf Datensicherheit. Neu ist, dass alle Organisationen ihre Praktiken der Datenverarbeitung offenlegen müssen und bei Verletzung der DSGVO mit 4 % des Umsatzes bzw. 20 Millionen Euro haftbar sind.

User haben nun ein Grundrecht auf Einsicht und Löschung ihrer Daten sowie eine allgemein verständliche Einverständniserklärung, die aktiv angeklickt werden muss. Darüber hinaus unterliegen Softwares, welche zur Verwaltung, Aufrechterhaltung oder Verbesserung der Gesundheit einzelner Personen verwendet werden, seit Mai 2017 dem Medizinproduktegesetz unter der IEC82304. Somit gelten erhöhte Ansprüche an die Funktionstüchtigkeit von mHealth-Apps. Beide Gesetzesänderungen werden in Zukunft dazu beitragen, die Qualität und Datensicherheit von mHealth-Apps zu verbessern.

INFO
Rechtliche Grundlagen
Datenschutz-Grundverordnung DSGVO:
dsgvo-gesetz.de

Standpunkt der Bundespsychotherapeutenkammer BPtK: bptk.de/fileadmin/user_upload/Publikationen/BPtK-Standpunkte/Internet_in_der_Psychotherapie/20170629_bptk_standpunkt_internet.pdf

Orientierungshilfe Medical Apps des Bundesinstitut für Arzneimittel und Medizinprodukte BfArM:
bfarm.de/DE/Medizinprodukte/Abgrenzung/MedicalApps/_node.html

Ratings

Um eine sichere Nutzung von mHealth-Apps für Patienten zu ermöglichen, ist es notwendig, international anerkannte Qualitätskriterien zu definieren und diese sichtbar zu machen [16]. In Hinblick auf informierte Gesundheitsentscheidungen ist es notwendig, für Endnutzer verfügbare mHealth-Applikationen durch Experten raten zu lassen. Viele wissenschaftlich geprüfte, wirksame mHealth-Apps kommen nicht in der Regelversorgung oder den App-Stores an.

Demgegenüber werden viele von Firmen entwickelten mHealth-Apps nie auf Wirksamkeit überprüft. Aus diesem Grund hat unsere Forschergruppe alle in Deutschland verfügbaren mHealth-Apps zur (Begleit-)Behandlung von Depressionen und Angsterkrankungen sowie zur Förderung körperlicher Aktivität mit einem standardisierten international anerkannten Verfahren, der mobilen Applikationen-Rating-Skala (MARS [17]), von 2 geschulten Experten beurteilen lassen. Zum Erfassen verfügbarer mHealth-Apps wurde ein Webcrawler, ein Programm, das die Filtereinstellungen der App-Stores (itunes, Windows und googleplay) umgehen kann, entwickelt.

▬▬▬▬ Merke
Somit besteht nun die erste unabhängige Datenbank verfügbarer mHealth-Apps zu spezifischen Suchbegriffen in Deutschland.

Die Ratings der Experten werden in einem weiteren Schritt von einem Editor überprüft und dann auf der Seite http://www.mhad.science/ für End-User, Behandelnde und Leistungsträger veröffentlicht, um informierte Gesundheitsentscheidungen zu erleichtern (s. Infobox „Qualitätssiegel").

Ein weiterer Ansatz ist es, User-Ratings zu standardisieren, wie dies bei healthon.de getan wird. HealthOn ist eine Onlineplattform, die Funktionen wie Testberichte, Statistiken, Informationen für App-Entwickler, einen Blog, Infografiken, Checklisten und einen Expertenrat bietet. Darüber hinaus haben Verbände Qualitätssiegel für Diabetes-Apps (diadigital.de) und Diabetes- und Demenz-Apps (appcheck.de) entwickelt.

INFO
Qualitätssiegel
Standardisierte Expertenratings: www.mhad.science
Nutzer-und Expertenratings: healthon.de
Diabetes-Apps: diadigital.de
Diabetes und Demenz: appcheck.de

Ergebnisse aus der Expertenbeurteilung
Die Ergebnisse sind eher ernüchternd: Das Expertenrating aller in Deutschland verfügbaren deutschsprachigen Depressions-Apps ergab, dass nur 25 % der Apps den nationalen Leitlinien zur Behandlung von Depression entsprechen.

▬▬▬▬ Merke
Nur 10 % aller gerateten Apps für Angst-bzw. depressive Erkrankungen konnten mit Einschränkung als Therapiebegleitung oder zur Selbsthilfe empfohlen werden.

Für keine einzige Depressions-App konnte eine Evidenzstudie aufgefunden werden, darüber hinaus wies lediglich eine einzige Depressions-App Passwortschutz und Datenschutzerklärung auf [18].

In Hinblick auf mHealth-Apps, die zur Unterstützung und Behandlung bei Angsterkrankungen in den europäischen App-Stores angeboten werden, zeigt sich ein ähnliches

Bild (Publikation in Planung): Für weniger als 1 % der gerateten Angst-Apps konnte eine Wirksamkeitsstudie gefunden werden. Angst-Apps, die von Universitäten oder nichtstaatlichen gemeinnützigen Organisationen entwickelt wurden, wiesen eine höhere Güte auf. Verhaltenstherapeutische Ausrichtung sowie die Anzahl der angebotenen Übungen und Methoden der mHealth-App führten zu einem höheren Qualitätsrating. Es zeigte sich kein Unterschied in Hinblick auf die App-Qualität in Bezug zum App-Store sowie des Preises der App. Analog zu vorgehenden Studien zeigte sich kein Zusammenhang zwischen den Sterneratings der App-Stores und standardisierten Expertenratings [6].

Eine mögliche Erklärung ist das mangelnde Wissen von End-Usern, was eine therapeutisch wirksame App können sollte, sowie die Tendenz von End-Usern, Bedienbarkeit und Design anstatt Wirksamkeit zu beurteilen. Zusammenfassend lässt sich festhalten, dass die im deutschsprachigen Raum verfügbaren mHealth-Apps weit unter ihren potenziellen Möglichkeiten liegen.

FAZIT
mHealth-Apps bieten ein großes Potenzial in Hinblick auf die Komplementierung der Regelversorgung in Deutschland. Für eine flächendeckende Umsetzung braucht es derzeit noch sozialrechtliche und institutionelle Rahmenbedingungen sowie adäquate Verfahren zur Qualitätsbewertung. Darüber hinaus bestehen erste Bemühungen, die Transparenz der App-Qualität durch standardisierte Experten- und Userratings zu erhöhen.

Interessenkonflikt

Die Autoren geben an, dass keine Interessenkonflikte vorliegen.

Autorinnen/Autoren

Eva-Maria Rathner
Klinische und Gesundheitspsychologin, Systemische Familientherapeutin, staatlich geprüfte Trainerin für Fitness und Athletik, Yogatrainerin, wissenschaftliche Mitarbeiterin am Lehrstuhl für Klinische Psychologie und Psychotherapie der Universität Ulm. Forschungsschwerpunkte: Qualitätssicherung und Entwicklung von mHealth-Apps, Wirksamkeit systemischer Therapie und webbasierter Interventionen.

Thomas Probst
Univ.-Prof. Dr.; Psychologiestudium an der Universität Regensburg, Ausbildung zum Psychologischen Psychotherapeuten im Richtlinienverfahren Verhaltenstherapie, Promotion in Psychologie an der Humboldt-Universität zu Berlin, 2013–2015 stellvertretende Leitung der Hochschulambulanz für Psychotherapie an der Universität Regensburg, seit 2017 Professor für Psychotherapiewissenschaften an der Donau-Universität Krems, Österreich.

Korrrespondenzadresse

Mag. Eva-Maria Rathner
Universität Ulm
Abteilung Klinische Psychologie und Psychotherapie
Albert-Einstein-Allee 47
89081 Ulm
eva-maria.rathner@uni-ulm.de

Literatur

[1] Statista. Gründe für die Nutzung von Digital Health-Applikationen und -Services in Deutschland nach Alter und Geschlecht im Jahr 2015. Im Internet: https://de.statista.com/statistik/daten/studie/454562/umfrage/gruenden-fuer-die-nutzung-von-digital-health-applikationen-und-services/; Stand: 16.09.2018

[2] Barak A, Hen L, Boniel-Nissim M et al. A comprehensive review and a meta-analysis of the effectiveness of internet-based psychotherapeutic interventions. J Tech Hum Serv 2008; 26: 109–160. doi:10.1080/15228830802094429

[3] Baumeister H, Lin J, Ebert DD. Internet- und mobilebasierte Ansaetze. Bundesgesbl Gesforsch Gesschutz 2017; 60: 436–444. doi:10.1007/s00103–017–2518–9

[4] Elhai JD, Tiamiyu MF, Weeks JW et al. Depression and emotion regulation predict objective smartphone use measured over one week. Pers Ind Diff 2018; 133: 21–28. doi:10.1016/j.paid.2017.04.051

[5] Bakker D, Kazantzis N, Rickwood D et al. Mental Health Smartphone Apps: Review and Evidence-Based Recommendations for Future Developments. JMIR Ment Health 2016; 3: e7. doi:10.2196/mental.4984

[6] Singh K, Drouin K, Newmark LP et al. Many mobile health apps target high-need, high-cost populations, but gaps remain. Health Aff 2016; 35: 2310–2318. doi:10.1377/hlthaff.2016.0578

[7] Nasi G, Cucciniello M, Guerrazzi C. The role of mobile technologies in health care processes: The case of cancer supportive care. J Med Int Res 2015; 17: 1–14. doi:10.2196/jmir.3757

[8] Cuijpers P, Cristea IA, Karyotaki E et al. Meta-analyses in mental health research – A practical guide. World Psy 2016; 15: 245–258. doi:10.1002/wps.20346

[9] Firth J, Torous J, Nicholas J et al. The efficacy of smartphone-based mental health interventions for depressive symptoms: a meta-analysis of randomized controlled trials. World Psy 2017; 16: 287–298. doi:10.1002/wps.20472

[10] Firth J, Torous J, Nicholas J et al. Can smartphone mental health interventions reduce symptoms of anxiety? A meta-analysis of randomized controlled trials. J Aff Dis 2016; 218: 15–22

[11] Bundespsychotherapeutenkammer. Internet in der Psychotherapie (2017). Im Internet: http://www.bptk.de/fileadmin/user_upload/Publikationen/BPtK-Standpunkte/Internet_in_der_Psychotherapie/20170629_bptk_standpunkt_internet.pdf; Stand: 16.09.2018

[12] https://www.researchgate.net/publication/323944091_Advantages_and_disadvantages_of_online_and_blended_therapy_Attitudes_towards_both_interventions_amongst_licensed_psychotherapists_in_Austria

[13] https://www.ncbi.nlm.nih.gov/pubmed/24866854

[14] Statista. Weltweiter Umsatz mit mobile Health (mHealth) in den Jahren von 2013 bis 2017. Im Internet: https://de.statista.com/statistik/daten/studie/387489/umfrage/weltweiter-umsatz-mit-mobile-health-mhealth/; Stand: 30.07.2018

[15] Albrecht UV. Chancen und Risiken von Gesundheits-Apps (CHARISMHA). CHARISMHA 2016; 9: 1689–1699. doi:10.1017/CBO9781107415324.004

[16] Boudreaux ED, Waring ME, Hayes RB et al. Evaluating and selecting mobile health apps: strategies for healthcare providers and healthcare organizations. Transl Beh Med 2014; 4: 363–371. doi:10.1007/s13142–014–0293–9

[17] Stoyanov SR, Hides L, Kavanagh DJ et al. Mobile App Rating Scale: A New Tool for Assessing the Quality of Health Mobile Apps. JMIR mHealth uHealth 2015; 3: e27. doi:10.2196/mhealth.3422

[18] Terhorst Y, Rathner EM, Baumeister H et al. Hilfe aus dem App-Store: Eine systematische Übersichtsarbeit und Evaluation von Apps zur Anwendung bei Depressionen. Verhaltensther 2016; 3: e38

Bibliografie

DOI https://doi.org/10.1055/a-0592-0496
PiD - Psychotherapie im Dialog 2018; 19: 51–55
© Georg Thieme Verlag KG Stuttgart · New York
ISSN 1438–7026

„Ecological Momentary Assessment"
Chancen und Risiken für Diagnostik und Therapie

Judith Held, Andreea Vîslă

Im psychotherapeutischen Alltag begegnen uns Fragen rund um den Menschen in seiner Lebens- und Erlebenswelt. Viele sind komplex, und die Antworten beinhalten oft Grautöne. Doch häufig sind gerade diese komplexen Grautöne von Interesse. Traditionelle Forschungsmethoden stoßen hier jedoch oft an ihre Grenzen. Das „Ecological Momentary Assessment" ist eine einfache und effektive Messkonzeption, diese Komplexität näher zu beleuchten.

In welchen Situationen sind die Symptome einer Depression am stärksten ausgeprägt und wann stellen sie die größte Belastung für betroffene Personen dar? Wie verändert sich der negative Affekt bei einer Binge-Eating-Episode? Wann sind die Schmerzen bei chronischen Schmerzpatienten am höchsten? Wie wirkt sich das elterliche Konfliktverhalten auf das Wohlbefinden des Kindes aus?

Diese hochrelevanten Fragen liegen gleichermaßen im Fokus der Praktiker wie der Forschung. Obwohl sie in den letzten Jahren intensiv erforscht wurden, gibt es bei der Untersuchung oft eine hohe Hürde: die verfügbaren Messinstrumente. Die komplexen Fragen beziehen sich auf das unmittelbare Verhalten und Erleben des Menschen in seinem alltäglichen Lebensraum. Oft ist es gerade das dynamische Zusammenspiel von Faktoren, die ein bestimmtes Verhalten und Erleben zu Tage fördern. Herkömmliche retrospektive statische Erhebungsmethoden, z. B. Fragebögen, stoßen hier oft an ihre Grenzen. Dies ist besonders bei der Erforschung problematischer Verhaltensweisen der Fall. Hier soll eine alternative Erhebungsstrategie vorgestellt werden: das „Ecological Momentary Assessment", kurz EMA.

Was ist Ecological Momentary Assessment (EMA)?

Ecological Momentary Assessment (EMA) oder auch „Experience Sampling" beschreibt die Erhebung relevanter Phänomene (z. B. Symptome, Verhaltensweisen, Beurteilungen), die unmittelbar und unverzerrt in der natürlichen Umgebung der Person auftreten. Damit ist EMA kein spezifisches Untersuchungsinstrument, sondern eine Erhebungs- oder Messstrategie. In den meisten Fällen werden hierzu digitale Datenerfassungsgeräte eingesetzt, wie Smartphones oder Tablets.

━━━━━ **Merke**
Dadurch können kontextbezogene Unterschiede im Erleben und Verhalten eines Individuums, aber auch in der Interaktion zwischen Individuen, erforscht werden.

Messungen können über einen Zeitraum hinweg beliebig oft wiederholt werden. In der Praxis wird diese Messstrategie bisher vor allem in medizinischen und psychologischen Bereichen eingesetzt, um zeitliche Muster und Verläufe zu verstehen und das Verständnis und Wissen zu vertiefen.

Obwohl EMA erst 1994 in der Forschungssprache auftauchte [1] und somit ein junges Forschungsgebiet darstellt, ist es aktiv beforscht und gewinnt konstant an Bedeutung und Größe. Besonders in der angloamerikanischen Literatur finden sich viele Forschungs- und Anwendungsstudien, die EMA-Messkonzeptionen verwenden. Im deutschsprachigen Raum wird EMA oft im Zusammenhang mit „ambulanter Messung" oder „ambulantem Monitoring" erwähnt – dies sind allerdings nur zwei Komponenten der EMA-Instrumente.

Generell gibt es 2 Hauptmerkmale von EMA, die alle Messinstrumente teilen:

„Ecological": Erhebungen und Messungen in der natürlichen Umgebung der Personen. Dies meint die Datenerhebung in der realen Lebenssituation, während die Person ihrem normalen, ungestörten Tagesablauf nachgeht. Die Erhebung ist also alltagsnah.

„Momentary": Die Datenerhebung findet unmittelbar in der Situation statt. Dadurch werden mögliche Verzerrungen minimiert, da Phänomene zeitnah erfasst werden.

EMA als Alternative zu retrospektiven Selbstberichten?

Eine klassische und die wohl meistverbreitete Methode der Datenerhebung in vielen Forschungsbereichen ist der Einsatz retrospektiver Fragebögen oder in der Praxis das Erfragen von Symptomen und Erlebtem. Besonders in der klinischen Psychologie bezieht sich dies oft auf die vergangene Zeit: Wie oft haben sich Patienten in den vergangenen 14 Tagen niedergeschlagen oder depressiv gefühlt? Wie oft haben sie bestimmte Symptome, z. B. Herzklopfen, Schwitzen, in der vergangenen Woche verspürt? Ein bekanntes Beispiel eines häufig eingesetzten Fragebogens ist das „Beck Depressionsinventar" (BDI-II), das depressive Symptome, die in den vergangenen zwei Wochen erlebt wurden, mit 21 Items erfasst.

▬▬▬▬ **Merke**
Die im nachträgliche Bewertung und Beurteilung des Erlebten in klassischen Fragebögen kann zu Verzerrungen führen, da die Person gezwungen ist, einen Durchschnittswert zu generieren, der das Empfundene über einen langen Zeitraum beschreibt bzw. zusammenfasst.

Am Beispiel einer Schmerzskala wird diese Problematik besonders deutlich: Wenn ein Patient die Frage „Wie stark waren Ihre Schmerzen in der letzten Woche?" beantworten soll, ist er gezwungen, sich auf einen bestimmten Wert festzulegen. Dadurch können Informationen über den Schmerzverlauf verloren gehen. Die aktuelle Beurteilung des vergangenen Schmerzes kann durch den aktuell empfundenen Schmerz verzerrt werden: Empfindet jemand aktuell starke Schmerzen, könnte die Erinnerung an den vergangenen Schmerz davon beeinflusst werden. Kognitive und emotionale Prozesse beeinflussen je nach Thema und Person die Antworten.

Praktiker werden es vielleicht wiedererkennen: Patienten berichten, wie schlimm die Woche war – und bei genauerem Nachfragen stellt sich heraus, dass es oft nur ein kurzes Ereignis kurz vor der Therapiesitzung war, das die Stimmung so stark trübte. In der Forschung ist dies als „Retrospektionseffekt" bekannt [2]. Wie das Beispiel des Schmerzes zeigt, gibt es viele Facetten dieses Effekts. Empirisch sind Verzerrungstendenzen bei Selbst- und Fremdbeurteilungen sehr gut belegt [3]. Sie sind ein großes Problem von retrospektiven Berichten – besonders dann, wenn basierend auf den Daten Interventionen und andere Maßnahmen entworfen und ergriffen werden.

▬▬▬▬ **Merke**
EMA umgeht den Retrospektionseffekt durch unmittelbare und wiederholte Messungen.

EMA – Erhebungsarten

Je nach Stichprobe und Fragestellung kann ein individueller Erhebungsplan bestimmt werden: Wie oft (stündlich, täglich, wöchentlich) und wie häufig (wie viele Wiederholungen) sollen Messungen durchgeführt werden? Welche Daten sollen wann erfasst werden? Dies und vieles mehr kann auf die jeweilige Zielgruppe individuell zugeschnitten werden. EMA- Messdesigns lassen sich grob in zwei Arten von Erhebungen einteilen: Event-basierte Erhebungen und Zeit-basierte Erhebungen.

Event-basierte Erhebung

Bei der Event-basierten Erhebung geht es nicht primär um die möglichst genaue Erfassung des Erlebens einer Person als Gesamtes, sondern um spezifische, einzeln auftretende „Events" oder Situationen.

▬▬▬▬ **Merke**
Bei der Event-basierten Erhebung werden Teilnehmende gebeten, nur dann Daten anzugeben, wenn ein Event auftritt, zum Beispiel eine Panikattacke oder Alkoholkonsum.

Der Vorteil solcher Erhebungen ist, dass sich unterschiedlichste Faktoren und Begleitumstände – ähnlich einer Verhaltensanalyse – im aktuellen Moment erfassen ließen. Die Methode setzt jedoch eine klare Definition des Zielkonstrukts voraus, was in einigen Fällen mühsam oder schwierig sein kann: Wenn Probanden gebeten werden, jedes Mal zu registrieren, wann sie etwas essen – zählt dann Kaugummikauen auch?

Diese Art der Erhebung verlässt sich auf den Teilnehmer: Nur, wenn dieser sich bewusst ist, was genau das Zielkonstrukt ist, kann er es im Ereignisfall reliabel angeben. Bei Konstrukten wie „Zigarettenkonsum" ist dies klarer umrissen, als bei Konfliktinteraktionen mit dem Partner, da es einen gewissen Grad an Reflexion und Selbstwahrnehmung voraussetzt. Das größte Problem bei der Event-basierten Erhebung ist jedoch die Compliance: Es gibt keine Möglichkeit nachzuprüfen, ob der Teilnehmer wirklich jedes Mal, wenn das Zielevent aufgetreten ist, dieses auch registriert hat.

Zeit-basierte Erhebung

Bei anderen Phänomenen, wie zum Beispiel Müdigkeit, Schmerz oder Stimmung, stößt eine Event-basierte Erhebung an ihre Grenzen, da hier oft vor allem der kontinuierliche Verlauf über die Zeit von Interesse ist.

▬▬▬▬ **Merke**
Der kontinuierliche Verlauf lässt sich mit der Zeit-basierten Erhebungsmethode erfassen, bei der es darum geht, das Erlebte über einen Zeitraum hinweg zu erfassen, ohne einen Fokus auf spezifische Vorkommnisse innerhalb dieses Zeitraums.

Es gibt viele verschiedene Arten, die Frequenz und den Erhebungszeitraum mit dieser Erhebungsmethode zu individualisieren. Je häufiger eine Messung stattfindet, desto höher ist der Informationsgehalt über das Phänomen. Wiederholte Messungen sind für den Untersucher vorteilhaft, da viele Informationen über den zeitlichen Verlauf eines Konstrukts gewonnen werden. Für den Untersuchten können häufige Datenerfassungen aber einen großen Aufwand darstellen.

Diese Erhebungsmethode setzt voraus, dass die Testperson zum gewünschten Zeitpunkt erreicht werden kann – z. B. mithilfe eines Alarms, Pieps, Armbanduhr oder anderer Methoden. Dazu müssen spezifische technische Voraussetzungen erfüllt sein.

EMA: Vor- und Nachteile

Die EMA-Erhebungsstrategie hat viele Vorteile gegenüber retrospektiven Messinstrumenten:

Eine Datenerhebung mit EMA-Methoden ermöglicht eine unmittelbare und möglicherweise unverzerrte Messung in der natürlichen Umgebung der Person. Dadurch werden Messungen an Orten möglich, die vorher nicht geeignet waren, und Phänomene können dynamischer und präziser erfasst werden.

Durch die mehrfache Messung ist es möglich, den zeitlichen Verlauf und das dynamische Zusammenspiel von verschiedenen Phänomenen eingehend zu betrachten.

In den meisten EMA-Assessments werden die Daten direkt digital in den Geräten, die für die Erhebung eingesetzt werden, gespeichert. Dies ermöglicht eine fehlerfreie Datenübertragung.

Allerdings bringt EMA auch Herausforderungen mit sich:

Um EMA durchzuführen, werden in der Regel elektronische Geräte benötigt. Hier eignen sich Smartphones, Tablets und physiologische Messgeräte, wie Bewegungs- oder Herzfrequenzsensoren. Diese Geräte können teuer und aufwändig zu beschaffen sein, vor allem wenn eine Vielzahl von Geräten gebraucht wird.

Die EMA-Messkonzeption bietet eine hohe Individualität und Flexibilität in der Implementierung des Messdesigns: Es können Zeitverläufe oder spezifische Phänomene über die Zeit hinweg untersucht werden. Dazu muss das Messdesign programmiert werden. Dies setzt in der Regel technische Kenntnisse voraus und nimmt deutlich mehr Zeit in Anspruch, als einen Fragebogen auszuhändigen. Mittlerweile gibt es aber vermehrt Anbieter, die anwenderfreundliche Apps für Smartphones entwickeln, mit denen man ohne große Vorkenntnisse die Messdesigns programmieren kann.

Eine weitere Herausforderung stellt die Datenauswertung dar. Zwar werden die Daten direkt im Gerät gespeichert und es ist keine aufwendige Übertragung notwendig. Allerdings sind EMA-Daten oft in der Auswertung anspruchsvoller und benötigen eine umfassende Aufbereitung, bevor sie analysiert werden können. Hier sind Datenübermittlung, -speicherung und -schutz wichtige Schlagwörter.

Implikationen für die Psychotherapie

EMA ist eine Erhebungsstrategie, aus der sich verschiedene hilfreiche Tools für die Psychotherapie ableiten lassen. Je nach Therapiesetting und Gegebenheiten bieten sich Möglichkeiten, EMA vor, während oder nach dem Therapieprozess einzusetzen. Die Anwendungsarten sind vielfältig und hängen von dem Interessensfokus, der Zielgruppe und anderen Faktoren ab. Im Folgenden werden einige Beispiele vorgestellt und mögliche Umsetzungsbeispiele für EMA diskutiert.

Nutzung vor dem Therapiestart

Vor dem Start einer Therapie im ambulanten Setting kann es zu Wartezeiten kommen, da nicht immer Therapieplätze sofort verfügbar sind. Diese Wartezeit kann genutzt werden: Symptome, relevante Emotionen und Kognitionen sowie Verhaltensweisen können mittels EMA erfasst werden. Aktuell wird dies in einer Praxisstudie an der Universität Zürich (Projektkoordinatorin: Dr. Andreea Visla) umgesetzt.

Im Fokus stehen Patienten mit einer Generalisierten Angststörung (GAS), die vor dem Therapiestart auf einem Smartphone über eine Woche eine Reihe von Fragen zu Sorgen- und Ressourcenepisoden ausfüllen. Die Fragen sollen Antworten rund um den Bereich pathologische Sorgen bei GAS bringen: Was löst eine Sorgenkette aus? Wie lange dauert eine Sorgenepisode und wie wird sie beendet? Welche Themen stehen im Vordergrund, welche Gefühle und Gedanken treten währenddessen auf? Die Informationen werden ausgewertet und den Therapeuten in standardisierter Form für die individuelle Gestaltung des Therapieverlaufs zur Verfügung gestellt (▶ Abb. 1).

Nutzung während der Diagnostik

EMA lässt sich in den Diagnostik-Prozess einbauen. Mithilfe eines ambulanten Assessments, das der Patient über einen bestimmten Zeitraum regelmäßig durchführt, können zusätzliche Informationen über relevante Symptome gesammelt werden. Wie häufig wird Alkohol konsumiert? Welche Symptome einer Depression sind wie lange vorhanden? EMA kann zusätzliche Informationen zu bereits bestehenden Diagnostik-Verfahren liefern.

Vergleich mit klassischen Fragebögen

Helbig und Kollegen [4] verglichen unter anderem den Informationsgehalt von EMA im Vergleich zu Fragebogenverfahren bei Patienten mit einer Panikstörung und Agorapho-

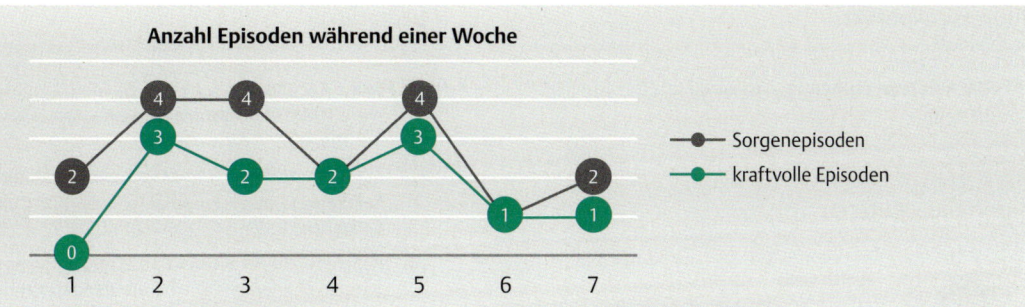

Anzahl Episoden während einer Woche

— Sorgenepisoden
— kraftvolle Episoden

	Sorgenepisoden	kraftvolle Episoden
Ø Anzahl Episoden pro Tag	2,7	1,7
Ø Zeit pro Tag in Minuten	126 Minuten	94 Minuten
Themen	Arbeit, Beziehungen, Gesundheit, Zukunft	Beziehungen, Arbeit, Joggen, Hund, Yoga
Kontexte	auf der Arbeit, Zuhause, im öffentlichen Raum, im Auto	Zuhause, in der Natur, im öffentlichen Raum, in den Ferien
unmittelbare Situationen	Planung des Tagesablaufs, Fernsehen schauen, Email gecheckt, in der Nacht aufgewacht	Museumsführung beendet, Krafttraining, Essen im Restaurant, mit dem Hund sein, Frühstück mit Tochter
Gedanken	„Ich weiß nicht, wie ich das schaffen soll", „Was denken alle jetzt über mich?", „Ich habe bestimmt einen Fehler in der Mail gemacht", „Was, wenn mein Chef denkt, ich sei nicht motiviert?"	„Ich werde geschätzt", „Das Leben ist schön", „Ich bin selbstständig und unabhängig", „Endlich bin ich sicher und kann machen, was ich will", „Die Welt ist faszinierend"
Verhalten	Mails checken, im Bett liegen, nach Hause gehen, weinen	tanzen, Autofahren, Sport, kochen, jemandem helfen, früh aufstehen und zur Arbeit gehen
körperliche Empfindungen	Schmerzen, Zittern, schneller Herzschlag, Müdigkeit, tief zu Atmen, flaues Gefühl im Magen	Entspannung, Energie, körperliche Anstrengung, Geborgenheit, Ausgeglichenheit

Was dem/der Patientin half, die Sorgen zu stoppen:
darüber reden, Abklenkung, kochen, Entspannungstechnik, mit Katze spielen, Gespräch mit dem Partner, sich selbst sagen, dass es vorbeigeht

▶ **Abb. 1** Ecological Momentary Assesment (EMA): Bericht Patient #553

bie. Während der Wartezeit auf den Therapiestart füllten 21 Patienten auf einem Mobiltelefon verschiedene Fragen zu verschiedenen Symptomen und Bereichen aus (z. B. „momentane Situation", „Stimmung", „angstbezogene Symptome"). Patienten wurden über eine Woche hinweg zu fünf zufällig über den Tag verteilten Zeitpunkten gebeten, die Fragen zu beantworten. Außerdem füllten Patienten per Hand am Anfang und Ende der Wartezeit einen Fragebogen zu Angstsymptomen und -bereichen aus. Die Ergebnisse zeigen, dass sich zwar die inhaltlichen Informationen nicht grundlegend unterscheiden, aber EMA differenziertere Aussagen über die klinische Symptomatik erlaubt.

━━━━ **Merke**

Die Ergebnisse zeigen, dass sich zwar die inhaltlichen Informationen nicht grundlegend unterscheiden, aber EMA differenziertere Aussagen über die klinische Symptomatik erlaubt.

FAZIT

Bei der Erfassung komplexer Phänomene, die im psychotherapeutischen Alltag zu finden sind, bietet EMA (Ecological Momentary Assessment) ein großes Potenzial für die Informationsgewinnung. Wo traditionelle Erhebungsmethoden an ihre Grenzen stoßen, kann mit EMA unmittelbar und unverzerrt ein relevantes Phänomen erforscht werden.
Die EMA-Implementierung stellt oft ein Abwiegen dar: Vielen Vorteilen der Erhebungsstrategie steht der Aufwand gegenüber, der vor allem technisch und finanziell aufgebracht werden muss, um EMA einzusetzen.

Interessenkonflikt

Die Autorinnen geben an, dass kein Interessenskonflikt besteht.

Autorinnen/Autoren

Judith Held
MSc. 2010–2016 Studium der Psychologie an der Universität Groningen (Niederlande) und Universität Bern (Schweiz). Seit 2016 Doktorandin am Lehrstuhl für allgemeine Interventionspsychologie und Psychotherapie der Universität Zürich (Schweiz). Seit 2018 in Ausbildung zur Psychotherapeutin an der Universität Bern.

Andreea Vîslă
Dr. phil. 2011–2014 Doktorat, Babes-Bolyai Universität, Rumänien. Seit 2016 Oberassistentin, Lehrstuhl für allgemeine Interventionspsychologie und Psychotherapie der Universität Zürich, Schweiz.

Korrrespondenzadresse

Judith Held, MSc
Lehrstuhl für allgemeine Interventionspsychologie und Psychotherapie
Universität Zürich
Binzmühlestraße 14/04
8050 Zürich
Schweiz
judith.held@psychologie.uzh.ch

Literatur

[1] Stone AA, Shiffman S. (1994). Ecological momentary assessment (EMA) in behavorial medicine. Ann Behav Med 1994; 16: 199–202

[2] Stone AA, Shiffman S. (2002). Capturing Momentary, Self-Report Data: A Proposal for Reporting Guidelines. Ann Behav Med 2002; 24:, 236–243

[3] Käppler C, Rieder S. Does the retrospection effect hold as a stable phenomenon? First results from a transcultural self-monitoring study of mood and cognitive states in Brazil and Germany. In: Fahrenberg J, Myrtek M, Hrsg. Progress in ambulatory assessment. Computer-assisted psychological and psychophysiological methods in monitoring and field studies. Seattle, WA: Hogrefe & Huber; 2001: 113–122

[4] Helbig S, Lang T, Swendsen J, Hoyer J, Wittchen HU. (2009). Implementierung, Akzeptanz und Informationsgehalt eines Ecological Momentary Assessment (EMA)-Ansatzes bei Patienten mit Panikstörung und Agoraphobie. Z Klin Psychol Psychother 2009; 38: 108–117

Bibliografie

DOI https://doi.org/10.1055/a-0592-0483
PiD - Psychotherapie im Dialog 2018; 19: 56–60
© Georg Thieme Verlag KG Stuttgart · New York
ISSN 1438–7026

Mobile Angebote für Geflüchtete

Psychotherapeutische Interventionen im globalen Kontext

Eva Heim, Sebastian Burchert, Andreas Wenger

E-Mental-Health-Angebote haben großes Potenzial, um Menschen in unterversorgten Gebieten mit niederschwelligen psychotherapeutischen Angeboten zu erreichen, insbesondere Geflüchtete. Solche Ansätze werden in verschiedenen Ländern getestet. Therapeutische Interventionen wie Verhaltensaktivierung oder Entspannungstechniken eignen sich gut und können an den kulturellen und sozialen Kontext angepasst werden.

Weltweit sind laut UNO-Hochkommissariat für Flüchtlinge (UNHCR) 68,5 Millionen Menschen auf der Flucht [1]. Viele leiden infolge traumatischer Erlebnisse wie Gewalt, Verlust naher Angehöriger oder Folter [2] unter Depression, Angst und Posttraumatischer Belastungsstörung (PTBS) [3]. Ihre Versorgung ist eine große Herausforderung, zumal die Mehrzahl in Länder niedrigen und mittleren Einkommens geflohen ist.

Beispielsweise leben von den 5 fünf Millionen aus Syrien Geflüchteten 3,5 Millionen in der Türkei, 1 Million im Libanon und 670 000 in Jordanien [4]. Die Gesundheitssysteme in diesen Ländern können ihre Bedürfnisse nur unzureichend abdecken [2].

▬▬▬ Merke
Innovative Ansätze sind notwendig, um möglichst viele Menschen weltweit mit psychotherapeutischen Angeboten zu versorgen.

Wie erreichen wir Millionen von Menschen in Not?

Die Weltgesundheitsorganisation (WHO) entwickelt zurzeit eine Reihe „skalierbarer" Interventionen [5].

▬▬▬ Merke
Skalierbar bedeutet: Evidenzbasierte Interventionen können mit relativ geringen Ressourcen eine große Zahl Menschen erreichen. Dazu gehören Selbsthilfe-Angebote, die von der WHO in ihren Richtlinien zum professionellen Umgang mit psychischen Störungen in ressourcenarmen Kontexten empfohlen werden [6].

Bei der Entwicklung skalierbarer Interventionen gewinnen moderne Informations- und Kommunikationstechnologien wie Internet und Mobile-Apps zunehmend an Bedeutung. Diese bieten sich für die praktische Umsetzung von Selbsthilfeangeboten an, indem sie digitale Plattformen für die Koordination von Helfern sowie für interaktive Interventionen im Alltag ermöglichen. Insbesondere Geflüchteten kann so der ortsunabhängige Zugang zu wirksamen Interventionen auf mobilen Geräten (insbesondere Smartphones) ermöglicht werden.

Mobile Selbsthilfe – Schritt für Schritt

Die WHO hat in den vergangenen zwei Jahren eine solche Intervention zur Behandlung depressiver Symptome mit dem Namen Step-by-Step entwickelt [7]. Step-by-Step umfasst fünf Module und basiert primär auf Verhaltensaktivierung. Weitere Interventionen umfassen Stressmanagement (eine einfache Atemübung), die Steigerung der sozialen Unterstützung sowie positive Selbstverbalisation.

Diese Techniken werden auf zwei Arten vermittelt: Im ersten Teil jedes Moduls erzählt eine gezeichnete Figur in einer Bildergeschichte mit einfachem Text von ihrer eigenen Erfahrung mit Depression. Die Bildergeschichte umfasst ca. 30–40 Bilder pro Modul. Im zweiten Teil leitet die Figur einer Ärztin bzw. eines Arztes (angepasst an das Geschlecht des Nutzers bzw. der Nutzerin) im selben Stil einfache Übungen an. Die Teilnehmenden werden ermutigt, die Übungen im Alltag anzuwenden. Interaktive Funktionen unterstützen die Umsetzung, z. B. ein Formular zum Auflisten angenehmer Aktivitäten und ein Kalender zur Planung dieser Aktivitäten. Die Atemübung kann in einer Audiodatei gehört werden.

Libanon: Pilotversuch im Kontext kultureller Diversität

Step-by-Step wurde als einfache Website in einem Pilotversuch im Libanon getestet, eine randomisierte kontrollierte Studie beginnt im Januar 2019. Projektpartner vor Ort sind das Gesundheitsministerium und lokale Universitäten, was erheblich zur Sichtbarkeit und Einbettung des Projektes in das psychosoziale Gesundheitssystem beiträgt.

Qualitative Befragungen mit verschiedenen kulturellen Gruppen, z. B. der lokalen Bevölkerung, syrischen und palästinensischen Geflüchteten, Vertretern religiöser Gruppen und Fachkräften aus der primären Gesundheitsversorgung, zeigen, dass eine Intervention wie Step-by-Step begrüßt und als sinnvoll erachtet wird [8]. Das Gesundheitsministerium sieht Step-by-Step als ersten Schritt in einem Stepped-Care-Modell. Teilnehmende, die von der Intervention nicht oder zu wenig profitieren, können in einem nächsten Schritt an professionelle Therapeuten weitergeleitet werden.

Die meisten Befragten fanden, dass die Übungen im zweiten Teil der Module von Step-by-Step durch eine (fiktive) professionelle Person, d. h. einen Arzt oder eine Ärztin, angeleitet werden sollten. In anderen kulturellen Gruppen könnte möglicherweise eine andere (fiktive) respektierte Person (z. B. Dorfältester) diese Übungen anleiten.

Zeina und Karim erzählen aus ihrem Leben

Step-by-Step-Nutzerinnen und -Nutzer wählen zu Beginn die Person aus, die ihre Erfahrungen aus der Ich-Perspektive erzählt. Die weibliche Hauptperson, Zeina, kann mit oder ohne Schleier gewählt werden, der männliche Erzähler, Karim, mit oder ohne Bart. Damit werden kulturelle Merkmale der Zielgruppen abgedeckt.

Zeina wird nicht allzu oft mit ihrer Familie und mit Kindern abgebildet, weil sich jüngere, weibliche und auswärts arbeitende Teilnehmende darin zu wenig repräsentiert fühlten. Grundsätzlich wurde auch darauf geachtet, Illustrationen so allgemein wie möglich zu halten. Z. B. wird Zeina an einem Punkt weinend im Türrahmen eines Schlafzimmers dargestellt. Dabei wird nicht gesagt, ob sie den Tod eines nahen Angehörigen beweint oder sich generell abends vor dem Schlafengehen traurig fühlt, damit sich möglichst viele Personen in den Bildern wiederfinden [7].

Geleitete Selbsthilfe: E-Helfer im Einsatz

Im Libanon wird Step-by-Step als geleitete Selbsthilfe eingesetzt (siehe Beitrag von Berger und Krieger in diesem Heft). Sogenannte E-Helfer ohne vorherige therapeutische Ausbildung wurden für die Begleitung ausgebildet und während der Implementierung supervidiert. Die E-Helfer unterstützen User bei technischen Fragen während der Registrierung und bieten wöchentlich ca. 15-minütige Kontakte über E-Mail, Chat, Telefon oder WhatsApp an. Die E-Helfer wurden geschult in psychologischer Erster Hilfe,

d. h. in aktivem Zuhören und einfachen Kriseninterventionstechniken.

Von großem Nutzen ist außerdem eine kürzlich eingerichtete 24-Stunden-Suizid-Hotline im Libanon. Damit wurde es möglich, Menschen mit schwereren depressiven Symptomen in den Pilotversuch einzuschließen und bei erhöhter Suizidalität an die Hotline zu verweisen. Zwei Fälle akuter Suizidalität sind während des Pilotversuchs aufgetreten. Beide Fälle wurden durch den klinischen Supervisor des Gesundheitsministeriums telefonisch weiterbetreut, worauf sich die Situation stabilisierte.

STRENGTHS – ein europäisches Forschungsprogramm für syrische Geflüchtete

Step-by-Step wird neben der Studie im Libanon auch mit syrischen Geflüchteten in drei parallelen randomisierten kontrollierten Studien in Deutschland, Schweden und Ägypten getestet [9]. Diese Studien sind Teil des von der EU geförderten STRENGTHS-Programms. Im Rahmen von STRENGTHS arbeitet ein internationaler Verbund aus akademischen Einrichtungen und Organisationen gemeinsam daran, Gesundheitssysteme für Geflüchtete aus Syrien mit skalierbaren psychologischen Interventionen zu stärken.

In den STRENGTHS-Studien wird eine angepasste Version der Step-by-Step-Intervention eingesetzt und auf ihre (Kosten-)Wirksamkeit untersucht. Der Fokus liegt auf unbegleiteter Selbsthilfe ohne E-Helfer. Das Angebot ist daher noch niedrigschwelliger. Auch hier stehen aber bei Bedarf geschulte E-Helfer über ein in das Programm integriertes Nachrichtensystem zur Verfügung.

Technisch wird diese Variante als hybride App entwickelt und kann daher sowohl als Webseite als auch als App für iOS und Android genutzt werden.

Step-by-Step-App: Vorteile mobiler Technologien

Bei der Entwicklung einer Intervention für Geflüchtete sind Barrieren zu berücksichtigen, die den Zugang dieser Zielgruppe zu digitalen Angeboten hindern könnten. Hierzu gehören technische Einschränkungen (z. B. ein limitierter oder instabiler Zugang zum Internet), finanzielle Hürden (z. B. die Kosten von Smartphones und mobilem Internet) und individuelle Barrieren (z. B. Bildungsstand, eingeschränkte technische Kompetenz oder Datenschutzbedenken). Für die Studien wird Step-by-Step deshalb für die Anwendung als App auf mobilen Geräten optimiert.

Gegenüber einer Website bieten Apps entscheidende Vorteile: Sie können heruntergeladen und anschließend offline verwendet werden. Durch das Versenden von Push-Nachrichten können Interventionen gezielt durch Erinnerungen im Alltag unterstützt werden. Zudem ergeben sich Eingabemöglichkeiten für Menschen mit eingeschränkter Schreibfähigkeit, da Sensoren in Smartphones (z. B. Kamera und Mikrophon) direkt in Apps eingebunden werden können.

Wie kommt der Berg zum Propheten?

Die Frage, wie mobile Interventionen wie Step-by-Step zu den Menschen gebracht werden können, die sie am meisten brauchen, ist zentral. Im Libanon wurden Teilnehmende für den Pilotversuch über verschiedene Kanäle rekrutiert. Analysen der Webseite zeigen, dass mit einer Facebook-Werbung die Zahl der registrierten Personen stark anstieg. In Einrichtungen der primären Gesundheitsversorgung wurden Poster aufgehängt und im Wartezimmer ein Step-by-Step-Werbefilm abgespielt.

Ein großes Problem ist die Stigmatisierung psychischer Erkrankungen. Deshalb wurde in Werbefilmen und auf Postern eine nicht-stigmatisierende Sprache verwendet. In den Gesundheitszentren wurden Tablets zur Verfügung gestellt, um auch Personen den Zugang zu ermöglichen, die selber nicht über einen Computer, ein Mobiltelefon oder Internetanschluss verfügten. Allerdings wurden diese Tablets im Pilotversuch nicht genutzt, da die meisten Personen es vorzogen, die Intervention zu Hause zu nutzen.

Erste Analysen zeigen, dass vor allem jüngere libanesische Personen, insbesondere Studierende, die Intervention nutzten. Der Anteil syrischer Geflüchteter war relativ gering. Die eigentliche Zielgruppe konnte also noch nicht erreicht werden.

Kulturelle Leidenskonzepte: „zu viel Denken" und „ein Punkt im Herzen"

In der kulturellen klinischen Psychologie werden weltweit kulturelle Leidenskonzepte mithilfe ethnografischer Forschungsmethoden erfasst. Dieser Forschungszweig bringt die Vielfalt von Leidenskonzepten zutage. In Afrika und Asien ist zum Beispiel das Konzept des „zu viel Denkens" sehr verbreitet und geht einher mit depressiven und ängstlichen Symptomen. Eine ethnografische Studie mit Albanisch sprechenden Einwanderern in der Schweiz zeigte das Konzept des „Punkt im Herzens", was so viel bedeutet wie ein Leiden, dass sich im Herzen festgesetzt hat und (soweit die kulturelle Annahme) ein Leben lang dort bleiben wird.

Die Übereinstimmung solcher Konzepte mit westlich definierten psychischen Störungen variiert. Studien besserer Qualität haben genauere Beschreibungen solcher Konzepte erarbeitet. Die Wahrscheinlichkeit, dass die Betroffenen auch unter einer (westlich definierten) psychischen Störung leiden, ist in solchen Studien geringer [10].

Das bedeutet: Wahrscheinlich gibt es tatsächlich einzigartige kulturelle Konzepte, die mit unseren bekannten Diagnosekategorien nur wenig übereinstimmen.

Kulturelle Anpassung: so viel wie nötig, so wenig wie möglich

Studien weisen darauf hin, dass die kulturelle Anpassung von Online- und anderen Selbsthilfe-Interventionen deren Wirksamkeit erhöht [11]. Wie stark Interventionen kulturell angepasst werden müssen, ist Gegenstand aktueller Forschung. Aus einer Public-Health-Perspektive scheint es unrealistisch, für jede kulturelle Gruppe eine ethnografische Studie durchzuführen, kulturelle Leidenskonzepte zu erfragen und spezifische Interventionen und Messinstrumente zu entwickeln.

Skalierbare Interventionen gehen von der Annahme aus, dass einfache Interventionen wie Stressmanagement oder Verhaltensaktivierung ein breites Spektrum von Symptomen behandeln und von vielen Menschen als hilfreich erachtet werden. Auch zeigte sich in verschiedenen Studien neben einer Verbesserung der Symptome eine Steigerung des allgemeinen Funktionsniveaus, was darauf hinweist, dass die allgemeine psychische Gesundheit verbessert wurde.

Die kulturelle Anpassung skalierbarer Interventionen beschränkt sich auf einfache Methoden, wie sie in der Entwicklung von Step-by-Step beschrieben wurden. Grundsätzlich dürfen selbstverständlich keine Informationen vermittelt werden, die kulturell unpassend, verletzend, kränkend oder unverständlich sein könnten.

In welchem Maß eine stärkere kulturelle Anpassung die Wirksamkeit erhöht, wird weiterhin erforscht [12].

FAZIT

Die Bedürfnisse Geflüchteter im Bereich psychische Gesundheit weltweit abzudecken ist eine der größten Herausforderungen in der Geschichte der Psychotherapie. Die Zahl der Betroffenen ist immens, die Ressourcen sind limitiert und die Situation vielerorts komplex.
Mobile Angebote haben das Potenzial, kulturell diversen Gruppen in solchen Situationen einfache Mittel zur Verbesserung der psychischen Gesundheit

zur Verfügung zu stellen. Wie solche Interventionen gestaltet werden müssen und wie stark sie kulturspezifisch und technisch an den jeweiligen Kontext angepasst werden müssen, ist Gegenstand aktueller Forschung.

Zentral ist die Einbettung in ein psychosoziales Gesundheitssystem, um die langfristige und nachhaltige Implementierung sicherzustellen. So wird es hoffentlich möglich sein, das Leiden von Millionen von Menschen weltweit zu lindern.

GEFLÜCHTETE UND SMARTPHONES

Smartphones gehören heute zu den (über-)lebenswichtigsten Besitztümern auf der Flucht. Die Geräte bieten essenzielle Funktionen wie GPS und Kartenmaterial, ermöglichen den Kontakt mit Familie und Freunden sowie den Zugang zu aktuellen Informationen über soziale Medien.

In einer aktuellen Erhebung in Zaatari (Jordanien), einem der größten Flüchtlingslager der Welt, waren 89 % der Befragten im Besitz eines Mobiltelefons, in 73 % der Fälle handelte es sich um ein Smartphone. 60 % berichteten, sie nutzten das Internet ausschließlich über das Smartphone [13].

Interessenkonflikte

Die Autoren geben an, dass kein Interessenkonflikt besteht.

Autorinnen/Autoren

Eva Heim
Dr. phil. Psychologische Psychotherapeutin. Koordinatorin einer Studie der Weltgesundheitsorganisation im Libanon zur Wirksamkeit von Step-by-Step. Leiterin eines Forschungsprojekts zur kulturellen Anpassung von Step-by-Step für albanische Einwanderer in der Schweiz. Ko-Leiterin der Arbeitsgruppe Klinische Kulturpsychologie am Psychologischen Institut der Universität Zürich.

Sebastian Burchert
Dipl.-Psych. Wissenschaftlicher Mitarbeiter am Arbeitsbereich Klinisch-Psychologische Intervention der Freien Universität Berlin. Arbeitsschwerpunkte: Internet- und Mobile-basierte Interventionen, transkulturelle klinische Psychologie. Arbeitet im Rahmen des EU-Horizon-2020-Projekts STRENGTHS an einer mobilen Version von Step-by-Step für Geflüchtete aus Syrien.

Andreas Wenger
M.Sc, wissenschaftlicher Mitarbeiter am Schweizer Institut für Sucht- und Gesundheitsforschung. Für den Pilotversuch zu Step-by-Step im Libanon stellte er das technische Knowhow und die Plattform bereit. Durch seine mehrjährige Berufserfahrung im IT-Bereich und den Abschluss in Psychologie vermittelt er am Institut in zahlreichen Projekten zwischen Technik & Psychologie und leitet oder setzt die technischen Aspekte um. Zu seinen Projekten zählen web-basierte Selbsthilfe im Bereich Cannabis, Kokain und Alkohol sowie SMS-basierte Prävention bei Jugendlichen.

Korrespondenzadresse

Dr. Eva Heim
National Mental Health Programme (NMHP)
Ministry of Public Health
4th Floor,
Lebanese University Central Directorate
Museum Square
9800, Beirut
Lebanon
e.heim@psychologie.uzh.ch

Literatur

[1] UNHCR. Figures at a glance. 2018. Im Internet: http://www. unhcr.org/figures-at-a-glance.html; Stand: 17.10.2018

[2] Silove D, Ventevogel P, Rees S. The contemporary refugee crisis: An overview of mental health challenges. World Psychiatry 2017; 16: 130–139

[3] Steel Z, Chey T, Silove D et al. Association of torture and other potentially traumatic events with mental health outcomes among populations exposed to mass conflict and displacement: a systematic review and meta-analysis. JAMA 2009; 302: 537–549

[4] UNHCR. Syria regional refugee response (Lebanon). 2018. Im Internet: https://data2.unhcr.org/en/situations/syria; Stand: 17.10.2018

[5] WHO. Scalable psychological interventions for people in communities affected by adversity – A new area of mental health and psychosocial work at WHO. World Health Organization; 2017

[6] WHO. WHO mhGAP Guideline Update. Update of the Mental Health Gap Action Programme (mhGAP) Guideline for Mental, Neurological and Substance use Disorders. Geneva; 2015

[7] Carswell, K., Harper-Shehadeh, M., Watts, S., van't Hof, E., Abi Ramia, J., Heim, E., Wenger, A., & van Ommeren, M. (2018). Step-by-Step: a new WHO digital mental health intervention for depression. mHealth, 4: 34

[8] Abi Ramia J, Harper Shehadeh M, Kheir W et al. Community cognitive interviewing to inform local adaptations of an e-mental health intervention in Lebanon. Global Mental Health [in press]

[9] Sijbrandij M, Acarturk C, Bird M et al. Strengthening mental health care systems for Syrian refugees in Europe and the Middle East: integrating scalable psychological interventions in eight countries. Eur J Psychotraumatol 2017; 8: 1388102

64

Heim E, Burchert S. Mobile Angebote für Geflüchtete. PiD - Psychotherapie im Dialog 2018; 19: 61–65

[10] Kohrt BA, Rasmussen A, Kaiser BN et al. Cultural concepts of distress and psychiatric disorders: Literature review and research recommendations for global mental health epidemiology. Inte J Epidemiol 2014; 43: 365–406

[11] Harper Shehadeh M, Heim E, Chowdhary N et al. Cultural adaptation of minimally guided interventions for common mental disorders: A systematic review and meta-analysis. JMIR Ment Health 2016; 3: e44

[12] Heim, E., Harper Shehadeh, M., van ‚t Hof, E., & Carswell, K. (in press). Cultural adaptation of scalable interventions. In A. Maercker, E. Heim, & L. J. Kirmayer (Eds.), Cultural clinical psychology and PTSD. Boston, MA: Hogrefe Publishing.

[13] Maitland C, Xu Y. A social informatics analysis of refugee mobile phone use: A case study of Za'atari Syrian refugee camp. 2015. Im Internet: https://papers.ssrn.com/sol3/papers.cfm?abstract_id=2588300; Stand: 17.10.2018

Bibliografie

DOI https://doi.org/10.1055/a-0592-0339
PiD - Psychotherapie im Dialog 2018; 19: 61–65
© Georg Thieme Verlag KG Stuttgart · New York
ISSN 1438–7026

Schmerztherapie online

Kathrin Bernardy, Maren Töpper, Andreas Schwarzer, Christiane Hermann

Internetbasierte Interventionen und Apps für mobile Endgeräte werden als große Chance für die Verbesserung der Versorgung von chronischen Schmerzpatienten diskutiert. Trotz teilweise beeindruckender Wirksamkeitsnachweise ist bisher noch kein durchgreifender Transfer in den Versorgungsalltag gelungen. In diesem Artikel werden Vor- und Nachteile sowie Risiken dieser Verfahren skizziert und bespielhaft einzelne Programme vorgestellt.

Chronischer Schmerz in Deutschland

Chronische Schmerzen sind in Deutschland weit verbreitet und mit hohen direkten und indirekten Kosten verbunden. Aktuellen Erhebungen zufolge leidet nahezu ein Drittel der deutschen Bevölkerung unter chronischen, nicht tumorbedingten Schmerzen, 7 % erfüllen die Kriterien einer chronischen und beeinträchtigenden Schmerzerkrankung [1]. Diese Patienten weisen häufig psychische Störungen auf, vor allem aus dem somatoformen Bereich (F 45.41 und .40), aber auch depressive Erkrankungen, Anpassungsstörungen und Angsterkrankungen [2].

Multimodale Behandlungen gelten in der Behandlung chronischer Schmerzen als Goldstandard und sind (teil-) stationär vielfach erfolgreich evaluiert. Ein zentrales Element sind psychotherapeutische Verfahren auf verhaltenstherapeutischer Basis. Allerdings erhalten nur wenige Betroffene eine multimodale Schmerztherapie [2], insbesondere auch deshalb, weil multimodale Behandlungsnetzwerke im ambulanten Setting bislang nicht implementiert sind und die Versorgung von Patienten mit chronischen Schmerzen primär von ärztlicher Seite geleistet und koordiniert wird. Auch beträgt die Wartezeit auf eine multimodale Schmerztherapie im Durchschnitt 3 Monate [3]. Bekanntermaßen bestehen auch weiterhin beträchtliche Versorgungsengpässe in der ambulanten psychotherapeutischen Versorgung [4].

Internetbasierte Interventionen in der Behandlung chronischer Schmerzen

Internetbasierte psychologische Interventionen für chronische Schmerzpatienten basieren momentan hauptsächlich auf kognitiv-behavioralen Ansätzen. Sie sind typischerweise in Module gegliedert, die „bewährte" schmerzpsychotherapeutische Bausteine (z. B. Edukation, Stressreduktion) beinhalten und enthalten Informationen, Videobei-spiele und Übungen. Internetbasierte Psychotherapien werden entweder als Selbsthilfeprogramme oder mit therapeutischer Begleitung angeboten.

Zahlreiche klinische Studien zeigten die Wirksamkeit internetbasierter Schmerzinterventionen [5][6]. 2017 wurde erstmalig in einer deutschen Studie die Wirksamkeit der internetbasierten psychologischen Therapie („ACTonPain") mit/ohne therapeutische Begleitung an über 300 Probanden mit chronischen Schmerzen überprüft. Es zeigten sich kurz- und mittelfristige Effekte bzgl. der Schmerzbeeinträchtigung und der Schmerzakzeptanz [7].

▬▬▬▬ **Merke**

Insgesamt liegt ausreichende Evidenz für die Wirksamkeit von internetbasierten psychologischen Therapien bei chronischem Schmerz vor, welche vergleichbar mit Face-to-Face-Therapien ist [8][9].

Wie sieht ein solches Online-Programm für Schmerzpatienten aus? ACTonPAIN basiert inhaltlich auf der Acceptance and Commitment Therapy gemäß Hayes et al. [7][10]. Die Infobox zeigt die aufeinander folgenden, jeweils wöchentlich zu bearbeitenden Lektionen (Bearbeitungsdauer ca. 60 min).

Therapeutische Begleitung („eCoaches")

Therapeutisch begleitete Online-Interventionen haben sich bisher als wesentlich wirksamer bei psychischen Störungen erwiesen als reine Selbsthilfeprogramme, in denen sich Betroffene eigenständig durch das Programm arbeiten [11]. Auch bei der Evaluierung von ACTonPAIN erzielte die begleitete Form im Vergleich zur Warteliste kurz- und langfristig eine signifikante Reduktion der Schmerzbeeinträchtigung, während dies in der unbegleiteten Form nicht

66

Bernardy K et al. Schmerztherapie online PiD - Psychotherapie im Dialog 2018; 19: 66–70

Lektionen von ACTonPAIN

1. Einführung

Informationen über akute und chronische Schmerzen. Identifikation von Strategien zur Schmerzbewältigung, um deren kurz- und langfristige Auswirkungen aufzuzeigen. Vorstellung des Achtsamkeitskonzepts, Planung von Achtsamkeitsübungen (▶ **Abb. 1**).

2. Kontrolle und Akzeptanz

Informationen darüber, warum Akzeptanz eine Alternative zur Kontrolle ist und wie sie erreicht werden kann. Vorstellung des Konzepts des primären und sekundären Schmerzes/Reflexion im Alltag.

3. Gedanken und Gefühle (▶ **Abb. 2**)

Defusion steht hier im Mittelpunkt. Die Teilnehmer lernen u. a. mit einem Video, Distanz zu negativen Gedanken und Zielen zu formulieren.

4. Sie und Ihr Selbst

Der Inhalt bezieht sich auf das Selbst im Kontext. In einem Video lernen die Teilnehmer das Selbstkonzept kennen und wie es aus einer breiteren Perspektive betrachtet werden kann.

5. Was ich im Leben wertschätze

Erarbeitung von Werten und Strategien, um sich diesen Werten mehr widmen zu können.

6. Commitment

Die Teilnehmer arbeiten entsprechend ihren eigenen Werten an Lernübungen.

7. Der Weg nach vorne

Erfahrungsbericht über die Intervention. Die Teilnehmer identifizieren neue Ziele und Strategien für eine für sie sinnhafte Lebensgestaltung.

---

gelang [7]. Allerdings gab es keinen signifikanten Unterschied zwischen beiden ACTonPain-Formaten.

Die therapeutische Begleitung bei ACTonPAIN wird schriftlich durch individuell angepasste Bausteine nach jeder Lektion von Psychologen („eCoaches") realisiert (innerhalb von 2 Arbeitstagen). Die „eCoaches" sind größtenteils Psychologen in Ausbildung (PiAs), welche engmaschig von psychologischen Psychotherapeuten supervidiert werden. Pro Woche nimmt der zeitliche Aufwand pro Teilnehmer ca. 20–30 Minuten in Anspruch.

Die Überlegenheit begleiteter Interventionen, gerade bei sog. Intent-to-treat-Analysen (also wenn die Daten von Therapieabbrechern rechnerisch mitberücksichtigt werden), könnte auf den konfundierenden Einfluss der geringeren Therapieabbruchquote zurückzuführen sein. Bei unbegleiteten Therapien sind die Abbruchquoten deutlich höher als bei begleiteten [11] (in ACTonPAIN ca. 40 % vs. 60 %). Aufgrund der höheren Zahl von Abbrechern bei un-

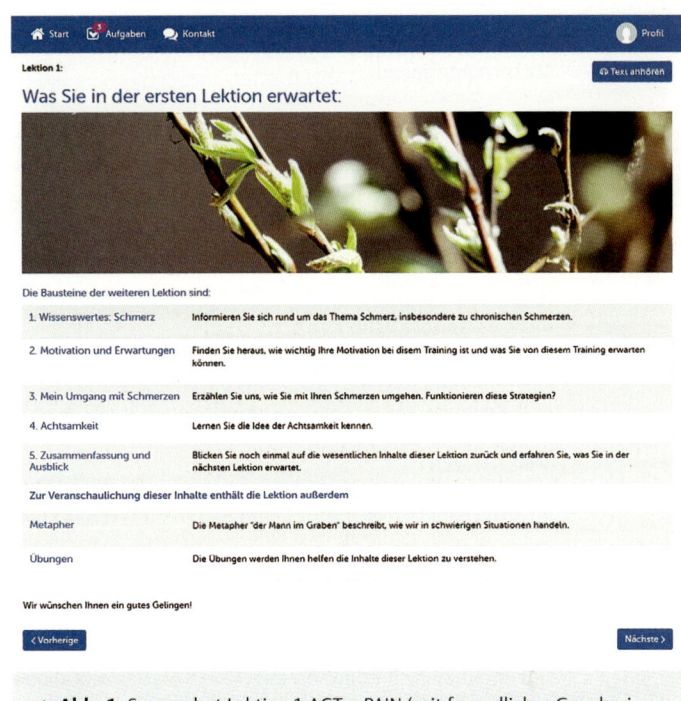

▶ **Abb. 1** Screenshot Lektion 1 ACTonPAIN (mit freundlicher Genehmigung der GET.ON Institut GmbH).

▶ **Abb. 2** Screenshot aus Lektion 3 ACTonPAIN (mit freundlicher Genehmigung der GET.ON Institut GmbH).

Bernardy K et al. Schmerztherapie online PiD – Psychotherapie im Dialog 2018; 19: 66–70

67

begleiteter Intervention fällt der Erfolg der Invention im Mittel niedriger aus.

Ein weiterer Aspekt ist, dass bei therapeutischer Begleitung die Therapieadhärenz gefördert wird, z. B. indem Verständnisfragen geklärt werden, Rückmeldung zu bearbeiteten Aufgaben erfolgt und Patienten motiviert werden [12]. In der ACTonPAIN-Studie haben Patienten bei professioneller Begleitung mehr Module abgeschlossen als nicht begleitete Patienten [7].

Probleme der internetbasierten Verfahren

Internetbasierte Verfahren sind bislang ausschließlich unter stark kontrollierten Bedingungen in ihrer Wirksamkeit bei der Behandlung chronischer Schmerzen überprüft worden. Der Nutzen dieser Verfahren ist unter Alltagsbedingungen noch nicht überprüft worden, d. h. die Voraussetzung für eine Integration von Online-Angeboten in den Versorgungsalltag von Schmerzpatienten ist somit (noch) nicht gegeben. Die Studie zu ACTonPAIN weist auf weitere „typische" Probleme von Online-Interventionen hin. Hier handelt es sich vor allem um das Thema des Therapieabbruchs:

▬▬▬ Merke
Selbst in der begleiteten Form bricht fast jeder Zweite (ca. 40 %) das Programm ab.

Unklar ist, um welche Patienten es sich hier handelt, und was mit ihnen dann geschieht. Ein Aspekt könnte hierbei sein, dass die Rekrutierung meist vollständig online erfolgt, also ausschließlich auf Grundlage einer Fragebogendiagnostik.

Unklar ist auch, inwiefern Online-Therapien tatsächlich eine deutlich höhere Kosteneffizienz besitzen – berücksichtigt man z. B. den wöchentlichen Zeitaufwand für den eCoach. Welche Qualifikation eCoaches aufweisen sollten, ist ebenfalls ungeklärt, insbesondere im Kontext von Schmerzerkrankungen. Angesichts der hohen Abbruchquoten ist die Identifikation von Patienten mit erhöhtem Abbruchrisiko besonders wichtig.

Weiter stellt sich auch die Frage, ob Online-Therapieprogramme quasi alternativ zu einer Face-to-Face-Therapie die übliche ambulante Versorgung i. S. einer multimodalen Ausrichtung in ihrer Wirksamkeit verbessern könnten.

Apps für chronische Schmerzpatienten

Neben internetbasierten Verfahren für den Computer gibt es ein wachsendes Angebot von Apps für mobile Endgeräte, die sich an chronische Schmerzpatienten richten. Diese Angebote lassen sich zu jeder Zeit und an jedem Ort nutzen. Gesundheits-Apps können das Selbstmanagement unterstützen, die Therapietreue und Adhärenz fördern und den Behandlern aktuelle Informationen zur Verfügung stellen.

Die Funktionen lassen sich in 2 Kategorien unterteilen:
- Aufzeichnung von Schmerzsymptomen und/oder Medikation i. S. von Selbstbeobachtung: Beliebt sind Apps für Schmerztagebücher (z. B. „Pain Tracer" oder „CatchMyPain"). Da hierbei sensible Informationen in die App eingetragen und unter Umständen z. B. an den behandelnden Arzt verschickt werden, ist der Aspekt der Datensicherheit besonders wichtig. Vor der Nutzung der App sollte daher die Datenschutzerklärung geprüft werden. Die Techniker Krankenkasse hat in einem Artikel zusammengestellt, was es dabei zu beachten gilt [13].
- Interventionsprogramme: Diese reichen von Informationsangeboten, über Schmerztagebücher und Anleitungen für Bewegungs- und Entspannungsübungen bis hin zu Erinnerungsfunktionen (für die Durchführung von Übungen bzw. die Einnahme von Medikamenten) und Möglichkeiten zum Austausch von Informationen mit Versorgern oder von Erkrankten untereinander. Kritisiert wird u. a., dass die meisten Apps nur einzelne dieser Funktionen umfassen und nur wenige einen ganzheitlichen Unterstützungsansatz verfolgen [14].

Krankheitsspezifische Angebote

Während kaum Apps für chronische Schmerzpatienten verfügbar sind, gibt es einige Beispiele für gelungene krankheitsspezifische Angebote, die in ihrer Ausrichtung multimodal sind.

Die App „Kaia – Rückenschmerzen zuhause behandeln" ist als Medizinprodukt mit CE-Zeichen gekennzeichnet. In einer ersten Wirksamkeitsstudie mit Daten von 180 Nutzern zeigten sich Hinweise auf eine kurz- und langfristige Schmerzreduktion durch das Programm [15]. Die App ist kostenpflichtig, wobei erste Krankenkassen die Kosten übernehmen.

Auch für Migräne- und Kopfschmerzpatienten gibt es mit der „Migräne-App" ein empfehlenswertes Angebot. Die App ist kostenlos und wurde von der Schmerzklinik Kiel in Zusammenarbeit mit dem bundesweiten Kopfschmerzbehandlungsnetz und der Techniker Krankenkasse entwickelt. Sie umfasst eine Vielzahl von Funktionen. In einer Befragungsstudie mit 176 Nutzern gaben 55 % eine Reduktion der Behinderung durch Migräne- oder Kopfschmerzen an [16], eine kontrollierte Evaluation steht noch aus.

68

Bernardy K et al. Schmerztherapie online PiD - Psychotherapie im Dialog 2018; 19: 66–70

Risiken

Gleichzeitig ergeben sich Risiken, die v. a. aus mangelnder Evidenz und datenschutzrechtlichen Problemen resultieren.

▬▬▬▬ **Merke**
Zurzeit gibt es keine umfassende und valide Orientierungshilfe zur Einschätzung der Sicherheit und des Nutzens von Gesundheits-Apps [17].

Inzwischen existieren aber Informations- und Bewertungsplattformen für Gesundheits-Apps, z. B. das Onlineportal „HealthOn": Hier werden Checklisten und Testberichte angeboten, die anhand von festgelegten Qualitäts- und Transparenzkriterien erstellt werden.

Anwendung im ambulanten Setting

Für ambulante Psychotherapeuten bieten onlinebasierte Verfahren in der Psychotherapie chronischer Schmerzpatienten eine Reihe von Möglichkeiten. Im Rahmen eines gestuften Behandlungsplans könnten diesen Patienten einzelne Module von Interventionen wie ACTonPAIN oder krankheitsspezifischen Apps wie KAIA als Einstieg in die Behandlung oder auch zur Vertiefung angeboten werden, auch um z. B. Wartezeiten zu überbrücken. Auch könnten einzelne Psychotherapiebausteine (z. B. das Führen eines Schmerztagebuchs) durch die Verwendung entsprechender Apps unterstützt werden.

Einschränkend ist allerdings anzumerken, dass solche onlinegestützten Interventionen bislang zumeist im Rahmen von Projekten und als Komplettprogramm angeboten werden und noch nicht Bestandteil der Regelversorgung sind.

FAZIT

Der Markt hält bereits vielversprechende Apps für Schmerzpatienten vor. Internetbasierte psychologische Interventionen stellen für Schmerzpatienten eine potentiell wirksame Möglichkeit dar, herkömmliche Therapien zeit- und ortsunabhängig zu ergänzen; sie könnten so wesentlich zu einer Verbesserung der Versorgungssituation beitragen. Es fehlen momentan jedoch noch ausreichende wissenschaftliche Belege für deren Wirksamkeit, insbesondere unter Praxisbedingungen. Auch ist nicht geklärt, welche Programme/Apps für welchen Patienten, zu welchem Zeitpunkt und unter welchen Rahmenbedingungen indiziert sind.

Interessenkonflikt

Die Autoren geben an, dass keine Interessenkonflikte vorliegen.

Autorinnen/Autoren

PD Dr. Kathrin Bernardy
Psychologiestudium in Saarbrücken, bis 2011 wissenschaftliche Mitarbeiterin und klinisch tätige Psychologin am Universitätsklinikum des Saarlandes und bei den Mediclin Bliestal Kliniken, seit 2011 Leitende Psychologin der Abteilung für Schmerzmedizin im BG-Universitätsklinikum Bergmannsheil, 2016 Habilitation an der Ruhr Universität Bochum. Forschungsschwerpunkte: Traumafolgestörungen und chronischer Schmerz, EMDR und internetbasierte Verfahren in der Schmerzbehandlung.

Maren Töpper, M.Sc., Düsseldorf

Dr. Dr. Andreas Schwarzer, Universitätsklinikum Bergmannsheil GmbH Bochum

Prof. Dr. Christiane Hermann, Justus-Liebig-Universität Gießen

Korrrespondenzadresse

PD Dr. Kathrin Bernardy
Abteilung für Schmerzmedizin
Berufsgenossenschaftliches Universitätsklinikum
Bergmannsheil GmbH
Bürkle-de-la-Camp-Platz 1
44780 Bochum
kathrin.bernardy@ruhr-uni-bochum.de

Literatur

[1] Häuser W, Schmutzer G, Hinz A et al. Prävalenz chronischer Schmerzen in Deutschland. Schmerz 2013; 27: 46–55

[2] Grobe TG, Steinmann S, Szcezcenyi J. Arztreport 2018. Schriftenreihe zur Gesundheitsanalyse. Band 7. Berlin: Barmer; 2016

[3] Ärzteblatt. Chronische Schmerzen: „Zu oft werden Patienten mit Spritzen behandelt" (05.04.2016). Im Internet: http://www.aerzteblatt.de/nachrichten/66226/Chronische-Schmerzen-Zu-oft-werden-Patienten-mit-Spritzen-behandelt; Stand: 10.03.2018

[4] Nübling R, Bär T, Jeschke K et al. Versorgung psychisch kranker Erwachsener in Deutschland. Psychother J 2014; 13: 389–397

[5] Eccleston C, Fisher E, Craig L et al. Psychological therapies (internet-delivered) for the management of chronic pain in adults. Coch Data Syst Rev 2014; 26: CD010152. doi:10.1002/14651858.CD010152.pub2.Review

[6] Buhrman M, Gordh T, Andersson G. Internet interventions for chronic pain including headache: a systematic review. Internet Interv 2016; 4: 17–34

Bernardy K et al. Schmerztherapie online PiD - Psychotherapie im Dialog 2018; 19: 66–70

69

[7] Lin J, Paganini S, Sander L et al. Internetbasierte Intervention bei chronischen Schmerzen. Eine dreiarmige, randomisierte kontrollierte Studie zur Wirksamkeit einer begleiteten und unbegleiteten Akzeptanz- und Commitment-Therapie. Deut Ärztebl 2017; 41: 681–688

[8] Bernardy K, Klose P, Busch AJ et al. Cognitive behavioural therapies for fibromyalgia. Coch Data Syst Rev 2013; 9: CD009796. doi:10.1002/14651858.CD009796.pub2

[9] Bernardy K, Klose P, Welsch P et al. Efficacy, acceptability and safety of cognitive behavioural therapies in fibromyalgia syndrome – A systematic review and meta-analysis of randomized controlled trials. Eur J Pain 2018; 22: 242–260. doi:10.1002/ejp.1121

[10] Hayes SC, Strosahl KD, Wilson KG. Acceptance and commitment therapy: An experiential approach to behavior change. New York: Guilford Press; 1999

[11] Baumeister H, Reichler L, Munzinger M et al. The impact of guidance on Internet-based mental health interventions. A systematic review. Internet Interv 2014; 1: 205–215

[12] Ebert DD, Baumeister H. Internet- und mobilbasierte Interventionen in der Psychotherapie: Ein Überblick. Psychother J 2016; 1: 22–31

[13] Techniker Krankenkasse. Gesundheits-Apps: Bewusstes Auswählen ist das A und O (09.10.2017). Im Internet: http://www.tk.de/techniker/service/gesundheit-und-medizin/kom-petent-als-patient/gesundheits-apps-bewusstes-auswaeh-len-2010050; Stand: 01.06.2018

[14] Lucht M, Boeker M, Kramer U. Gesundheits- und Versorgungs-Apps – Hintergründe zu deren Entwicklung und Einsatz. Universitätsklinikum Freiburg; 2015

[15] Huber S, Priebe JA, Baumann KM et al. Treatment of Low Back Pain with a Digital Multidisciplinary Pain Treatment App: Short-Term Results. JMIR Rehabil Assist Technol 2017; 4: e11

[16] Göbel H, Rupp K. Schmerztherapie und digitales Selbstmanagement. Im Internet: http://www.tk.de/centaurus/servlet/contentblob/937324/Datei/61815/TK-Presse-mappe-Schmerztherapie-und-digitales-Selbstmanage-ment-2017-Praesentation-Rupp-und-Goebel.pdf; Stand: 01.06.2018

[17] Albrecht UV, Hrsg. Chancen und Risiken von Gesundheits-Apps (CHARISMHA). Medizinische Hochschule Hannover; 2016

Bibliografie

DOI https://doi.org/10.1055/a-0592-0387
PiD - Psychotherapie im Dialog 2018; 19: 66–70
© Georg Thieme Verlag KG Stuttgart · New York
ISSN 1438–7026

Ulmer Onlineklinik – eine Plattform für internetbasierte Psychodiagnostik und psychologische Online-Interventionsprogramme

Dunja Tutus, Paul L. Plener, Mandy Niemitz

Online applizierte Interventionen haben sich bereits bei Ängsten und Depression [1] als hochwirksam erwiesen. Sie bieten die Möglichkeit, evidenzbasierte psychologische Interventionen niedrigschwellig durchzuführen. Die internetbasierte Psychodiagnostik erleichtert dabei das Beobachten der Symptomatik während des Behandlungsverlaufs und bietet Realtime-Feedback für Patienten und Therapeuten [2].

Ulmer Onlineklinik

Die Ulmer Onlineklinik (UOK, https://ulmer-onlineklinik. de/) ist eine Plattform der Klinik für Kinder- und Jugendpsychiatrie/Psychotherapie des Universitätsklinikums Ulm. Sie bietet internetbasierte Projekte zur Unterstützung und Bewältigung chronischer körperlicher Erkrankungen und belastender Lebensereignisse.

Vorteile der UOK

Die Teilnahme an Projekten der UOK ist von zu Hause oder von unterwegs möglich, auch im Ausland, solange ein Internetzugang vorhanden ist.

Menschen erhalten Hilfe, die ohne das Internet nur schwer Zugang zu psychologischer Beratung und Therapie finden würden, z. B. Personen, die keine passenden Angebote vor Ort finden, lange auf Wartelisten stehen, kaum Zeit für eine Beratung oder Psychotherapie haben oder sich wegen Scham, Angst vor Stigmatisierung oder des Wunsches, Probleme alleine zu bewältigen, nicht trauen, Hilfeangebote im unmittelbaren Kontakt in Anspruch zu nehmen.

Alle Projekte sind wissenschaftlich fundiert und begleitet.

Alle Projekte werden durch approbierte Psychotherapeutinnen/Psychotherapeuten begleitet.

Datenschutz

Die UOK unterliegt strengen Datenschutzbedingungen. Der Kontakt mit den Behandlern und Behandlerinnen und die Datenerhebung erfolgen über eine gesicherte Internetplattform, indem die NutzerInnen Fragebögen online ausfüllen und im Kommunikationsforum mit ihrer/ihrem BehandlerIn kommunizieren. Die gesamte Kommunikation wird kryptografisch verschlüsselt.

Projekte

Im Folgenden werden 2 ausgewählte Projekte der UOK genauer vorgestellt: das Webbasierte Elternprogramm bei seltener chronischer Erkrankung eines Kindes (WEP-CA-RE) und das Lebensqualitäts-Monitoring Online (LQM) zur Versorgungsoptimierung herzkranker Kinder und Jugendlicher.

Webbasiertes Elternprogramm bei seltener chronischer Erkrankung eines Kindes

Seltene Erkrankungen

Eine Erkrankung gilt in der Europäischen Union (EU) als selten, wenn nicht mehr als 5 von 10 000 Menschen von ihr betroffen sind. In Deutschland leben ca. 4 Mio Menschen mit einer der weltweit bis zu 8000 unterschiedlichen seltenen Erkrankungen (SE) – einer sehr heterogenen Gruppe zumeist komplexer Krankheitsbilder mit meist chronischen Verläufen, die zu Invalidität und/oder eingeschränkter Lebenserwartung führen können. SE sind selten heilbar, etwa 80 % sind genetisch bedingt oder mitbedingt. Viele manifestieren sich im Kindesalter.

Sowohl die geringe Zahl der Patienten und ihre überregionale Verteilung als auch eine geringe Zahl von Experten erschweren die Versorgung und die Durchführung wissenschaftlicher Studien. Deshalb fühlen sich die Betroffenen oft mit ihrer Erkrankung allein gelassen. Eine Diagnose wird i. d. R. erst deutlich verzögert gestellt [3].

▬▬▬▬ Merke
Die Seltenheit der Erkrankungen stellt Ärzte, Betroffenen und Angehörige vor besondere Herausforderungen.

Tutus D et al. Ulmer Onlineklinik – eine Plattform für int… PiD - Psychotherapie im Dialog 2018; 19: 71–75

71

Psychische Belastung

Viele Eltern von Kindern mit SE entwickeln angesichts der oft ungewissen Prognose und eines hohen Pflegeaufwands psychische Belastungssymptome wie Ängste oder Depressionen. Eine internationale Studie zeigt, dass Eltern mit einem an Mukoviszidose erkrankten Kind 2- bis 3-mal öfter als die Allgemeinbevölkerung klinisch relevante psychische Belastungen zeigen [4]. Daraus resultieren Probleme im Krankheitsmanagement und bei der Therapieadhärenz mit ungünstigen Auswirkungen auf das erkrankte Kind [5]. Kinder psychisch belasteter Eltern berichten außerdem signifikant öfter eine eigene psychische Belastung [4].

Trotzdem erhielten nur 13,6 % der psychisch belasteten Eltern in Deutschland eine entsprechende psychotherapeutische oder psychiatrische Behandlung [6]. Psychologische Beratung und Therapie für die Eltern sind bislang kaum in die reguläre klinische Versorgung von Kindern mit SE integriert.

▬▬▬▬ Merke
Psychotherapeutische Regelversorgung ist aufgrund langer Wartezeiten und eines relativ hohen Aufwandes für mit der Pflege des erkrankten Kindes beschäftigte Eltern häufig schwer zugänglich.

Ziele des Elternprogramms

WEP-CARE ist ein webbasiertes Elternprogramm bei seltener chronischer Erkrankung eines Kindes und wurde im Rahmen einer Studie zur Verbesserung der psychischen Gesundheit von Eltern chronisch kranker Kinder entwickelt. WEP-CARE ist als manualisiertes, supportives, psychologisches Interventionsprogramm mit kognitiv-behavioralen Methoden konzipiert und wird als Schreibtherapie ausschließlich über das Internet durchgeführt.

Ziele von WEP-CARE sind die Unterstützung der Eltern bei der Krankheitsbewältigung und der Bewältigung von Ängsten sowie die Steigerung des psychischen Wohlbefindens und der Lebensqualität der Eltern. Langfristig sollen Eltern die Anforderungen leichter meistern können, die der Alltag mit einem chronisch kranken Kind stellt. Da WEP-CARE die psychische Belastung der Eltern reduzieren soll, sollte es auch indirekte positive Effekte auf die betroffenen Kinder erzielen.

▬▬▬▬ Merke
In WEP-CARE stehen ausdrücklich die Eltern im Mittelpunkt. Ihre Gedanken und Gefühle sollen beachtet und bearbeitet werden.

Das Programm

WEP-CARE ist für alle schweren und die Lebensqualität limitierenden SE zugeschnitten, mit Fokus auf die psychische Symptomatik der Eltern, ohne medizinische Beratung. Die Themen sind unabhängig von der spezifischen Diagnose.

Der Schwerpunkt von WEP-CARE liegt auf der Angstbewältigung. Für die Schreibaufgaben werden etablierte behaviorale oder kognitive Techniken wie Exposition, kognitive Restrukturierung und Problemlösetraining angewendet. Mittels Aufbau positiver Aktivitäten, Ressourcenaktivierung und Aufmerksamkeitslenkung auf positive krankheitsbezogene Ereignisse soll depressiven Symptomen entgegengewirkt werden.

▬▬▬▬ Merke
WEP-CARE ist ein generisches Programm, das für alle psychisch belasteten deutschsprechenden Eltern von Kindern mit SE geeignet ist.

Ablauf

WEP-CARE umfasst 12 Schreibaufgaben, die einmal wöchentlich in jeweils ca. 45 Minuten zu bearbeiten sind (Themen siehe Infobox 1). Die Kommunikation zwischen den NutzerInnen und im Programm geschulten BehandlerInnen ist asynchron (zeitversetzt): Die NutzerInnen legen ihre Schreibtermine so, wie es ihnen passt. Die/der zuständige BehandlerIn gibt innerhalb von 48 Stunden Rückmeldung und weiterführende Hinweise. Diese Antwort ist eingebettet in das Behandlungsmanual, jedoch individuell an die Situation der einzelnen Nutzerin bzw. des einzelnen Nutzers angepasst.

INFOBOX 1
Themen von WEP-CARE
Vorstellung und organisatorische Absprachen (Sitzung 1)
Aktueller Umgang mit der Erkrankung (Sitzung 2)
Angstbewältigung (Sitzungen 3–6)
Problemlösetraining mi selbstgewählten echten Problemen (Sitzungen 7–10)
Selbstfürsorge (Sitzung 11)
Reflexion und Integration (Sitzung 12)

Wirksamkeit und Dissemination

Eine Pilotstudie hat die ersten Wirksamkeitsnachweise von WEP-CARE in einer Stichprobe von Eltern, die ein an Mukoviszidose erkranktes Kind haben geliefert: Es konnten eine signifikante Reduktion der allgemeinen Angstsymptomatik, Progredienzangst und Depression, sowie eine signifikante Besserung der Lebensqualität der betroffenen Eltern, sowohl in einem Prä-Post-Vergleich, als auch 3 Monate nach dem Programmende beobachtet werden [7].

Aktuell wird WEP-CARE im Rahmen einer durch die Robert-Bosch-Stiftung geförderten randomisierten kontrollierten (RCT) Studie evaluiert und mit der üblichen psychosozialen Versorgung verglichen.

Im Oktober 2018 startet ein durch den Innovationsausschuss beim Gemeinsamen Bundesausschuss (GB-A) ge-

72

Tutus D et al. Ulmer Onlineklinik – eine Plattform für int… PiD - Psychotherapie im Dialog 2018; 19: 71–75 förderdes Projekt (CARE-FAM-NET) unter Leitung einer Hamburger Arbeitsgruppe um Silke Wiegand-Grefe und Jonas Denecke [8], in deren Rahmen WEP-CARE als eine der neuen Versorgungsformen an bundesweit 17 Standorten betroffenen Eltern zur Verfügung stehen wird. In diesem bundesweiten Verbund wird WEP-CARE in einer multizentrischen RCT-Studie gemeinsam mit einer Face-to-face-Familienintervention CARE-FAM [9] evaluiert.

Außerdem wurde WEP-CARE für Eltern chronisch kranken Kinder angepasst und in Kooperation mit einer Krankenkasse als präventives Versorgungsangebot angeboten.

Lebensqualitäts-Monitoring Online (LQM) zur Versorgungsoptimierung herzkranker Kinder und Jugendlicher

Herzerkrankungen im Kindes- und Jugendalter

Bei einer Gesamtprävalenzrate von 1,08 % angeborener Herzfehler (HF) bei Lebendgeburten in Deutschland [10] überleben derzeit mehr als 90 % aller Kinder mit angeborenem HF bis zum Erwachsenenalter, was jedoch häufig mit Entwicklungsverzögerungen, motorischen Dysfunktionen, kognitiven Defiziten, funktionellen Beeinträchtigungen, emotionalen und Verhaltensproblemen sowie Spätfolgen der psychosozialen Entwicklung verbunden ist. Ein besonders hohes Risiko haben Überlebende mit schweren HF und nach herzchirurgischen Eingriffen mit der Herz-Lungen-Maschine im Neugeborenen- und Säuglingsalter [11].

▬▬▬▬ Merke
Langfristig tragen jugendliche und heranwachsende PatientInnen mit HF deutliche Entwicklungsrisiken, die mit Beeinträchtigungen ihres schulischen, beruflichen und sozialen Lebenswegs verbunden sein können.

Gesundheitsbezogene Lebensqualität

Durch eine bessere Früherkennung und rechtzeitige Intervention können die Lebensqualität und Teilhabe der Betroffenen verbessert werden [12]. Die Evaluation der gesundheitsbezogenen Lebensqualität (gLQ) als multidimensionales Instrument ist somit ein wichtiger ganzheitlicher Gradmesser für den Entwicklungsstand. Mithilfe der Ergebnisse einer solchen Erhebung können die Kommunikation zwischen PatientInnen, Eltern, ÄrztenInnen und anderen TherapeutInnen verbessert, Probleme aufgedeckt und Veränderungen nachverfolgt werden. Eine aktuelle umfassende Übersicht zeigt Assoziationen einer niedrigen gLQ mit niedrigerer allgemeiner Intelligenz, gestörter psychomotorischer Entwicklung, reduzierten Schulleistungen und grobmotorischen Fähigkeiten sowie exekutiven Dysfunktionen. Auch die Assoziation mit Depression oder Ängsten sowie Defiziten in der sozialen Kognition ist bekannt [13].

Patient-reported Outcomes

Patient-reported Outcomes (PROs) stellen die Partizipation der Betroffenen in der Behandlung sicher, können verborgene Symptome und Probleme aufdecken und ermöglichen eine stärker am Bedarf der PatientInnen ausgerichtete Rehabilitationsplanung. In Forschungsprojekten wurden PROs (wie z. B. die gLQ) evaluiert [14] und auf Akzeptanz und Nutzerzufriedenheit untersucht [15]. E-Health-Applikationen wurden sowohl von Eltern als auch von BehandlerInnen als hilfreich und nützlich bewertet [14].

Regelmäßige Nachbesprechungen der Befunde wirken sich positiv auf das psychosoziale Wohlbefinden und die Zufriedenheit der PatientenInnen mit der Behandlung [15]. Außerdem kann eine vermehrte Diskussion emotionaler und psychosozialer Funktionen im Rahmen klinischer Konsultationen festgestellt werden [16]. Direkte Rückmeldung von PROs (Realtime-Feedback) führt zu einer vermehrten Thematisierung psychosozialer Themen bei Arzt-Patient-Gesprächen sowie zu einer erhöhten Zufriedenheit mit der Behandlung [14].

Ziele von LQM

Kinder und Jugendliche mit angeborenen HF benötigen aufgrund ihres erheblich erhöhten Risikos für eine langfristig beeinträchtigte Gesundheit und Entwicklung eine umfassende, interdisziplinär angelegte und spezialisierte Versorgung. Wegen der Heterogenität angeborener HF lässt sich der individuelle Rehabilitationsbedarf nicht direkt aus den kardiologischen Befunden ableiten. Deshalb ist der Ansatzpunkt zunächst die Optimierung der Früherkennung von Anzeichen für einen Rehabilitationsbedarf durch den behandelnden Arzt bzw. die behandelnde Ärztin.

PROs sollen die gezielte Rehabilitationsplanung und -evaluation verbessern und eine sektorenübergreifende Vernetzung und Patientenorientierung der klinischen Akteure ermöglichen. Webbasierte IT-Systeme können an Schnittstellen zwischen Versorgungssektoren die Informationsweitergabe und Vernetzung der Behandler verbessern, z. B. bei Transition von PatientInnen aus der Pädiatrie in die Erwachsenenmedizin [17].

▬▬▬▬ Merke
Ziel ist, durch systematische Früherkennung zu einer Verbesserung der physischen und psychosozialen Entwicklung und der gLQ im Sinn von Prävention, Problemlösung, Kompetenzförderung und Resilienzentwicklung des Kindes und seines sozialen Umfeldes beitragen zu können.

Ablauf

Die onlinebasierte Screening-Befragung wird in der kardiologischen Spezialambulanz oder -praxis am Tablet-Computer durchgeführt. Zentrale Inhalte sind die Erfassung von gLQ (Pediatric Cardiac Quality of Life Inventory), Verhaltensproblemen (Strength and Difficulties Questionnaire),

Tutus D et al. Ulmer Onlineklinik – eine Plattform für int… PiD - Psychotherapie im Dialog 2018; 19: 71–75

73

psychischen Belastungssymptomen der Eltern (Patient Health Questionnaire), zwei Zusatzfragen, die Hinweise auf Entwicklungs- und Schulprobleme erfassen, sowie soziodemografische und medizinische Daten.

TeilnehmerInnen der Interventionsgruppe mit einem positiven Screening-Befund erhalten eine Papierkopie des Befundberichts für den weiterbehandelnden Kinderarzt bzw. die weiterbehandelnde Kinderärztin. In der Kontrollgruppe erhalten die ÄrztInnen keinen Einblick in die Screening-Ergebnisse und thematisieren die Anliegen ihrer PatientInnen bzw. ihren Redebedarf wie bisher üblich. In halbstandardisierten Interviews werden die Studienteilnehmer(innen) zu den Inhalten des Arztgesprächs und den erhaltenen Empfehlungen befragt. Innerhalb von 12 Monaten erfolgt bei Wiedervorstellung in der Kinderkardiologischen Spezialambulanz eine Nachbefragung.

▬▬▬ Merke
Das Potenzial des webbasierten LQ-Monitorings kommt bei einer longitudinalen Erfassung über mehrere Behandlungsepisoden und Versorgungssektoren hinweg besonders zur Entfaltung und kann in der kinderkardiologischen Spezialambulanz bzw. -praxis oder von zu Hause durchgeführt werden.

FAZIT
Psychologische Internetprogramme sind eine evidenzbasierte, niedrigschwellige und räumlich sowie zeitlich flexible Behandlungsform bei Angst und Depression. An der Ulmer Onlineklinik werden sie u. a. eingesetzt, um Eltern von Kindern mit seltenen chronischen Erkrankungen zu unterstützen und die Versorgung von Kinder mit Herzfehlern zu optimieren.
Die Europäische Kommission sieht Telemedizin als Lösung für aktuelle Herausforderungen der Gesundheitsversorgung, unter anderem für die zunehmende Zahl von PatientInnen mit chronischen Erkrankungen.

Interessenkonflikt

Paul L. Plener erhielt Forschungsförderungen durch das Bundesministerium für Bildung und Forschung (BMBF), Bundesinstitut für Arzneimittel und Medizinprodukte (BfArM), Baden-Württemberg Stiftung, VW Stiftung, Lundbeck und Servier. Er erhielt ein Vortragshonorar von Shire.

Autorinnen/Autoren

Dunja Tutus
Dipl.-Psych. (Universität Novi Sad, Serbien). MSc **Klinische Psychologie, Psychotherapie und Gesundheit.** Wissenschaftliche Mitarbeiterin und Doktorandin an der Universität Ulm, Klinik für Kinder- und Jugendpsychiatrie/Psychotherapie. Forschungs- und Arbeitsschwerpunkte: Posttraumatische Belastungsstörung (PTBS) bei Kindern und Jugendlichen und psychische Belastung bei deren Eltern, psychische Belastung bei Eltern von Kindern und Jugendlichen mit chronischen Erkrankungen, psychologische Internetprogramme.

Paul L. Plener
Univ. Prof. Dr. MHBA. Leiter der Universitätsklinik für Kinder- und Jugendpsychiatrie, Medizinische Universität Wien. Forschungs- und Arbeitsschwerpunkte: Nicht-suizidales selbstverletzendes Verhalten und Suizidalität bei Jugendlichen, Traumafolgestörungen.

Mandy Niemitz
Dipl.-Psych. Kinder- und Jugendlichenpsychotherapeutin und wissenschaftliche Mitarbeiterin an der Universitätsklinik Ulm, Klinik für Kinder- und Jugendpsychiatrie/-psychotherapie. Forschungs- und Arbeitsschwerpunkte: Lebensqualität, psychosoziale Interventionen und Patientenschulungen bei Kindern und Jugendlichen mit körperlich chronischen Erkrankungen.

Korrrespondenzadresse

Dunja Tutus MSc
Universitätsklinikum Ulm
Klinik für Kinder- und Jugendpsychiatrie/Psychotherapie
Steinhövelstr. 1
89075 Ulm
dunja.tutus@uniklinik-ulm.de

Literatur

[1] Andrews G, Cuijpers P, Craske MG et al. Computer therapy for the anxiety and depressive disorders is effective, acceptable and practical health care: a meta-analysis. PLoS One 2010; 5: e13196

[2] Hedman E, Ljótsson B, Lindefors N. Cognitive behavior therapy via the internet: a systematic review of applications, clinical efficacy and cost-effectiveness. Expert Rev Pharmacoecon Outcome Res 2012; 12: 745–764

[3] Eidt D, Frank M, Reimann A et al. Maßnahmen zur Verbesserung der gesundheitlichen Situation von Menschen mit Seltenen Erkrankungen in Deutschland: Forschungsbericht 2009; https://www.bundesgesundheitsministerium.de/fileadmin/Dateien/5_Publikationen/Praevention/Berichte/110516_Forschungsbericht_Seltene_Krankheiten.pdf. Zugegriffen: 15.April 2018

[4] Quittner AL, Goldbeck L, Abbott J et al. Prevalence of depression and anxiety in patients with cystic fibrosis and parent caregivers: results of The International Depression

Epidemiological Study across nine countries. Thorax 2014; 69: 1090–1097

[5] Smith BA, Modi AC, Quittner AL et al. Depressive symptoms in children with cystic fibrosis and parents and its effects on adherence to airway clearance. Pediatr Pulmonol 2010; 45: 756–763

[6] Besier T, Goldbeck L. Anxiety and depression in adolescents with CF and their caregivers. J Cyst Fibros 2011; 10: 435–442

[7] Fidika A, Herle M, Lehmann C et al. A web-based psychological support program for caregivers of children with cystic fibrosis: a pilot study. Health Qual Life Outcomes 2015; 11: 1–9

[8] Wiegand-Grefe S, Denecke J. Kinder mit seltenen Erkrankungen, deren Geschwister und Eltern – Children affected by rare disease and their families-network-CARE-FAM-NET. Kongress des GB-A, 28.5.2018

[9] Morgenstern L, Wagner M, Denecke J et al. The need for psychosocial support in parents of chronically ill children. Prax Kinderpsychol Kinderpsychiatr 2017; 66: 687–701

[10] Schwedler G, Lindinger A, Lange PE et al. Frequency and spectrum of congenital heart defects among live births in Germany: a study of the Competence Network for Congenital Heart Defects. Clin Res Cardiol 2011; 100: 1111–1117

[11] The International Cardiac Collaborative on Neudodevelopment (ICCON) Investigators. Impact of operative and postoperative factors on neurodevelopmental outcomes after cardiac operations. Ann Thorac Surg 2016; 102: 843–849

[12] Wang Q, Hay M, Clarke D et al. Associations between knowledge of disease, depression and axiety, social support, sense of coherence and optimism with health-related quality of life in an ambulatory sample of adolescents with heart disease. Cardiol Young 2014; 24: 126–133

[13] Marino BS, Beebe D, Cassedy A et al. Executive functioning, gross motor ability and mood are key drivers of poorer qualiy of life in child and adolescent survivors with comples congenital heart disease. J Am Coll Cardiol 2011; 57: E421

[14] Haverman L, van Rossum MAJ, van Veenendaal M et al. Effectiveness of a web-based application to monitor health-related quality of life. Pediatrics 2013; 131: 533–543

[15] De Wit M, Delemarre-van de Waal HA, Bokma JA et al. Monitoring and discussing health-related quality of life in adolescents with type 1 diabetes improve psychosocial wellbeing. Diab Care 2008; 31: 1521–1526

[16] Engelen V. Monitoring quality of life in peadiatric oncolocy practice; PhD thesis 2011; https://pure.uva.nl/ws/files/1330424/96421_thesis.pdf. Zugegriffen: 05.April 2018

[17] Wicks P, Stamford J, Grootenhuis MA et al. Innovations in e-health. Qual Life Res 2014; 23: 195–203

[18] Kidholm K, Ekeland AG, Jensen LK et al. A model for assessment of telemedicine applications: mast. Int J Technol Assess Health Care 2012; 28: 44–51

Bibliografie

DOI https://doi.org/10.1055/a-0592-0230
PiD - Psychotherapie im Dialog 2018; 19: 71–75
© Georg Thieme Verlag KG Stuttgart · New York
ISSN 1438–7026

Tutus D et al. Ulmer Onlineklinik – eine Plattform für int... PiD - Psychotherapie im Dialog 2018; 19: 71–75

75

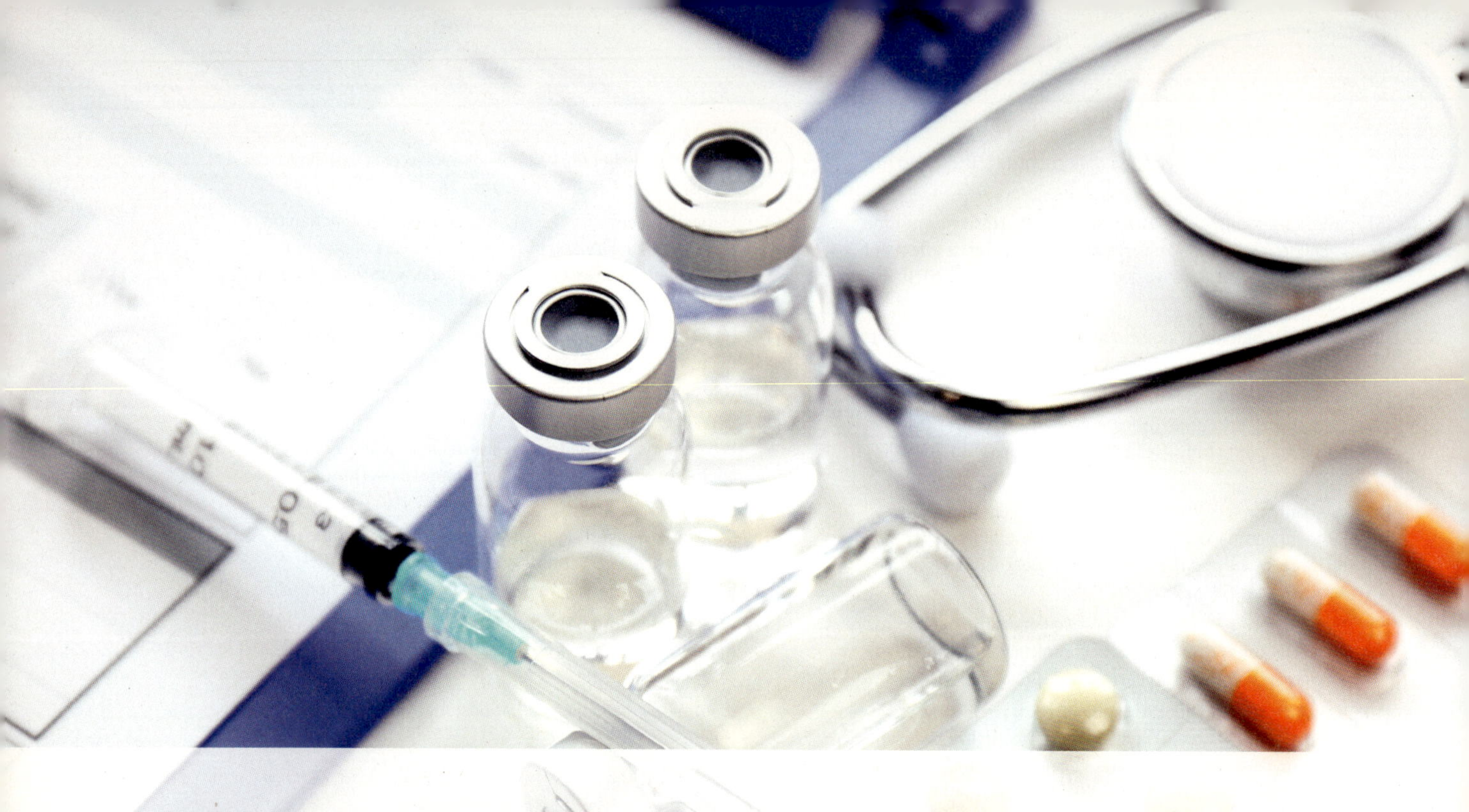

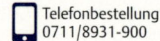

Online-Selbstmanagement in der Klinik?
Der Einsatz von moodgym

Marie Dorow, Janine Stein, Margrit Löbner, Thomas Becker, Michael Franz, Steffi G. Riedel-Heller

Studien zeigen die Wirksamkeit internetbasierter Ansätze zur Linderung depressiver Erkrankungen. Doch lassen sich Online-Programme auch in der stationären psychiatrischen Versorgung einsetzen? Welche Barrieren sind dabei zu berücksichtigen? Ein Forscherteam des Instituts für Sozialmedizin, Arbeitsmedizin und Public Health (ISAP) der Universität Leipzig befragte Klinikmitarbeiter und Patienten im Rahmen einer Studie zu ihren Erfahrungen mit moodgym.

Was ist moodgym?

„Fitness für die Stimmung", das bedeutet moodgym in etwa wörtlich übersetzt. Moodgym zählt zu den ungeleiteten internetbasierten Selbstmanagement-Programmen, die auf Prinzipien der kognitiven Verhaltenstherapie basieren, und dient der Prävention und Linderung depressiver Symptome. Das Programm beinhaltet viele leicht verständliche Darstellungen und Übungen. Verschiedene Beispielcharaktere leiten Nutzer spielerisch durch die 5 Programmbausteine (Gefühle, Gedanken, alternative Gedanken entwickeln, weg mit dem Stress, Beziehungen), die von den Nutzern in eigenem Tempo bearbeitet werden können.

■■■■■■ Merke

Durch moodgym erlernen Betroffene durch einfache Beispielsituationen, wie Gedanken, Gefühle und Verhalten zusammenhängen und wie sie hilfreiche Strategien in ihrem Alltag einsetzen können.

Am Anfang jeden Bausteins steht ein Depressions- und Angsttest, der eine unmittelbare Rückmeldung über die Schwere der aktuellen Symptomatik gibt. Alle Tests und Übungen werden in einem Arbeitsbuch gespeichert und können auf Wunsch immer wieder bearbeitet und nachvollzogen werden. Anleitungen zur progressiven Muskelrelaxation, eine Achtsamkeitsmeditation und Entspannung mit Musik können als Audiodateien heruntergeladen und regelmäßig angewendet werden.

Moodgym wurde ursprünglich von Wissenschaftlern des Centre for Mental Health Research der Australian National University (ANU) entwickelt. Die Inhalte des Programms wurden bereits im Jahr 2001 erstellt, somit gehört moodgym zu den Vorreiterprogrammen, die Prinzipien aus der kognitiven Verhaltenstherapie nutzen und diese internetbasiert umsetzen. Die Weiterentwicklung und Bereitstellung von moodgm liegt nun in den Händen von ehub Health, einem Spin-off der ANU.

Für die Entwicklung der deutschen Version von moodgym wurde das Programm 2013 durch ein Wissenschaftlerteam am Institut für Sozialmedizin, Arbeitsmedizin und Public Health (ISAP) der Medizinischen Fakultät der Universität Leipzig in die deutsche Sprache übersetzt und anschließend hinsichtlich seiner Wirksamkeit überprüft. In der vom AOK Bundesverband und der AOK PLUS unterstützten @ktiv-Studie war moodgym während der Evaluationsphase zunächst nur für Studienteilnehmer zugänglich. Seit 2016 ist die deutsche Version von moodgym kostenfrei für alle im Internet verfügbar und kann am PC oder mobil genutzt werden (s. Infobox).

■■■■■■ Merke

Weltweit haben sich bereits über eine Millionen Nutzer bei moodgym registriert. In Deutschland gibt es aktuell etwa 1000 neue Registrierungen pro Monat.

> **INFOBOX**
>
> **Infos zu moodgym**
> Videoclip: youtube.com/watch?v=WxOMZV7vYjE
> Programmstart: moodgym.de
> Studienwebseite: moodgym-deutschland.de

Wirksamkeit

Moodgym hat sich als eines der ersten wissenschaftlich fundierten Online-Programme für depressive Erkrankungen etabliert. Es liegen viele internationale Studien vor, die für die Wirksamkeit des Programms sprechen [1][2].

Die Wirksamkeit der deutschen Version von moodgym wurde im Rahmen der @ktiv-Studie überprüft. Dabei wur-

Dorow M et al. Online-Selbstmanagement in der Klinik? Der ... PiD - Psychotherapie im Dialog 2018; 19: 77–81

77

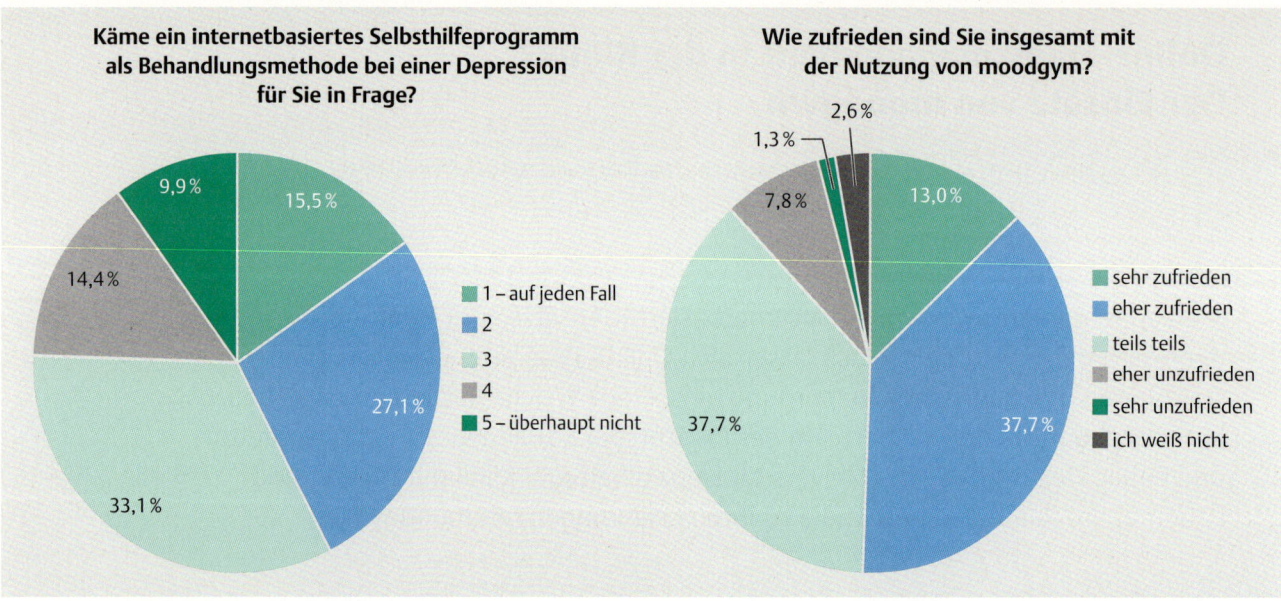

▶ **Abb. 1** Behandlungspräferenzen für internetbasierte Selbsthilfeprogramme (Baseline, Analysestichprobe: n = 181) und Gesamtzufriedenheit mit moodgym (Follow-up, n = 77) aus Patientensicht.

den 647 Hausarztpatienten mit leichten bis mittelgradigen depressiven Erkrankungen eingeschlossen. Hierbei konnte gezeigt werden, dass mit moodgym die depressive Symptomatik sowohl kurz- als auch langfristig stärker als in der Routineversorgung reduziert werden kann und zudem positive Effekte im Hinblick auf die Lebensqualität und Selbstwirksamkeit der Patienten zu verzeichnen sind [3].

■■■■■■ Merke

Moodgym gehört auf dem Gebiet der internetbasierten, verhaltenstherapeutisch orientierten Selbstmanagement-Programme zu den international am häufigsten evaluierten Programmen.

Moodgym in der Klinik

Bislang gibt es nur wenige Studien, die den Einsatz internetbasierter Programme unter klinischen Alltagsbedingungen im stationären Setting untersuchen. Daher wurde am ISAP der Universität Leipzig eine Anwendungsstudie zu moodgym in Kooperation mit dem Bezirkskrankenhaus Günzburg und der Vitos Klinik für Psychiatrie und Psychotherapie Bad Emstal durchgeführt [4]. Ziel der Studie war es, die Nutzungsbereitschaft und -akzeptanz von moodgym aus der Sicht von Klinikmitarbeitern und stationär behandelten Patienten zu erfassen sowie Chancen und Barrieren eines Einsatzes von moodgym in der stationären Versorgung zu identifizieren.

Befragt wurden 31 Klinikmitarbeiter des multiprofessionellen Teams, bestehend aus Psychologen, Psychotherapeuten, Ärzten, Krankenpflegern und Ergotherapeuten, sowie 203 Patienten mit depressiven Erkrankungen. Teilnehmende Patienten füllten zunächst einen Fragebogen zur Nutzungsbereitschaft aus. Anschließend erhielten sie

einen Zugang zu moodgym und konnten das Programm eigenständig nach ihren Bedürfnissen nutzen. Nach 8 Wochen füllten die Patienten einen 2. Fragebogen zur Nutzungsakzeptanz aus. Die Mitarbeiter wurden während des Interventionszeitraums einmalig zum Einsatz von moodgym in der Klinik befragt.

Nutzungsbereitschaft

Inwiefern sind stationär behandelte Patienten mit durchschnittlich mittelschwerer bis schwerer depressiver Symptomatik bereit, während ihres Klinikaufenthalts ein Online-Selbstmanagement-Programm zu nutzen? Die Ergebnisse der Anwendungsstudie sind vielversprechend, da ein deutlich höherer Anteil an Patienten internetbasierte Programme vor der Intervention befürwortete (ca. 43 %) als sie abzulehnen (ca. 24 %) (▶ **Abb. 1**). 90 % der Patienten konnten sich vorstellen, moodgym im Rahmen der Studie auszuprobieren [4]. Zudem würde die Mehrheit der Patienten gern mehr über Depressionsprogramme im Internet erfahren. Etwa 50 % der Patienten war der Ansicht, dass neue Medien stärker in die Therapie von Depressionen einbezogen werden sollten, jeder 5. Patient lehnte dies eher ab und der restliche Anteil war diesbezüglich eher unentschlossen.

Auch Klinikmitarbeiter waren internetbasierten Ansätzen zur begleitenden Behandlung von Depressionen gegenüber aufgeschlossen. Etwa ⅔ vertraten die Ansicht, dass neue Medien stärker in die Therapie von Depressionen einbezogen werden sollten. Die deutliche Mehrheit gab an, dass sie gern mehr über Depressionsprogramme im Internet erfahren würde.

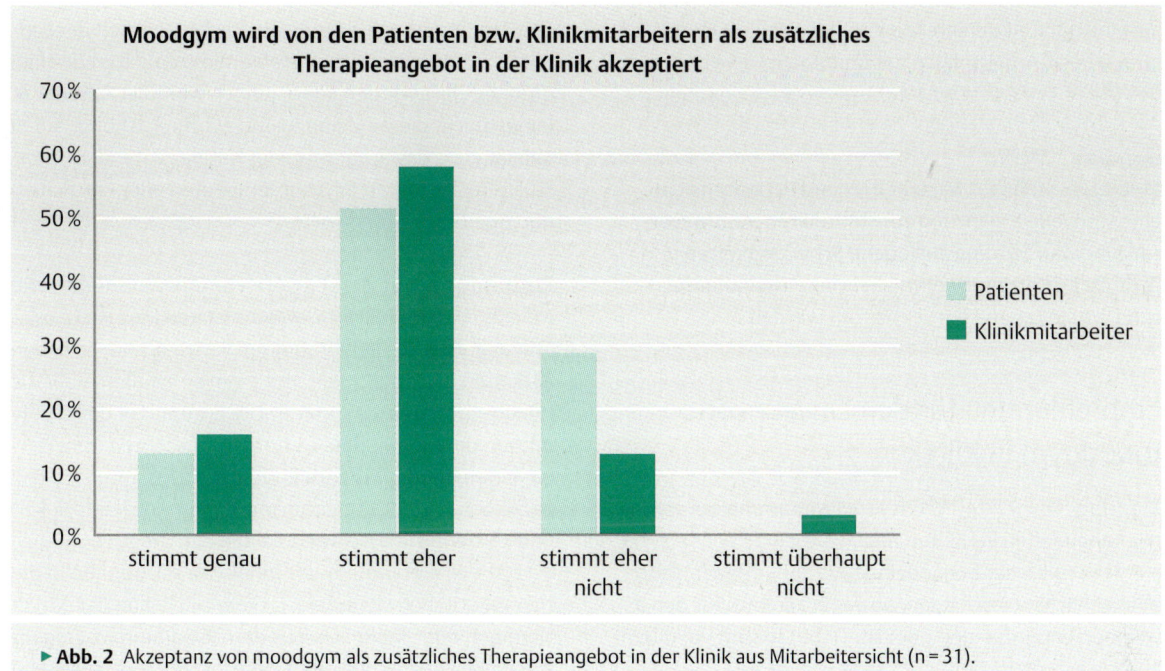

Moodgym wird von den Patienten bzw. Klinikmitarbeitern als zusätzliches Therapieangebot in der Klinik akzeptiert

Patienten
Klinikmitarbeiter

▶ **Abb. 2** Akzeptanz von moodgym als zusätzliches Therapieangebot in der Klinik aus Mitarbeitersicht (n = 31).

━━━━━━ **Merke**

Sowohl Patienten als auch stationär tätige Behandler befürworten einen stärkeren Einbezug neuer Medien in die Therapie von Depressionen.

Nutzungsakzeptanz

Die Nutzungsakzeptanz gegenüber moodgym war aus Sicht der Patienten insgesamt moderat bis gut. Die Mehrheit stimmte zu, dass das Programm einfach zu erlernen und zu bedienen war und würde moodgym einem Freund empfehlen. Hinsichtlich des subjektiven Nutzens stimmte etwa jeder 6. Patient zu, dass moodgym ihm dabei geholfen hat, leistungsfähiger zu sein und mehr als jeder 5. gab an, dass moodgym ihm dabei half, sein Leben besser im Griff zu haben. Die Aussage „Durch moodgym habe ich das Gefühl, meine Probleme aktiv anzugehen" wurde in etwa zu gleichen Anteilen bejaht bzw. verneint. Insgesamt ließen sich gute Werte hinsichtlich der Gesamtzufriedenheit aus Sicht der moodgym-Nutzer zeigen (▶ **Abb. 1**).

Aus Sicht der Mitarbeiter wurde moodgym gut von Patienten und Klinikmitarbeitern akzeptiert (▶ **Abb. 2**). Fast alle befragten Klinikmitarbeiter würden ein wirksames und kostenfreies Online-Selbstmanagement-Programm zur Unterstützung der stationären Behandlung von Patienten mit depressiven Erkrankungen empfehlen.

Chancen von moodgym

Die Mehrheit der Patienten und auch die meisten Klinikmitarbeiter stimmten zu, dass moodgym eine sinnvolle Ergänzung zu den Therapieangeboten in der Klinik ist und dabei helfen kann, in der Klinik erreichte Therapieerfolge zu Hause zu festigen. Die Patienten können durch eine eigenständige Bearbeitung von moodgym therapeutische Inhalte vertiefen und aktiv an ihrer Gesundung mitwirken.

Das stärkt die Eigenverantwortung und das Selbstwirksamkeitserleben der Patienten.

Erste Erfahrungen mit moodgym in der Klinik können eine spätere Nutzung zu Hause erleichtern. Wenn moodgym als Nachsorgemöglichkeit oder zur Überbrückung von Wartezeiten bis zu einer ambulanten Weiterbehandlung angeboten wird, sollte daher mit der Bearbeitung des Programms möglichst in der Klinik begonnen werden. Außerdem sah die Mehrheit der Klinikmitarbeiter das Programm als Möglichkeit für Behandler, noch besser mit den Patienten über ihre Sorgen und Probleme ins Gespräch zu kommen.

Barrieren von moodgym

Die Mehrheit der Patienten (59 %) loggte sich in moodgym ein, wobei nur ¼ der Nutzer das Programm bis zum Ende durchführte. Hier scheinen vor allem direkt mit der Depression verbundene Symptome eine wichtige Rolle zu spielen, wie:

- Antriebslosigkeit
- mangelnde Motivation
- Konzentrationsschwierigkeiten

Diese wurden sowohl aus Mitarbeitersicht als auch von Patienten selbst als Barrieren für die Nutzung von moodgym genannt. Mitarbeiter benannten als patientenbezogene Barrieren:

- geringe PC-Erfahrungen
- akute Krankheitsphasen
- kognitive Einschränkungen
- psychotische Symptome

Patienten nannten neben dem Lesen vieler Texte die Anonymität internetbasierter Programme als Nachteil. Weitere Barrieren können technischer Natur sein – so sollte

Dorow M et al. Online-Selbstmanagement in der Klinik? Der ... PiD - Psychotherapie im Dialog 2018; 19: 77–81

79

auf eine gut funktionierende Internetverbindung und auf ausreichend Arbeitsplätze mit Computern geachtet werden [4].

■■■■■■ Merke

Moodgym stellt aus Mitarbeiter- und Patientensicht eine sinnvolle Ergänzung zur stationären Routineversorgung dar. Störungsbezogene Schwierigkeiten und technische Barrieren sollten bei einer Implementierung entsprechend berücksichtigt werden.

Empfehlungen für den Einsatz von moodgym in Kliniken

Eignung Bevor internetbasierte Programme bei stationär behandelten Patienten mit Depressionen eingesetzt werden, sollte der behandelnde Arzt oder Psychotherapeut zunächst einschätzen, ob das Programm für den jeweiligen Patienten geeignet ist. Dabei sollten vor allem berücksichtigt werden:

- Symptomschwere
- kognitive Fähigkeiten
- Komorbiditäten des Patienten

Partizipative Entscheidungsfindung Behandlungspräferenzen, Erwartungen und Befürchtungen der Betroffenen sollten zu Beginn individuell erfragt werden. Nicht für jeden Patienten kommen internetbasierte Selbstmanagement-Programme im Falle einer Depression als Behandlungsoption in Frage. Da sich die Behandlungspräferenzen auf den Behandlungserfolg auswirken können [5], sollte hier gemeinsam mit dem Patienten entschieden werden, inwiefern internetbasierte Ansätze begleitend eingesetzt werden können.

Auklärung Da viele Patienten angaben, sich nur wenig mit internetbasierten Ansätzen zur Depressionsbehandlung auszukennen, sollten Patienten zunächst über diesen neuen Behandlungsansatz aufgeklärt werden. Dazu gehören allgemeine Informationen zur Wirksamkeit internetbasierter Ansätze sowie programmspezifische Hinweise zu den Inhalten und zur Nutzung. Auch könnten Aufklärungsseminare zu internetbasiertem Selbstmanagement in Gruppenform angeboten werden.

■■■■■■ Merke

Bei jedem Patienten sollte vor allem in der anfänglichen Phase der Nutzung von moodgym geklärt werden, wie viel Unterstützungsbedarf der Patient mit dem Programm hat.

Unterstützung Einige Patienten äußerten Bedenken dahingehend, ob sie sich allein in einem internetbasierten Depressionsprogramm zurechtfinden würden. Bei solchen Patienten könnte die anfängliche Bearbeitung mithilfe eines Ansprechpartners der Klinik durchgeführt werden. Insgesamt gab zwar die deutliche Mehrheit der Patienten an, dass moodgym problemlos ohne fremde Hilfe durchgeführt werden kann, jedoch war in etwa jeder 5. Patient nicht dieser Meinung und ein ähnlich hoher Anteil gab an, dass das Programm nur mit begleitender Unterstützung des Arztes, Psychotherapeuten oder Psychiaters durchgeführt werden sollte.

Einbindung Für den Einsatz von Anwendungen wie moodgym ist es hilfreich, wenn behandelnde Ärzte oder Therapeuten mit dem Programm vertraut sind. So haben Patienten die Möglichkeit, mit ihren Behandlern über die Inhalte sprechen zu können. Die Ergebnisse der Studie deuten darauf hin, dass es für viele Patienten schwierig ist, eigenständig bis zum Ende des Programms am Ball zu bleiben. Gerade Patienten mit starker Antriebslosigkeit und Konzentrationsschwierigkeiten benötigen vermutlich eine aktive Einbindung der Inhalte und Übungen in die therapeutischen Sitzungen. So könnten Behandler gezielt Übungen oder Techniken aus dem Programm zur eigenständigen Bearbeitung empfehlen und diese anschließend in Patientengesprächen aufgreifen. Auch wäre es denkbar, in moodgym vermittelte Inhalte und Strategien im Rahmen von Gruppentherapien zu vertiefen.

FAZIT

Die Nutzung von moodgym als Add-On zur stationären psychiatrischen Versorgung stellt eine vielversprechende Maßnahme zur Behandlung depressiver Erkrankungen dar. Jedoch sollte entsprechende Unterstützung durch Behandler angeboten werden. Abbruchquoten und störungsbezogenen Barrieren könnte durch einen Transfer von Übungen und Strategien aus dem Programm in Einzel- oder Gruppensitzungen entgegengewirkt werden.

Hinweis

Der Artikel entstand im Rahmen der Projekte „Evaluation des Einsatzes des internetbasierten verhaltenstherapeutischen Selbsthilfeprogramms (MoodGYM.de) für Menschen mit depressiven Erkrankungen in der stationären Versorgung – eine Machbarkeitsstudie" (AOK Bundesverband; FKZ: BGAAF-0608) und „Die Optimierung der Versorgung von Depressionen im Alter: Akzeptanz, Wirksamkeit und Kosteneffektivität des internetbasierten Selbstmanagement-Programms ‚Trauer und Verlust' – AgE-health.de" (BMBF; FKZ: 01GY1613).

Interessenkonflikt

Die Autoren geben an, dass keine Interessenkonflikte vorliegen.

Autorinnen/Autoren

Marie Dorow
M.Sc. Psych.; seit Januar 2015 wissenschaftliche Mitarbeiterin am Institut für Sozialmedizin, Arbeitsmedizin und Public Health
(ISAP) der Universität Leipzig in der Arbeitsgruppe Public Health, Epidemiologie und
Versorgungsforschung. Seit März 2018 in
Ausbildung zur Psychologischen Psychotherapeutin am IVT in Leipzig.

Dr. rer. med. Janine Stein,
Universität Leipzig
Institut für Sozialmedizin, Arbeitsmedizin und Public Health
(ISAP)

Dr. rer. med. Margrit Löbner,
Universität Leipzig
Institut für Sozialmedizin, Arbeitsmedizin und Public Health
(ISAP)

Prof. Dr. med. Thomas Becker,
Klinik für Psychiatrie und Psychotherapie II der
Universität Ulm, Bezirkskrankenhaus Günzburg

Prof. Dr. med. Michael Franz,
Vitos Klinikum Gießen-Marburg

Prof. Dr. med. Steffi G. Riedel-Heller, MPH
Universität Leipzig
Institut für Sozialmedizin, Arbeitsmedizin und Public Health
(ISAP)

Korrrespondenzadresse

Marie Dorow, M.Sc. Psych.
Universität Leipzig
Institut für Sozialmedizin, Arbeitsmedizin und Public Health
(ISAP)
Philipp-Rosenthal-Str. 55
04103 Leipzig
marie.dorow@medizin.uni-leipzig.de

Literatur

[1] Christensen H, Griffiths KM, Jorm AF. Delivering interventions
for depression by using the internet: randomised controlled
trial. BMJ 2004; 328: 265–268

[2] Twomey C, O'Reilly G. Effectiveness of a freely available
computerised cognitive behavioural therapy programme
(MoodGYM) for depression. Meta-analysis. Austr New Zeal J
Psy 2017; 51: 260–269

[3] Löbner M, Pabst A, Stein J et al. Computerized cognitive
behavior therapy for patients with mild to moderately severe
depression in primary care: a pragmatic cluster randomized
controlled trial (@ktiv). J Affect Disord 2018; 238: 317-326

[4] Dorow M, Stein J, Förster F et al. Implementation of the
Internet-Based Self-Management Program "moodgym"
in Patients with Depressive Disorders in Inpatient Clinical
Settings – Patient and Expert Perspectives. Psych Prax 2018;
45: 256-262

[5] Gelhorn HL, Sexton CC, Classi PM. Patient preferences for
treatment of major depressive disorder and the impact on
health outcomes: a systematic review. Prim Care Comp CNS
Dis 2011; 13(5): PCC.11r01161

Bibliografie

DOI https://doi.org/10.1055/a-0592-0362
PiD - Psychotherapie im Dialog 2018; 19: 77–81
© Georg Thieme Verlag KG Stuttgart · New York
ISSN 1438–7026

Dorow M et al. Online-Selbstmanagement in der Klinik? Der ... PiD - Psychotherapie im Dialog 2018; 19: 77–81

81

Fundiertes Wissen für Ihren Berufsalltag

Psychiatrische Praxis

Sozialpsychiatrie · Klinische Psychiatrie ·
Public Mental Health · Versorgungsforschung

8 Hefte pro Jahr

- Familienpflege
- Arbeit und psychische Gesundheit
- Krisenkarten
- Komorbidität

Brücke zwischen Forschung und Psychiatrie

Thieme

www.thieme.de/psychiat-praxis

PPmP

Psychotherapie
Psychosomatik
Medizinische Psychologie

12 Hefte pro Jahr

Originalarbeiten
- Ambulante psychosoziale Krebsberatung
- Verwendung von Incentives in persönlichen Umfragen
- Schematherapie bei Essstörungen

Fort- und Weiterbildung
- Skillstraining für Patienten mit Borderline-Störung

Praxisnah, kompakt und lesefreundlich

Thieme

www.thieme.de/ppmp

Suchttherapie

Prävention, Behandlung, wissenschaftliche Grundlagen

4 Hefte im Jahr

Topthema
Cannabis

- Rausch und Risiken
- Therapeutisches Potential: Beratungskonzepte und medizinische Cannabinoide
- Konsum und L...

Ein Thema – verschiedene Perspektiven

Thieme

www.thieme.de/suchttherapie

Fortschritte der Neurologie · Psychiatrie

12 Hefte im Jahr

Schwerpunkt
Der isolierte Hirnstammtod

- Zur Konzeptualisierung affektiver Störungen
- Kog... Ver... Mor...

Fort...
- Post... der ... Mus...

Das gesamte Spektrum

Thieme

www.thieme.de/fdnp

Preisänderungen und Irrtümer vorbehalten.
Georg Thieme Verlag KG, Sitz- und Handelsregister Stuttgart, HRA 3499, phG: Dr. A. Hauff. **17 PDU6**

Thieme

E-Mental Health: Trends, Chancen und Risiken in der Versorgung

Stephan Zipfel, Florian Junne, Johanna Ringwald, Katrin Giel

Die Digitalisierung erfasst auch den Gesundheitsbereich und insbesondere die Psychotherapie. Digitale eHealth-Applikationen im Bereich der Psychiatrie, Psychosomatik und Psychotherapie entwickeln sich rasant. Neben Qualitätssicherung, Datenschutz und Persönlichkeitsrechten sollten Veränderungen in der Beziehungsgestaltung durch diese Medien kritisch reflektiert werden.

Einleitung

Seit Einführung des Internets 1990 gibt es kaum einen Lebensbereich, der nicht von diesem technologischen Fortschritt berührt ist. Weltweit nutzen heute mehr als 3,2 Milliarden Menschen das Internet – mehr als die Hälfte der Weltbevölkerung [1]. Daher ist nicht verwunderlich, dass es mittlerweile auch eine fast unüberschaubare Zahl digitaler eHealth-Angebote gibt und insbesondere das Feld der E-Mental-Health-Applikationen sich rasend schnell entwickelt. Mit Smartphones wurde außerdem eine maximale räumliche Flexibilität und Verfügbarkeit geschaffen, die zu einer riesigen Zahl appbasierter mobileHealth-Angebote – kurz: mHealth – geführt hat.

Unter dem Begriff E-Mental-Health werden psychotherapeutische Interventionsangebote subsumiert, die moderne Informations- und Kommunikationstechnologien verwenden – vermittelt über das Internet. Die Technologien reichen von der Webpage, die Informationen z. B. über eine bestimmte psychische Störung vermittelt, über Smartphone Apps, E-Mail- und Chat-Formate bis zu Videokonferenzen, die zur Kommunikation genutzt werden. Mittlerweile bestehen Angebote über das gesamte Versorgungsspektrum hinweg, von der Prävention psychischer Störungen über Angebote zur Selbsthilfe und Therapie bis hin zur Nachsorge. Auch Formate für Angehörigenarbeit und Supervision für Therapeutinnen und Therapeuten sind auf dem Markt verfügbar.

Die Angebote unterscheiden sich in der Synchronizität der Kommunikation (in Echtzeit wie bei der Videokonferenz und Chatrooms vs. asynchron z. B. in der E-Mail-Kommunikation), der Reichhaltigkeit der Kommunikation (textbasiert vs. audiovisuell) sowie der Anzahl der Teilnehmer. Aus psychotherapeutischer Sicht ist ein weiterer wichtiger Aspekt, ob ein Format therapeutenangeleitet ist oder nicht.

Aus Versorgungssicht ist zu beachten, dass das Ziel dieser E-Mental-Health-Angebote primär darin besteht, den Zugang zu Psychotherapie bzw. psychotherapeutischen Angeboten und Interventionen zu verbessern. Es geht nicht unbedingt darum, grundlegend neue Interventionen zu entwickeln; die Angebote basieren in der Regel auf bereits etablierten psychotherapeutischen Prinzipien. Ebenso wenig ist das erklärte Ziel, neuartige Interventionen zu entwickeln, die traditionelle Face-to-face-Angebote in ihrer Wirksamkeit überträfen. Teils wird bewusst in Kauf genommen, dass E-Mental-Health-Angebote möglicherweise nicht äquivalent zu Face-to-face-Interventionen sind.

▬▬▬ **Merke**

Man geht davon aus, dass es für die Patientinnen und Patienten immer noch besser ist, eine Intervention mit möglicherweise geringerer Wirkung zu erhalten als gar keine Intervention.

Dabei ist gerade der telemedizinische Ansatz Grundlage für das kürzlich vom 121. Deutschen Ärztetag gelockerte sogenannte Fernbehandlungsverbot [2]. Erste Pilotversuche bieten bereits Fernbehandlungen an, wie das Modellprojekt der Baden-Württembergischen Ärztekammer in Kooperation mit einem deutschen Ableger des schwedischen Gesundheitsversorgers KRY. Dafür arbeitet KRY mit Ärztinnen und Ärzten aus Baden-Württemberg zusammen, die insbesondere eine hausärztliche/allgemeinmedizinische Qualifikation haben. Die Kommunikation erfolgt live über Video in einer Smartphone bzw. Tablet App.

Studien

▬▬▬ **Merke**

Systematische Reviews belegen die Wirksamkeit mobiler Apps, die z. T. durch SMS ergänzt werden [3].

Aufgrund der hohen Prävalenz und Relevanz in Prävention und Therapie finden sich besonders häufig Selbstmanagement Interventionen für depressive Störungen und Angststörungen. Systematische Reviews zu Smartphone-basier-

Zipfel S et al. E-Mental Health: Trends, Chancen und Risike… PiD - Psychotherapie im Dialog 2018; 19: 83–87

83

ten Therapieansätzen konnten bereits große Patientenstichproben auswerten [4].

Frith et al. werteten die Daten von N = 3414 Teilnehmern aus 18 RCTs aus. Die Interventionen dauerten zwischen 4 und 24 Wochen. Über alle Studien hinweg zeigte sich ein moderater positiver Therapieeffekt, der im Vergleich zu einer Warteliste besonders deutlich war. Die Autoren fordern, dass insbesondere die Art und Weise, wie sich Betroffene mit diesen neuen Medien auseinandersetzen, sowie Erwartungseffekte und spezifische Patientencharakteristika genauer untersucht werden sollten.

Dieselbe Arbeitsgruppe zeigte die Reduktion von Angstsymptomen durch mHealth-Applikationen bei Angststörungen [5]. Dabei konnten 9 RCTs mit 1837 Teilnehmern ausgewertet werden. Die Autoren empfehlen, dass künftige Studien Face-to-face-Therapie und einer mHealth-Therapie miteinander vergleichen. Solche Ansätze sind aber nur in Ländern mit einer ausreichend guten psychotherapeutischen Versorgung sinnvoll.

Naslund et al. [6] verweisen in ihrem narrativen Review auf Chancen, die digitale Therapien gerade für die Prävention und Behandlung in Ländern mit niedrigen und mittleren Einkommen haben. Die Autoren konnten in ihrem Review 49 Studien und 5 Sekundärauswertungen einschließen, die mit digitalen Interventionen psychiatrische/psychotherapeutische Angebote in weniger entwickelten Ländern durchgeführt hatten. Sie kommen zu der Schlussfolgerung, dass digitale Therapieangebote nur eine ergänzende Maßnahme sein können und es breitangelegte Kampagnen mit politischer Unterstützung braucht, um eine bessere Versorgung von Menschen mit psychischen Erkrankungen zu ermöglichen.

▬▬▬ Merke
Bedenkt man die hohe Prävalenz von 13,4 % psychischer Störungen im Kinder- und Jugendalter [7] bei einer geringen Zahl kinder- und jugendpsychiatrischer Behandlungsangebote und berücksichtigt die hohe Affinität dieser Altersgruppe zu digitalen Medien, verwundert es nicht, dass es gerade für dieses Alterssegment bereits viele digitale Therapieangebote gibt.

Hollis et al. überprüften in ihrem systematischen Review die Wirksamkeit evidenzbasierter Behandlungsangebote und fanden in nur 3 Jahren 30 RCTs [8]. Sie kommen zum Ergebnis, dass insbesondere computerbasierte kognitiv-behaviorale Ansätze für die Behandlung von Depressionen und Angststörungen wirksam sind. Allerdings verweisen sie auch auf methodologische Schwächen der bisherigen Studien.

Im Folgenden beschreiben wir kurz unsere eigenen Erfahrungen mit digitaler Diagnostik, Prävention und Thera-

pieansätzen im Bereich der Essstörungen und Adipositas, sowie der Psychoonkologie.

Digitale Applikationen in der Behandlung von Essstörungen und Adipositas

Internetbasierte angeleitete Selbsthilfe bei Binge Eating – die INTERBED-Studie

Angeleitete Selbsthilfe ist eine Therapieform, die die deutsche S3-Leitlinie zur Diagnostik und Behandlung von Essstörungen bei der Binge-Eating-Störung empfiehlt. Die INTERBED-Studie verglich in einem randomisiert-kontrollierten Design die Wirksamkeit einer internetbasierten angeleiteten Selbsthilfe mit einer kognitiven Face-to-face-Verhaltenstherapie.

Gerade ein expertenbasiertes Selbsthilfeangebot über das Internet kann ein niederschwelliges Angebot sein für Patientinnen und Patienten, die keinen guten Zugang zu Face-to-face-Psychotherapie haben oder Hemmungen haben, sich in ein solches Therapiesetting zu begeben. Allerdings sollte berücksichtigt werden, dass niederschwellige Online-Angebote häufig hohe Dropout-Raten und eine geringe Adhärenz verzeichnen. Bei angeleiteten Online-Formaten ist es wichtig, die Modalitäten und Zeiten des Therapeutenkontakts klar zu regeln und zu begrenzen.

Die internetbasierte Selbsthilfe wurde in dieser Studie sehr gut angenommen und war mit einer zufriedenstellenden Adhärenz und niedrigem Dropout verbunden. Zum Behandlungsende war die Face-to-face-Psychotherapie wirksamer bezüglich einer Reihe von Kernsymptomen und Therapiezielen, diese Unterschiede verschwanden aber zum 1,5-Jahres-Follow-up.

▬▬▬ Merke
Die internetbasierte Selbsthilfe kann als machbare und niederschwellige Alternative zu Face-to-face-Psychotherapie bei der Binge-Eating-Störung angesehen werden.

Rückfallprophylaxe nach stationärer Therapie der Anorexia nervosa via Videokonferenz – die RESTART-Studie [9]

Die Anorexia nervosa ist eine schwere psychische Störung, die ab einem gewissen Schweregrad stationär behandelt wird. Die stationäre Therapie ist meist erfolgreich im Hinblick auf eine initiale Gewichtszunahme, häufig bedarf es aber einer ambulanten Anschlusstherapie. Durch die sektorale Trennung der Versorgung im deutschen Gesundheitssystem kann es an diesem Übergang zu Versorgungslücken kommen, die Rückfälle und Chronifizierung der Anorexie begünstigen. Wir haben vor diesem Hintergrund eine manualisierte Intervention zur Rückfallprophylaxe

84

Zipfel S et al. E-Mental Health: Trends, Chancen und Risike… PiD - Psychotherapie im Dialog 2018; 19: 83–87 nach stationärer Therapie der Anorexie über ein Video-konferenzsystem durchgeführt.

Gerade die psychotherapeutische Kommunikation über Videokonferenz ist reichhaltig, da Bild und Ton vergleichbar einer Face-to-face-Situation übertragen werden. Unsere Erfahrungen zeigen allerdings, dass es bei der Kommunikation über Videokonferenz immer mal wieder zu technischen Schwierigkeiten kommen kann, die mit einer eingeschränkten Bild- und Tonqualität einhergehen. Wir haben bei akuten technischen Schwierigkeiten auf Kommunikation über das Telefon zurückgegriffen. Die Sicherung der Patientinnensicherheit bei einer schweren Störung mit hohem körperlichem Risiko musste der spezifischen Situation angepasst werden („Was passiert, wenn sich die Patientin nicht zum vereinbarten Termin in die Videokonferenz einwählt?").

Insgesamt haben wir in der RESTART-Pilotstudie 16 Patientinnen behandelt. Die Intervention war sicher und machbar. Die Patientinnen haben großes Interesse an diesem Interventionsangebot gezeigt und es sehr positiv evaluiert, insbesondere stellte auch der technische Aspekt für die Patientinnen kein Problem dar.

▬▬▬▬ Merke
Die Pilotergebnisse zeigen, dass Videokonferenz-Intervention bei Anorexia nervosa zur Aufrechterhaltung der stationären Therapieergebnisse und teils sogar einer weiteren Symptomverbesserung beitragen kann.

„Serious Game" (elektronisches Lernspiel) für die Grundschule

Als sogenanntes „Exergame" wurden edukative Inhalte zum Thema gesunde Ernährung verknüpft mit spielerischen Elementen zur Anwendung von Lerninhalten und Bewegungssteuerung. Die Kinder können in diesem Spiel mit einer Bewegungssteuerung und intensivem Auf-der-Stelle-Treten den Protagonisten in einer virtuellen mittelalterlichen Welt in Bewegung versetzen. An definierten Stellen führen die Kinder und Jugendlichen dann Tablet-basierte Lernspiele beispielsweise zu Fragen der Energiedichte und Wissensfragen zu Bewegung und Stressregulierung durch [10].

Digitale Applikationen in der Psychoonkologie

Elektronisches Psychoonkologisches Screening (ePOS) mittels Tablet-Fragebogen

Mit diesem Tablet-basierten elektronischen Screening-Tool werden inzwischen an allen Organkrebszentren des Universitätsklinikums Tübingen alle Patienten auf psychosoziale Belastungen gescreent [11]. Ein einfach zu bedienendes Tablet dient zur elektronischen Erfassung der aktuellen psychischen Belastung und der subjektiven Versor-

gungsbedarfe durch Psychoonkologie und Sozialdienst. Die Rückmeldung an den Konsildienst erfolgt per E-Mail mit grafisch aufbereiteter Befunddarstellung.

Als Weiterentwicklung des ePOS-Screening-Programms ist aktuell ePOSreact in der Erprobung: eine ins klinische EDV-System integrierte Applikation, die automatisch Konsildienste auslöst, z. B. der Psychoonkologie, der Seelsorge oder des Sozialdienstes. In der Vollumsetzung kann diese eHealth-Lösung administrative Prozesse unterstützen, um u. a. Verzögerungen zu vermeiden, etwa bei den Anmeldeprozessen für Konsile in der Psychoonkologie. Letzteres ist umso wichtiger, als angesichts immer kürzerer Liegenzeiten in den meisten Organkrebszentren oft nur wenige Tage bleiben, um den Behandlungsbedarf zu ermitteln und die weitere psychoonkologische Versorgung zu planen [12].

Achtsamkeits- und Skillsbasiertes Make It Training: eine Online-Intervention für die psychoonkologische Versorgung

Eine Tumorerkrankung bedeutet für viele Patientinnen und Patienten eine große psychosoziale Herausforderung. Im Krankheitsverlauf können psychische Belastungen und Erkrankungen sowie der Wunsch nach einer psychoonkologischen Unterstützung entstehen. Häufig (z. B. in eher ländlich geprägten Regionen) haben betroffene Patienten bisher keinen Zugang zu einer bedarfsgerechten und spezialisierten psychoonkologischen Versorgung [13]. eHealth und mHealth können hier wichtige ergänzende Angebote sein, weshalb wir eine ressourcenstärkende und stabilisierende interaktive eHealth-Intervention im Rahmen des Selbstmanagements für Patienten entwickelt haben.

Das online-basierte Make It Training (Mindfulness and skill based distress reduction in oncology) basiert auf Achtsamkeit und vermittelt psychoedukativ verhaltenstherapeutische Skills zu Akzeptanz, Ressourcen, Stressmanagement und Selbstwirksamkeit. Das Make It Training kann so einen wichtigen Beitrag für eine flächendeckende und barrierearme psychoonkologische Versorgung leisten, da es im Rahmen des Selbstmanagements unabhängig von personellen Ressourcen, Zeit und Ort verfügbar ist. Es kann effektive Bewältigungsstrategien und Fertigkeiten im Umgang mit krankheitsbezogenen Belastungen und Anforderungen patientennah vermitteln und so Patienten in ihrer subjektiv erlebten Selbstwirksamkeit fördern.

Eine erste Akzeptanzüberprüfung des Make It Trainings wurde anhand einer exemplarischen Sitzung bei 35 Patientinnen mit Brustkrebs durchgeführt. Wir verzeichneten hohe Werte für Akzeptanz und Zufriedenheit seitens der Patientinnen. Sie fanden das Make It Training im Umgang mit den krankheitsbezogenen Belastungen hilfreich und hatten großes Interesse an einer weiteren Teilnahme. Als nächsten Schritt planen wir daher eine randomisiert kontrollierte Wirksamkeitsstudie.

Zipfel S et al. E-Mental Health: Trends, Chancen und Risike… PiD - Psychotherapie im Dialog 2018; 19: 83–87

85

Barrieren/Herausforderungen

Derzeit bewegt man sich sowohl als Experte als auch als Betroffener oder „User" in einem ungeordneten Dschungel von Gesundheits-Apps. Experten sprechen bereits von einem „Gesundheits-App-Dilemma". Derzeit werden mehr als 4 Millionen Apps über Google Play zum Herunterladen bereitgestellt [14], davon mehr 2500 Gesundheits-Apps in deutscher Sprache (mit immerhin mehr als 50 000 Downloads). Aber nicht nur die hohe Zahl der App-Angebote wirft brennende Fragen nach einer adäquaten Qualitätssicherung und Regulierung auf.

Zur Qualitätssicherung gibt es unterdessen erste Initiativen, die Checklisten für „gute Gesundheits-Apps" aufstellen (für den deutschen Markt u. a. Bundespsychotherapeutenkammer und HealthOn). Dabei werden Fragen wie z. B. Schutz der Nutzerdaten/Gesundheitsdaten, Evidenz der Intervention und Seriosität der Anbieter genauso untersucht wie Unabhängigkeit und eine mögliche Haftung. Künftig sind aber auch die Fachgesellschaften gefordert, ihre Fachexpertise in die Bewertung mit einzubringen, um evidenzbasierte Empfehlungen auszusprechen. Nach entsprechenden Leistungsnachweisen und Akzeptanzüberprüfung in qualitativ ausreichenden klinischen Studien sollten dann auch Fragen der Honorierung und Kostenerstattung mit den Krankenversicherungen geklärt werden. Übergeordnet sollte der Umgang mit digitalen Medien und somit die Kompetenz (die „digital health literacy" = von Nutzern und Behandlern geschult und gestärkt werden.

Während wir noch sehr in der digitalen Transformation mit vergleichsweise einfachen Tools stecken, rollt die nächste mächtige Welle der „künstlichen Intelligenz" (KI) mit enormem Schub an. Die Verfügbarkeit großer Datenmengen, zunehmend auch gesundheits- und krankheitsrelevanter Daten, hoher Rechnerkapazitäten und neuer Algorithmen führt bereits heute dazu [15], dass Maschinen über ausgeklügelte kognitive Kompetenzen verfügen. Damit stellt sich die Frage, inwieweit die Digitalisierung durch künstliche Intelligenz auch im Bereich der Psychiatrie, Psychosomatik und Psychotherapie angekommen ist [16,17].

US-amerikanische Forscher [18] sehen bei der technologieunterstützten Psychotherapie 3 Hauptfragen:

1. Wie kann die technologieunterstützte Psychotherapie Mechanismen und therapeutische Psychotherapieprozesse aufklären?
2. Wie kann ein ergänzender Einsatz von KI beim Training und Therapiefeedback aussehen?
3. Welche technologie- und KI-unterstützen Behandlungen (u.a. Chatbots) können zukünftig in der Praxis Anwendung finden?

Neben den Sorgen um die Sicherheit der Daten, insbesondere der sehr persönlichen Daten in der Psychotherapie, stellen sich ethische Fragen, die frühzeitig adressiert werden müssen. Dabei sind auch Verantwortlichkeit und Einwilligungsfähigkeit der Patienten zu berücksichtigen [19].

▬▬ Merke

Digitalisierung und Psychotherapie müssen nicht in einem Widerspruch zueinander stehen. Allerdings sollte einer der Hauptwirkfaktoren, nämlich die gute und heilende Arzt/Therapeut-Patient-Beziehung nicht einseitig einer scheinbar modernen und ökonomischen Digitalisierung geopfert werden [20].

FAZIT

Die Digitalisierung erreicht auch die Psychotherapie. Neben synchronen Therapieansätzen, insbesondere durch Videokonferenzsysteme, haben in den vergangenen Jahren insbesondere App-basierte mobile und asynchrone Therapieangebote den Gesundheitsmarkt erobert. Herausforderungen stellen sich insbesondere im Bereich der Qualitätssicherung dieser mHealth Angebote sowie im Schutz der häufig sehr persönlichen Daten. Neuere Entwicklungen, insbesondere durch künstliche Intelligenz (KI), sind dabei, den Gesamtbereich zu revolutionieren.

Autorinnen/Autoren

Stephan Zipfel
Prof. Dr. med. Facharzt für Psychosomatische Medizin und Psychotherapie sowie Innere Medizin. Seit 2004 (W3-)Professur für Psychosomatik an der Eberhard Karls Universität Tübingen. Leiter der Abteilung Psychosomatische Medizin und Psychotherapie an der Medizinischen Universitätsklinik Tübingen. Leiter des Kompetenzzentrums für Essstörungen (KOMET). Prodekan der Medizinischen Fakultät für den Bereich Studium und Lehre.

Dr. med. Florian Junne, M.Sc.,
Medizinische Universitätsklinik Tübingen

Dr. Johanna Ringwald, Dipl.-Psych.,
Medizinische Universitätsklinik Tübingen

Prof. Dr. Katrin Giel, Dipl.-Psych.,
Medizinische Universitätsklinik Tübingen

Korrespondenzadresse

Prof. Dr. Stephan Zipfel
Abtl. Psychosomatische Medizin und Psychotherapie
Medizinische Universitätsklinik Tübingen
Osianderstraße 5
72074 Tübingen
stephan.zipfel@med.uni-tuebingen.de

86

Zipfel S et al. E-Mental Health: Trends, Chancen und Risike... PiD - Psychotherapie im Dialog 2018; 19: 83–87

Literatur

[1] Rathbone AL, Prescott J. The Use of Mobile Apps and SMS Messaging as Physical and Mental Health Interventions: Systematic Review. J Med Internet Res 2017; 19: e295

[2] Krüger-Brand H. Weg frei für Telemedizin. Dt Ärztebl 2018; 115: A965–A968

[3] Rathbone AL, Clarry L, Prescott J. Assessing the Efficacy of Mobile Health Apps Using the Basic Principles of Cognitive Behavioral Therapy: Systematic Review. J Med Internet Res 2017; 19: e399

[4] Firth J, Torous J, Nicholas J et al. The efficacy of smartphone-based mental health interventions for depressive symptoms: a meta-analysis of randomized controlled trials. World Psychiatry 2017; 16: 287–298

[5] Firth J, Torous J, Carney R et al. Digital Technologies in the Treatment of Anxiety: Recent Innovations and Future Directions. Curr Psychiatry Rep 2018; 20: 44

[6] Naslund JA, Aschbrenner KA, Araya R, et al. Digital technology for treating and preventing mental disorders in low-income and middle-income countries: a narrative review of the literature. Lancet Psychiatry 2017;4:486–500

[7] Collishaw S. Annual research review: Secular trends in child and adolescent mental health. J Child Psychol Psychiatry 2015; 56: 370–393

[8] Hollis C, Falconer CJ, Martin JL et al. Annual Research Review: Digital health interventions for children and young people with mental health problems – a systematic and meta-review. J Child Psychol Psychiatry 2017; 58: 474–503

[9] Giel KE, Leehr EJ, Becker S, et al. Relapse prevention via videoconference for anorexia nervosa – findings from the RESTART pilot study. Psychother Psychosom 2015; 84: 381383

[10] Zurstiege G, Zipfel S, Ort A et al. Managing Obesity Prevention Using Digital Media: A Double-Sided Approach. In: Hesse JBFW, Hrsg. Informational Environments. New York Heidelberg Dordrecht London Springer International; 2017: 97–124

[11] Schaffeler N, Sedelmaier J, Mohrer H et al. [Patient's Autonomy and Information in Psycho-Oncology: Computer Based Distress Screening for an Interactive Treatment Planning (ePOS-react)]. Psychother Psychosom Med Psychol 2017; 67: 296–303

[12] Schaeffeler N, Pfeiffer K, Ringwald J et al. Assessing the need for psychooncological support: screening instruments in combination with patients' subjective evaluation may define psychooncological pathways. Psychooncology 2015; 24: 1784–1791

[13] Ringwald J, Marwedel L, Junne F et al. Demands and Needs for Psycho-Oncological eHealth Interventions in Women With Cancer: Cross-Sectional Study. JMIR Cancer 2017; 3: e19

[14] HealthOn: Güte- und Qualitätssiegel für Gesundheits-Apps, URL: https://www.healthon.de/ Abgerufen Mai 2018.

[15] LeCun Y, Bengio Y, Hinton G. Deep learning. Nature 2015; 521: 436–444

[16] Meyer-Lindenberg, A. (2018). Künstliche Intelligenz in der Psychiatrie–ein Überblick. Der Nervenarzt, 89(8), 861-868

[17] Dwyer DB, Falkai P, Koutsouleris N. Machine Learning Approaches for Clinical Psychology and Psychiatry. Ann Rev Clin Psychol 2018; 14: 91–118

[18] Imel ZE, Caperton DD, Tanana M, Atkins DC. Technology-enhanced Human Interaction in Psychotherapy. J Couns Psychol 2018; 64: 385

[19] Martinez-Martin N, Kreitmair K. Ethical Issues for Direct-to-Consumer Digital Psychotherapy Apps: Addressing Accountability, Data Protection, and Consent. JMIR Ment Health 2018; 5: e32

[20] Zipfel S. Digitalisierung und Psychotherapie – ein Widerspruch? PSYCH up2date 2018; 12: 4–5

Bibliografie

DOI https://doi.org/10.1055/a-0592-0164
PiD - Psychotherapie im Dialog 2018; 19: 83–87
© Georg Thieme Verlag KG Stuttgart · New York
ISSN 1438–7026

Zipfel S et al. E-Mental Health: Trends, Chancen und Risike... PiD - Psychotherapie im Dialog 2018; 19: 83–87

87

Punkte sammeln auf CME.thieme.de

Viel Erfolg bei Ihrer CME-Teilnahme unter **http://cme.thieme.de**
Bitte informieren Sie sich über die genaue Gültigkeitsdauer unter **http://cme.thieme.de**
Sollten Sie Fragen zur Online-Teilnahme haben, unter **http://cme.thieme.de/hilf**e
finden Sie eine ausführliche Anleitung.

VNR 2767802018015580008

E-Mental-Health

CME-Fragen, Teil 1 (S. 18–55)

Frage 1

Welche der folgenden Aussagen zu ungeleiteten und angeleiteten Selbsthilfeprogrammen ist *richtig*?

A In angeleiteten Selbsthilfeprogrammen werden herkömmliche Psychotherapiesitzungen mit Selbsthilfeprogrammen ergänzt.

B In vielen angeleiteten Selbsthilfeansätzen dient die Unterstützung der Therapeuten v. a. der Motivation der Teilnehmenden, sich an die Vorgaben des Selbsthilfeprogramms zu halten.

C Ungeleitete und angeleitete Selbsthilfeprogramme sind bisher noch kaum erforscht.

D Ungeleitete und angeleitete Selbsthilfeprogramme sind nach bisherigen Erkenntnissen gleich wirksam.

E Angeleitete Selbsthilfeprogramme sind weniger wirksam als herkömmliche Psychotherapie.

Frage 2

Welche Aussage zu Internet-Interventionen ist *richtig*?

A Ein Vorteil von Internet-Interventionen ist, dass die Güte der Therapiebeziehung keine Rolle spielt

B Die bisherige Forschung zeigt, dass Online-Therapien, die über Videotelefonie (z. B. Skype) durchgeführt werden, wirksamer sind als E-Mail-Therapien.

C E-Mail-Therapien haben den Vorteil, dass der Arbeitsaufwand von Therapeuten reduziert wird.

D Mit Internet-Interventionen können gleichzeitig die Reichweite und die Wirksamkeit von Therapien erhöht werden.

E Die Frage, für welche Patienten Internet-Interventionen erfolgversprechend sind und für welche nicht, kann noch nicht fundiert beantwortet werden.

Frage 3

Welche Aussage zur internetbasierten Nachsorge ist *richtig*?

A Sie dient als Ersatz der stationären psychosomatischen Rehabilitation.

B Die Kosten werden von den gesetzlichen Krankenkassen erstattet.

C Sie ist weiter verbreitet als die ambulante Nachsorge.

D Sie ergänzt das System ambulanter Nachsorgeangebote.

E Sie ist wirksamer als ambulante Psychotherapie.

Frage 4

Was ist das primäre Ziel der internetbasierten psychotherapeutischen Nachsorge?

A Gesundheitszustand stabilisieren und Rückfällen vorbeugen

B Absetzen einer pharmakologischen Behandlung ermöglichen

C Zufriedenheit der Patienten mit der vorangegangen Therapie steigern

D Kosten im Gesundheitssystem reduzieren

E Angehörige des Patienten unterstützen

Frage 5

Welche Variante stellt *keinen* Fokus der integrierten verzahnten Psychotherapie dar?

A Steigerung der Wirksamkeit

B verbesserte Allokation von Ressourcen

C Online-Psychotherapie als Bestandteil einer integrierten Versorgung

D unterstützende Vor-Ort-Sitzungen zur Qualitätskontrolle einer primär online durchgeführten Psychotherapie

E Vor-Ort-Psychotherapie integriert in Disease-Management-Programme

▶ **Weitere Fragen auf der folgenden Seite …**

Frage 6

Welche Aussage zur Evidenz verzahnter Psychotherapie ist *falsch*?

A Die Vor-Ort-Psychotherapie ist wirksamer als die verzahnte Psychotherapie.

B Studien verdeutlichen die Durchführbarkeit verzahnter Psychotherapie.

C Die Evidenz zu verzahnter Psychotherapie ist als vorläufig zu bewerten.

D Eine Studie dokumentiert das Potenzial verzahnter Psychotherapie im Vergleich zur Vor-Ort-Psychotherapie, die therapeutisch investierte Zeit substanziell zu reduzieren.

E Erste Studien untersuchten verzahnte Psychotherapieansätze sowohl im Einzel- als auch im Gruppensetting.

Frage 7

Welche Therapieansätze werden unter dem Begriff „Blended Treatments" zusammengefasst?

A verhaltenstherapeutische und sozialpädagogische Ansätze

B computerbasierte Interventionen und Kommunikation via Skype

C Schreibtherapie und tiefenpsychologische Ansätze

D internetbasierte und Face-to-face-Interventionen

E Monitoring und Fragebögen als Paper-Pencil

Frage 8

Welche Faktoren begünstigen Schweigepflichtverletzungen?

A Interesse an Fragen des Datenschutzes und der Schweigepflicht

B mangelndes Wissen über rechtliche Grundlagen des Behandlungsvertrags

C Tendenz zur Unordnung in der Praxis und IT

D Unwissenheit, Unachtsamkeit, berufliche Überforderung, psychische Probleme und/oder Erkrankung der Psychotherapeuten

E bestimmte Persönlichkeitsfaktoren der PsychotherapeutInnen (Schwatzhaftigkeit)

Frage 9

Worauf muss man bei der Nutzung von Apps in Hinblick auf Datensicherheit *nicht* achten?

A Sicherung der Daten

B Ort der Datenspeicherung

C Weitergabe von Daten an Dritte

D verwendetes Datenformat

E Übertragung der Daten

Frage 10

Welche Aussage zur Akzeptanz internet- und mobile-basierter Interventionen (IMIs) bei den Behandlern ist *falsch*?

A Im Allgemeinen ist die Akzeptanz bei Behandlern über verschiedene Berufsgruppen hinweg eher gering.

B Im Hinblick auf die Störungsbilder ist die Akzeptanz bei der Behandlung von Depressionen und Suchterkrankungen am höchsten.

C Besonders hoch sind die Bedenken gegenüber IMIs in Hinblick auf Datensicherheit und die geringe Reaktionsfähigkeit in kritischen Situationen.

D Männliche Behandler sind gegenüber IMIs durchschnittlich positiver eingestellt als ihre Kolleginnen.

E Mit zunehmendem Alter des Behandlers sinkt die Akzeptanz von IMIs.

Punkte sammeln auf CME.thieme.de

Viel Erfolg bei Ihrer CME-Teilnahme unter **http://cme.thieme.de**
Bitte informieren Sie sich über die genaue Gültigkeitsdauer unter **http://cme.thieme.de**
Sollten Sie Fragen zur Online-Teilnahme haben, unter **http://cme.thieme.de/hilf**e
finden Sie eine ausführliche Anleitung.

VNR 2767802018015590007

E-Mental-Health

CME-Fragen, Teil 2 (S. 56–87)

Frage 1

Welche Aussage zum Ecological Momentary Assessment (EMA) ist *richtig*?

A Das EMA bezeichnet die Datenerhebung mittels „paper-and-pencil"-Fragebögen.

B Ein Vorteil von Erhebungen mittels EMA ist die retrospektive Erfassung der relevanten Phänomene.

C In der Praxis wird EMA bisher v. a. in medizinischen und psychologischen Bereichen eingesetzt, um zeitliche Muster und Verläufe zu verstehen und das Verständnis und Wissen zu vertiefen.

D EMA bezeichnet ein spezifisches Untersuchungsinstrument, nämlich die Datenerhebung mittels Tablets.

E EMA ist ungeeignet, um zeitliche Verläufe und Muster darzustellen.

Frage 2

Welche 2 Hauptmerkmale teilen EMA-Messinstrumente?

A Datenerhebung in der realen Lebenssituation der untersuchten Person und retrospektive Erfassung von Informationen

B Erhebung von kontextbezogenen Faktoren im Leben einer Person und Schätzung von Verzerrungstendenzen

C Unmittelbarkeit der Messung in der Situation und Ausschluss wiederholter Messungen

D Bei der Event-basierten Erhebung wird das Erlebte über einen Zeitraum hinweg erfasst, ohne einen Fokus auf spezifische Vorkommnisse innerhalb dieses Zeitraums.

E Datenerhebung in der realen Lebenssituation der untersuchten Person und Unmittelbarkeit der Messungen in der Situation

Frage 3

Welche Aussage zu skalierbaren Interventionen ist *richtig*?

A Skalierbare Interventionen funktionieren nach dem Baukastensystem: Verschiedene Komponenten können nach Wahl zugefügt oder weggelassen werden.

B Skalierbar bedeutet, dass (evidenzbasierte) Interventionen unter Aufwendung relativ geringer Ressourcen eine sehr große Zahl von Menschen erreichen.

C Skalierbare Interventionen sind evidenzbasiert und können deshalb nur von professionellem Personal durchgeführt werden.

D Skalierbare Interventionen verwenden moderne Informations- und Kommunikationstechnologien.

E Die Wirkung skalierbarer Interventionen ist bisher unzureichend erforscht.

Frage 4

Welche Aussage zur kulturellen Anpassung psychotherapeutischer Interventionen ist *richtig*?

A Kulturelle Anpassung bedeutet, dass unterschiedliche Bevölkerungsgruppen verschiedene Interventionen erhalten, entsprechend ihrem kulturellen Hintergrund.

B Kulturelle Anpassung führt zu einer höheren Wirksamkeit evidenzbasierter Interventionen.

C Kulturelle Anpassung bedeutet, dass evidenzbasierte psychotherapeutische Techniken (z. B. Verhaltensaktivierung) an die Zielgruppe angepasst werden.

D Evidenzbasierte psychotherapeutische Interventionen sind in vielen Teilen der Welt anwendbar, da ihre Wirkungsweise universell ist.

E Kulturelle Anpassung bedeutet, dass Therapeuten und Patienten denselben ethnischen Hintergrund haben.

▶ **Weitere Fragen auf der folgenden Seite …**

Frage 5

Welche psychischen Störungen sind bei Patienten mit chronischen Schmerzen am häufigsten?

A Störungen aus dem somatoformen Bereich (F 45.41 und .40), depressive Erkrankungen, Anpassungsstörungen und Angsterkrankungen

B viele verschiedene

C depressive Störungen und Angsterkrankungen sowie histrionische Persönlichkeitsstörungen

D depressive Störungen

E Abhängigkeits- und Angsterkrankungen

Frage 6

Welche Aussage zu Problemen von internetbasierten Interventionen in der Behandlung chronischer Schmerzen ist *falsch*?

A Der Nutzen dieser Verfahren ist unter Alltagsbedingungen bisher noch nicht überprüft worden.

B Die Therapieabbruchquote ist sehr hoch.

C Viele Schmerzpatienten lehnen diese Verfahren von vorne herein ab.

D Bisher ist unklar, inwiefern v. a. begleitete Online-Therapien eine deutlich höhere Kosteneffizienz besitzen.

E Die Rolle der Qualifikation der eCoaches ist nicht geklärt.

Frage 7

Auf welchem Ansatz basiert moodgym?

A positive Psychologie

B tiefenpsychologisch fundierte Therapie

C kognitive Verhaltenstherapie

D systemische Therapie

E Spieltherapie

Frage 8

Welche Aussage konnte im Rahmen einer Anwendungsstudie zu moodgym in der stationär-psychiatrischen Versorgung bestätigt werden?

A Die meisten Klinikmitarbeiter äußern Bedenken gegenüber einem verstärkten Einbezug neuer Medien in die Therapie von Depressionen.

B Der Großteil der Patienten lehnt internetbasierte Selbsthilfeprogramme als Behandlungsoption bei einer Depression ab.

C Die Mehrheit der Patienten und Klinikmitarbeiter hält moodgym für keine sinnvolle Ergänzung zu den Therapieangeboten in der Klinik.

D Fast alle Patienten, die mit moodgym beginnen, führen das Programm eigenständig bis zum Ende durch.

E Nahezu alle Klinikmitarbeiter würden ein wirksames und kostenfreies Online-Selbstmanagement-Programm zur Unterstützung der stationären Behandlung empfehlen.

Frage 9

Was ist aus Versorgungsaspekten primär das Ziel von E-Health-Interventionen?

A hohe Kosten reduzieren

B Zugang zu psychotherapeutischen Angeboten und Interventionen verbessern

C neue Intervention für technikaffine Patienten entwickeln

D Face-to-face-Psychotherapie ersetzen

E Wirksamkeit der Psychotherapie verbessern

Frage 10

Welche Aussage zur internetbasierten Vermittlung von Psychotherapieangeboten ist *falsch*?

A Internetbasierte Selbsthilfe kann als niederschwelliges Angebot sinnvoll sein für Betroffene, die Hemmungen haben, eine Face-to-face-Psychotherapie aufzusuchen.

B Rahmenbedingungen des Therapeutenkontakts bei angeleiteten Formaten sollten klar geregelt werden.

C Aspekte der Patientensicherheit sollten auf die spezifische Situation der internetbasierten Kommunikation angepasst werden.

D Bisher konnte noch kein Nachweis der Wirksamkeit von internetbasierten Therapieangeboten erbracht werden.

E Niederschwellige Angebote haben oft hohe Dropout-Raten.

Emanzipierte Digitalisierung

Thomas Tribelhorn

Millionen werden in Bildungstechnologien investiert, da in Zeiten der „digitalen Transformation in der Bildung" niemand den Anschluss verlieren will – wo immer sich dieser auch befinden mag. Werden Lehrende künftig durch Lernanalyse und Erklärvideos ersetzt? Nicht, wenn sie die Erkenntnisse aus der Lernforschung konsequenter berücksichtigen und die Mittel wirklich lernförderlich einsetzen.

Vor rund fünf Jahren veröffentlichten zwei nordamerikanische Forschende eine Studie, die auf reges Interesse stieß: Sie verglichen den Lern-Ertrag Studierender, die beim Betrachten eines Vorlesungs-PodCasts entweder von Hand oder mit dem Notebook Notizen erstellt hatten. Bekannt waren bisher Forschungsergebnisse, die eine Beeinträchtigung der Aufmerksamkeit durch Notebook und Internet zeigten. In dieser neuen Studie durfte die Notebook-Gruppe das Gerät jedoch ausschließlich für die Notizen verwenden.

In einem anschließenden Test zu den präsentierten Inhalten schnitt die Handnotiz-Gruppe deutlich besser ab. Ein Ergebnis, das wenig überrascht und von vielen auch spontan vermutet wird. Die Folgefrage nach den Gründen für dieses Resultat wird dagegen deutlich zögerlicher beantwortet: Handschrift ist halt „irgendwie natürlicher"? Das motorische Gedächtnis unterstützt die Erinnerung? Im Blindflug durch die Vermutungen benötigen wir zunächst einige Orientierungspunkte.

Invasion der Mobilgeräte

Nicht wenige Dozierende werden durch die omnipräsenten mobilen Geräte in Hochschule und Weiterbildung verunsichert. Oft befinden sie sich in einem inneren Kampf mit den Notebooks im Saal und buhlen um die Aufmerksamkeit des Publikums. Viele wissen nicht, wie sie mit dieser Situation umgehen sollen. Die Geräte generell verbieten in der Lehrveranstaltung? Immer wieder um Aufmerksamkeit bitten oder diese streng einfordern? Sich in Gleichmut und Gleichgültigkeit üben?

Empfohlen wird häufig ein Patentrezept: Die Geräte in die Lehrveranstaltung einbauen. Aber wie? Und letztlich stellen sich auch existenzielle Fragen – wie beispielsweise, ob die heutige Generation vollkommen anders lernt und ob Lehrende in Zukunft noch benötigt werden.

Die Technologie der Zukunft existiert

Zurzeit arbeiten viele Bildungsinstitutionen an ihren Digitalisierungsstrategien. Als Auslöser gilt die exponentielle Entwicklung digitaler Technologien, die gemäß der Zukunftsforschung an einem Punkt enormer Beschleunigung steht. Mobile Geräte und große Bandbreiten sind aber schon jetzt günstig verfügbar.

Sprach- und Bilderkennung funktionieren im Alltag nahezu fehlerlos. Clouds und Plattformen werden intensiv genutzt. Robotik und Simulationen werden mit Hochdruck für den Alltag aufbereitet. Mixed Reality und virtuelle Welten erfahren durch Spiele große Verbreitung und durch kluge Algorithmen lernfähig gemachte Plattformen ermöglichen ein personalisiertes Angebot von Medien, Filmserien, Kleidern oder Diensten, an die wir noch gar nicht denken.

▬▬▬▬ **Merke**
Die Technologie der Zukunft existiert bereits und entwickelt sich rasant. Es stellt sich also eine Kardinalfrage: Wie kann und soll sie sinnvoll für Bildungsprozesse genutzt werden?

To MOOC or not to MOOC?

Die aktuelle Situation scheint viele Akteure zu verunsichern. Tertiäre Bildungsinstitutionen stehen unter Zugzwang zur Individualisierung ihrer Programme, von Weiterbildung und Personalwesen werden flexible Fortbildungsformate erwartet. Alles unter dem Eindruck der sich rasant entwickelnden Technologie und der Unsicherheit im Hinblick auf mögliche Zukunftsszenarien.

Wie häufig in der Vergangenheit ist die Gefahr groß, dass viele unter Zugzwang unreflektiert auf einen technologischen Trend aufspringen – was den Lehrenden dieser Institutionen nicht wirklich weiterhilft. Am Beispiel von MOOCs (Massive Open Online Course) zeigt sich dies besonders deutlich: Seit die New York Times 2012 das „Jahr der MOOCs" proklamierte, sind viele Hochschulen dazu übergegangen, dieses Format in ihre Bildungsstrategie zu integrieren.

Statistische Auswertungen des Nutzungsverhaltens von MOOC-Teilnehmenden zeichnen hinsichtlich der Wirkung allerdings ein ernüchterndes Bild: Drei Wochen nach Semesterbeginn surfen im Schnitt noch knapp 10 % der Registrierten durch die Lerninhalte. Rund 60 % der Teilnehmenden haben zudem bereits einen Bachelorabschluss.

Keine Spur also von der oft zitierten Demokratisierung der Bildung durch MOOCs für alle. Schätzungen gehen zudem davon aus, dass die Produktion eines guten MOOC zwischen 150 000 und 250 000 Dollar kostet. Angesichts anstehender Investitionen in Infrastruktur und Personalentwicklung ist ein wohlüberlegter Einsatz digitaler Mittel somit von zentraler Bedeutung.

Bewusster Einsatz von Technologie

Wenn echte Lernprozesse technologisch unterstützt werden sollen, ist dabei besonders wichtig, dass Entscheidungsträgerinnen und -träger sowie Lehrende in Aus- und Weiterbildung über die nötige Kompetenz verfügen, die Wirksamkeit und damit das Potenzial der verfügbaren Technologien hinsichtlich des Lern-Ertrages kompetent einschätzen zu können.

━━━━━ Merke
Mit anderen Worten: Der Einsatz muss *evidenzbasiert* **entschieden werden.**

Es muss eine Wissensbasis geschaffen werden, die es erlaubt, Aussagen über die Entwicklung neuer Technologien zu verstehen und kompetent einzuschätzen. Nötig dazu ist aktuelles Wissen aus der Lern- und Kognitionsforschung, in Kombination mit den Fähigkeiten, unterschiedliche digitale Mittel auf dieser Basis zielführend zu beurteilen und zu nutzen.

Angesichts der unzähligen Aufgaben, die zunehmend durch *Algorithmen* übernommen werden, stellt sich der Zürcher Futurist Gerd Leonhard zudem auf den Standpunkt, dass die Bildung der Zukunft auf *Androrithmen* setzen muss, wie er seinen Gegenentwurf nennt [1]. Was nicht digitalisiert werden kann, werde immer wertvoller. Menschliche Fähigkeiten wie Intuition, Einfühlungsvermögen, Kreativität, Vorstellungskraft und kritisches Denken müssten konsequenter im Zentrum der Förderung stehen. Nur so könne gewährleistet werden, dass künftig der Mensch die Technologie im Griff hat – und nicht umgekehrt.

Das Potenzial der Digitalisierung

Tatsächlich schlummert in der Digitalisierung großes Potenzial zur Förderung der Lernprozese – falls es erkannt und geschickt genutzt wird.

Inverted Classroom Model

So werden z. B. im *Inverted Classroom Model (ICM)*, auch bekannt als *Flipped Classroom*, die Präsentationen der Lehrenden in Form von Videos im Netz verfügbar gemacht.

Im Gegensatz zur Vorlesung können die Lernenden die Ausführungen vor- und zurückspulen oder wiederholt ansehen. Die Flexibilisierung durch eigene Lernpfade und -tempi ist damit leicht möglich und die anschließende wertvolle Präsenzphase wird dialogisch und aktivierend zur Vertiefung und Anwendung genutzt. Mittels *LiveVoting-Apps* kann der Wissensstand ad hoc im Saal erfasst und auf Lücken eingegangen werden.

Zeitintensive und raumzeitlich gebundene Weiterbildungen sind für viele eine starke organisatorische Belastung. Mit einem durchdachten ICM lässt sich diese Situation entspannen.

Videotechnologie

Die inzwischen niederschwellige Videotechnologie, z. B. in Form leistungsfähiger Mobiltelefone, ermöglicht in Kombination mit schnellem Internet die Veranschaulichung komplexer Inhalte durch Videos oder interaktive Grafiken, die die gedankliche Modellierung unterstützen. Statistische Zusammenhänge werden damit verständlicher, Fallsituationen realitätsnaher, vieles lässt sich zeigen, statt dass es erklärt werden muss.

Heute kann man auch buchstäblich in die Räume eintauchen mit günstig erhältlichen *Mixed-Reality*-Brillen. Immersive Lernumgebungen gelten z. B. in den technischen Wissenschaften nicht mehr als Zukunftsmusik.

Analyse des Nutzungsverhaltens

Die Entwicklung im Bereich der Algorithmen führt auch zu einer differenzierteren Analyse des Nutzungsverhaltens Lernender in entsprechend konzipierten Lernumgebungen. Learning Analytics ist ein rasant wachsender Forschungs- und Entwicklungsbereich mit dem Ziel einer immer raffinierteren Adaptivität von Lernsystemen.

Unterstütztes Üben zur Verankerung der Lerninhalte wird ständig ausgefeilter. In Japan sind Systeme mit Gesichtserkennung im Test, die per Kamera am Notebook die Emotionen auf den Gesichtern der Lernenden analysieren und bei Bedarf aufmunternde Worte oder, im Fall des Wegdämmerns, einen sanften Weckton erklingen lassen.

Möglichkeiten – heute und morgen

Die drei skizzierten Szenarien zeigen nur einen schmalen Ausschnitt der Möglichkeiten aus der Gegenwart oder der

INFOBOX

Wirkfaktor Lehrperson

D.I.E.

Nach dem neuseeländischen Bildungsforscher John Hattie [5,6,7] lässt sich rund ein Drittel der Wirkfaktoren für den Lernerfolg der Lehrperson zuordnen. Gute Lehrende lassen eine «DIE-Strategie» erkennen: *Diagnose, Intervention, Evaluation.* Didaktisch-methodische Interventionen auf Basis einer Lernstands-Diagnose sind also an die Lernenden angepasst. Lehrende, die das beherrschen, rattern nicht einfach ihre vorbereiteten Folien herunter, ungeachtet des aktuellen Vorwissens. Zudem analysieren sie konstant die Wirkung ihres didaktischen Tuns, um die Lehrstrategie kontinuierlich anzupassen. Fazit: Gute Lehrende haben weniger den Stoff als vielmehr die Lernenden auf dem Radar.

Enthusiasmus

Der Enthusiasmus der Lehrenden ist nachweislich einer der wichtigsten Motivationsfaktoren für die Lernenden [8]. Wenn der Funke auf das Publikum überspringt, legt es sich eher ins Zeug, um den Stoff anschließend zu verarbeiten.

Zugänglichkeit

Bereits in den Achtzigerjahren wurde registriert, dass an exzellenten Hochschulen in Nordamerika die Studierenden leichter in Kontakt treten können mit den Lehrenden [9]. Soziale Interaktionen werden auch künftig wichtig bleiben für echte Lernprozesse.

näheren Zukunft. Die MOOC-Anbieterinnen und -Anbieter der ersten Stunde haben aus dem Nutzungsverhalten der Lernenden längst ihre Schlüsse gezogen und ihre Systeme optimiert.

Noch etwas weiter gedacht stellt sich die Frage, wie Lernen aussieht, wenn Unternehmen wie Netflix, Amazon oder Google konsequent ins Geschäft einsteigen, die Algorithmen zur Nutzungsanalyse weiter verfeinern und Kundinnen und Kunden Empfehlungen für Fortbildungsvideos auf ihrem Profil anbieten. Werden öffentliche Hochschulen dann zu reinen Qualifizierungsinstitutionen im Auftragsverhältnis?

Lernen „die Jungen" anders?

Auch wenn solche Szenarien für einige noch als Utopien gelten, Tatsache ist, dass Lernende aller Stufen bereits intensiv nutzen, was leicht verfügbar ist, beispielsweise die Erklärvideos auf *The SimpleClub*, einem hoch frequentierten Videokanal und Anlaufstelle für verzweifelte Studierende, die nicht verstanden haben, was der werte Dozent oder die Dozentin ihnen sagen wollte. Über soziale Medien werden Fragen zum Lernstoff und Antworten dazu rasch ausgetauscht.

▬▬▬▬ **Merke**

Es lässt sich tatsächlich ein verändertes Lernverhalten im Vergleich mit der früheren Generation feststellen.

Gleichwohl bleibt vieles gleich. Die Sache mit der *Prokrastination* („Aufschieberitis") ist auch durch modernste Mittel noch nicht überwunden. Die Hamburger *ZEITLast-Studie* zeigte, dass der subjektiv wahrgenommene Lernaufwand zum Teil massiv vom tatsächlich gemessenen abweicht [2]. Die verfügbaren *PodCasts* werden vor allem von jenen genutzt, die auch in die Lehrveranstaltung kommen. Genutzt werden sie meist kurz vor der Prüfung zur Vorbereitung.

▬▬▬▬ **Merke**

Wie früher so auch heute können vor allem jene Studierenden das Potenzial der neuen Möglichkeiten nutzen, die das eigene Lernen ohnehin schon besser planen, überwachen und steuern können. Die Förderung metakognitiver Strategien bleibt ein Dauerthema.

Braucht es denn noch Lehrende?

Emanzipation, als Akt der Befreiung aus gesellschaftlichen Zwängen verstanden, ist somit auch für die Digitalisierung angebracht. Statt panisch oder lediglich zur eigenen Profilierung jedem Hype nachzusteigen, ist ein reflektierter Einsatz der Technologie dringend nötig.

Eine emanzipierte Digitalisierung wird nur durch kompetente Akteurinnen und Akteure realisiert. Diese orientieren sich dazu an differenziertem Wissen über Studienergebnisse – wie beispielsweise jenes von Müller und Oppenheimer [3]: Inhaltsanalysen der Vorlesungsnotizen zeigten, dass mit den Notebooks praktisch Wortprotokolle verfasst wurden. Wer sich per Hand Notizen macht, ist dafür zu langsam und kann gar nicht alles mitschreiben, was gesagt wird. Man muss es zu knappen Kernaussagen verdichten. Dies ist bereits eine erste Informationsverarbeitung und damit ein Lernprozess, der zu einem besseren Ergebnis im Test führt.

▬▬▬▬ **Merke**

Lehrende, die so etwas wissen, begreifen digitale Technologien als Raum der Möglichkeiten zur echten Unterstützung von Lernprozessen. Sie wissen, wann sie was auf welche Art mit welchem Effekt einsetzen.

Dadurch sind sie außerdem immun gegenüber dem hysterischen Geschrei über digitale Demenz und wissen, dass Schulkinder nicht gleich fettsüchtig werden, wenn man ihnen Tablets auf das Pult legt. Solche Mythen wurden nämlich bereits 2014 von Markus Appel und Constanze Schreiner fachkundig zerpflückt [4].

FAZIT

Basierend auf seinem Opus Magnum („Visible Lear-ning") wird John Hattie nicht müde zu betonen, wie enorm wichtig Lehrpersonen auch auf Hochschul-stufe sind und welchen Einfluss sie in mehrfacher Hinsicht auf den Lernerfolg der Studierenden haben [5, 6, 7]. Der reflektierte Einsatz neuer Technolo-gien ist dabei nur eine Facette, jedoch eine hoch relevante. Damit die Technik die Interaktion und die Lernprozesse tatsächlich unterstützt, muss sie von Lernenden und Lehrenden verstanden und nutzbrin-gend eingesetzt werden. Eine Prämisse, die seit der Kreide eigentlich für alle Lehr- und Lernmittel gilt.

Interessenkonflikt

Der Autor gibt an, dass kein Interessenkonflikt vorliegt.

Autorinnen/Autoren

Thomas Tribelhorn

Lic. phil. Psychologe. Leiter Bereich Hoch-schuldidaktik & Lehrentwicklung an der Universität Bern. Hochschul- und Medien-didaktiker. Lehrer, Studium in Sozialpsycho-logie, klinischer Psychologie und Sozial-anthropologie, Weiterbildungen in Hochschuldidaktik und e-Learning. Berater und Kursleiter für Lehrende an Hochschulen. Begleitung von Projektteams zu Studienreformen. Konzeption von Weiterbildungs- und Beratungsangeboten sowie Online-Supporttools für Hochschullehrende.

Korrrespondenzadresse

Thomas Tribelhorn, lic.phil.
Universität Bern
Zentrum für universitäre Weiterbildung ZUW
Leiter Bereich Hochschuldidaktik & Lehrentwicklung
Schanzeneckstraße 1
3012 Bern
Schweiz
thomas.tribelhorn@zuw.unibe.ch

Literatur

[1] Leonhard G. Technology vs. Humanity: Unsere Zukunft zwi-schen Mensch und Maschine. München: Vahlen; 2017

[2] Schulmeister R, Metzger C, Hrsg. Die Workload im Bachelor: Zeitbudget und Studierverhalten. Eine empirische Studie. Münster (u. a.): Waxmann; 2011

[3] Mueller PA, Oppenheimer DM. The Pen Is Mightier Than the Keyboard: Advantages of Longhand Over Laptop Note Taking. Psychol Sci 2014; 25: 1159–1168

[4] Appel M, Schreiner C. Digitale Demenz? Mythen und wissen-schaftliche Befundlage zur Auswirkung von Internetnutzung. Psychol Rundschau 2014; 65: 1–10

[5] Hattie J. Visible Learning: A Synthesis of Over 800 Meta-Ana-lyses Relating to Achievement. New York: Routledge; 2009

[6] Hattie J. Lernen sichtbar machen. Baltmannsweiler: Schnei-der Verlag; 2013

[7] Hattie J. The Applicability of Visible Learning to Higher Education. Scholarsh Teach Learn Psychol 2015; 1: 79–91

[8] Ambrose SA, Bridges MW, DiPietro M et al. How Learning Works: Seven Research-Based Principles for Smart Teaching. Hoboken: John Wiley & Sons; 2010

[9] Chickering, A. W., and Gamson, Z. F. Seven Principles for Good Practice in Undergraduate Education. AAHE Bulletin, 1987, 39(7), 3–7

Bibliografie

DOI https://doi.org/10.1055/a-0592-0373
PiD - Psychotherapie im Dialog 2018; 19: 92–95
© Georg Thieme Verlag KG Stuttgart · New York
ISSN 1438–7026

Mediale Aufmerksamkeit um jeden Preis – wenn Klicks wichtiger werden als seriöse Berichterstattung

Silvia Süess

Falschmeldungen gab es schon immer. Auch Fake News in den Medien sind kein neues Phänomen – neu ist jedoch das Ausmaß. Durch die heutigen technischen Möglichkeiten kann innerhalb kürzester Zeit ein Massenpublikum erreicht werden, das die Glaubwürdigkeit eines Artikels oft nicht beurteilen kann.

„Schweden ist jetzt das unromantischste Land der Welt, gleich hinter Saudi-Arabien und dem Iran", schrieb „Die Welt" vergangenen Dezember. Der Kolumnist der Schweizer Boulevardzeitung „Blick" behauptete, in Schweden sei es in Zukunft verboten, planlosen Sex zu haben, die Nachrichtensendung „ZDF heute" twitterte, Schweden wolle per Gesetz festlegen, dass man künftig aktiv um Erlaubnis für Geschlechtsverkehr bitten müsse („sonst droht eine Verurteilung wegen Vergewaltigung"), und „Focus Online" schrieb, in Schweden brauche es für den Geschlechtsakt künftig ein schriftliches Einverständnis. Was war geschehen?

Auch „Qualitätsmedien" sind schnell dabei

Die Schwedische Regierung präsentierte im Dezember 2017 eine Gesetzesvorlage, welche im Juli 2018 in Kraft getreten ist. Dabei wird der Tatbestand der Vergewaltigung modernisiert. Dieser setzte bisher im Schwedischen Gesetz die Beweislage von Gewalt oder expliziter Bedrohung voraus. Der Unterschied der modernisierten Gesetzgebung besteht nun darin, dass zukünftig jede sexuelle Handlung, die nicht im gegenseitigen Einverständnis geschieht, strafbar wird. Eine Voraussetzung, die schon so sehr schwer zu widerlegen ist, wie Psychotherapeuten aus ihrer Praxis wohl nur zu gut kennen. Eigentlich berichtigt das modernisierte Gesetz also eine Selbstverständlichkeit: Nämlich, dass einvernehmlicher Sex nur dann einvernehmlich ist, wenn alle Beteiligten ihn auch wirklich wollen. Von einem „schriftlichen Einverständnis" war nie die Rede, auch nicht, dass „aktiv um Erlaubnis gebeten werden müsse". Dass Sex unromantisch werde, wenn er freiwillig geschieht, gehört wohl auch zu den Fake News Übertreibungen, welche auch sogenannte Qualitätsmedien rund um Schwedens neues Gesetz gerne aufmerksamkeitserhaschend auftischten.

Die Ironie der Geschichte: Nur einer behielt einen klaren Kopf; ausgerechnet „Der Postillion", ein Satire-Online-Magazin, das jeden Tag seine LeserInnen mit einer originellen und deklarierten *Falschmeldung* amüsiert, schaltete sich in die Diskussion ein und belehrte die „seriösen" Medien im Netz eines Besseren. Außer dem „Focus Online" sah sich jedoch keine Zeitung zu einer Richtigstellung gezwungen. Sex sells – die LeserInnenschaft bedankt sich dafür in den Onlinemedien mit empörten Kommentaren und entsprechend vielen Klicks.

Interessenkonflikt

Die Autorin gibt an, dass kein Interessenkonflikt besteht.

Autorinnen/Autoren

Silvia Süess
Silvia Süess ist Kulturredakteurin der Schweizer Wochenzeitung WOZ und Mitglied der Redaktionsleitung.

Korrrespondenzadresse

Silvia Süess
WOZ Die Wochenzeitung
Hardturmstr. 66
CH-8031 Zürich
ssueess@woz.ch

Bibliografie

DOI https://doi.org/10.1055/a-0592-0316
PiD - Psychotherapie im Dialog 2018; 19: 96–96
© Georg Thieme Verlag KG Stuttgart · New York
ISSN 1438–7026

E-Mental-Health: Therapie am Bildschirm

Christine Wolfer

Das Internet ist längst keine Parallelwelt mehr zu unserer Realität. Alles wird im Internet angeboten, und die Anonymität kann sogar von Vorteil sein – v. a. für die Psychotherapie. Doch was bedeutet E-Mental-Health für uns Praktiker? Hintergrundinformationen und neue Sichtweisen sind dazu nötig. Im Folgenden werden nützliche Links zum Thema und alle Links aus diesem Heft bereitgestellt.

Veranstaltungen

[1] DGPPN Wer sich gerne weiter über die neueren Technologien im Bereich der Psychotherapie informieren und auch über weitere Entwicklungen auf dem Laufenden bleiben möchte, kann an Veranstaltungen zum Thema teilnehmen. Die Deutsche Gesellschaft für Psychiatrie, Psychotherapie und Nervenheilkunde (DGPPN) bietet zusammen mit dem Aktionsbündnis Seelische Gesundheit im Rahmen des eMen-Projekts Veranstaltungen zu E-Mental-Health an.

[2] E-Health Deutlich breiter ausgerichtet ist die Seite e-health.com. Der zur Verfügung gestellte Veranstaltungskalender beinhaltet auch Themen wie elektronische Patientenakten, Informationsübermittlung und IT-Security – Themen, die heutige Praktiker häufig vor Herausforderungen stellen.

Qualitätsnachweise und Gütesiegel

[3] BDP Ende Mai 2017 hat der Berufsverband Deutscher Psychologinnen und Psychologen (BDP) ein Gütesiegel für psychologische Gesundheitsangebote im Internet verabschiedet (pdf-Dokument).

[4] FSP Die Föderation der Schweizer Psychologen und Psychologinnen (FSP) hat ebenfalls Qualitätsstandards für Onlineinterventionen erarbeitet, welche Sie abrufen und nachlesen können. Werden diese Standards erfüllt, darf das FSP-Logo auf der In-

ternetseite geführt werden. Für Österreich konnten keine solchen Bestrebungen gefunden werden. Viele Interventionen werden derzeit im Rahmen von universitären Studien evaluiert und gelten ebenfalls als qualitativ hochstehend. Links zu diesen Angeboten finden Sie weiter unten unter Interventionen.

Anforderungen, Antragsstellung und Anbieter

[3], [4], [5] Datenschutz Das Thema Datenschutz wird in Bezug auf Online-Therapien besonders relevant, die FSP schreibt für ihr Zertifikat folgende Datenschutzvoraussetzung vor [4]: Verschlüsselung der Emails, der Datenübertragung sowie der Datenspeicherung. Zudem muss der Zugang zum Angebot mit einem regelmäßig veränderten Passwort eingeschränkt werden. Es muss ein Virenschutz sowie eine Firewall vorliegen und es müssen Sicherheitsupdates und -kopien gemacht werden. Das Gütesiegel des BDP [3] erfordert zudem eine Angabe über den Standort des verwendeten Servers, hierbei stehen Deutschland und Europa zur Auswahl. Das Thema Schweigepflicht wird in diesem Heft auch im Artikel von Dr. Jürgen Thorwart aufgeführt. Eine ausführlichere Diskussion zu ethischen Aspekten und Anforderungen von Internettherapien finden Sie unter [5] in einem englischsprachigen Artikel.

[6], [7] Zertifizierte Anbieter Eine allen Richtlinien genügende Infrastruktur aufzubauen kann kompliziert und kostspielig sein, daher kann es sich teilweise lohnen, sich bestehenden Anbietern von Online-Therapien anzuschließen. In Deutschland sind die bereits zertifizierten Anbieter auf der Internetseite des BDP zu finden [6], wer selbst den Antrag stellen möchte, kann dies ebenfalls dort machen. In der Schweiz läuft die Antragsstellung ebenfalls über die Mitgliedschaft bei der FSP. Eine zertifizierte Plattform, der

man sich anschließen kann, ist die Seite psy-help-online [7].

Internetbasierte Behandlungsprogramme

[8]–[19] Für Betroffene Im Internet finden sich diverse ungeleitete Angebote, aufgrund des Anspruchs ortsunabhängig zu sein, wird hier auf die klassische Länderaufteilung verzichtet. Für Behandlung von *Depressionen* wurde neben dem im vorliegenden Heft von M.Sc. Marie Dorow vorgestellten MoodGym [8] das Angebot Deprexis [9] entwickelt, das ebenfalls von unterschiedlichen Forschern untersucht und für wirksam erklärt wurde. Nebst Depression bietet das Angebot net-step [10] des St. Alexius-/St. Josef-Krankenhauses auch Programme für die *soziale Angst* und die *Panikstörung*. Der Evidenznachweise steht zurzeit noch aus, da sich die Studie derzeit in der Auswertung befindet. Versicherte der Technikerkrankenkasse haben die Möglichkeit, an deren Online-Therapie TK-Depressions-Coach [11] teilzunehmen. Für *Zwänge* bot das Universitätsklinikum Freiburg in Zusammenarbeit mit dem Universitätsklinikum Hamburg-Eppendorf kürzlich ein Online-Behandlungsprogramm an [12]. Leider ist derzeit keine Anmeldung mehr möglich. Hingegen können zurzeit *Kinder* im Alter von 7–17 Jahren an einem Online-Behandlungsprogramm für Zwänge am Universitätsklinikum Tübingen teilnehmen [13]. Für *Schmerzpatienten* gibt es neben den von Dr. Kathrin Bernardy im Heft vorgestellten Apps noch die Behandlung GET.ON [14], die in Kooperation der Uni Freiburg, des Universitätsklinikums Freiburg und der Universität Erlangen-Nürnberg entwickelt wurde. Auf der Seite online-therapy.ch [15] finden sich immer wieder *unterschiedliche Behandlungsangebote*, die im Rahmen von Untersuchungen der Universität Bern angeboten werden. Zurzeit werden Teilnehmer gesucht, die an einem der folgenden Online-Selbsthilfeprogramm teilnehmen möchten:

▶ **Tab. 1** Übersicht der zitierten Webseiten.

Referenz	Kurzbeschreibung	Webadresse
Veranstaltungen		
[1]	DGPPN-Veranstaltungen zu E-Mental-Health	dgppn.de/schwerpunkte/e-mental-health.html
[2]	Veranstaltungen zu E-Health	e-health-com.de/service/veranstaltungskalender
Qualitätsnachweise und Gütesiegel		
[3]	BDP, Gütesiegel für psychologische Gesundheits-angebote im Internet	bdp-verband.de/bdp/presse/2017/03_guetesiegel.html
[4]	FSP, Qualitätsstandards für Online-Interventionen	psychologie.ch/politik-recht/berufspolitische-projekte/onlineinterventionen/fachpersonen-psychotherapie
[5]	Ethikaspekte von Online-Therapien (engl.)	ijme.in/articles/internet-mediated-psychotherapy-are-we-ready-for-the-ethical-challenges/?galley=html
[6]	BDP, Register Online-Therapeuten	bdp-verband.de/service/onlineberater.html
[7]	zertifizierte Plattform psy-help-online	psy-help-online.ch/index-de.php?frameset=1
Internetbasierte Behandlungsprogramme		
[8]	Depression	moodgym.de
[9]	Depression	deprexis24.de deprexis.ch
[10]	Depression, soziale Angst und Panikstörung	net-step.de
[11]	Depression (Versicherte der Techniker Kranken-kasse)	tk.de/techniker/service/gesundheit-und-medizin/behandlungen-und-medizin/psychische-erkrankungen/tk-depressionscoach-2016410
[12]	Zwänge	uniklinik-freiburg.de/nc/presse/pressemitteilungen/detailansicht/presse/244.html
[13]	Zwänge bei Kindern	medizin.uni-tuebingen.de/Zuweiser/Kliniken/Psychiatrie+und+Psychotherapie/Kinder_+und+Jugendpsychiatrie-p-2463/Aktuelles/Therapie+bei+Zw%C3%A4ngen.html
[14]	Schmerz	geton-training.de/chronischeSchmerzen.php
[15]	unterschiedliche Studien	online-therapy.ch/sa/index2.html
[16]	Depression, Burnout und Essstörungen	minddoc.de
[17]	traumatisierte Flüchtlinge	psychsom.uniklinikum-leipzig.de/psychosom.site,postext,laufende-studien-psychotr,a_id,1616.html
[18]	Schlafstörungen	mementor.ch
[19]	Schlafstörungen	ksm-somnet.ch/de/online-schlaftherapie
[20]	ADHS-Angehörige	adhs.aok.de
[21]	Eltern von Kindern mit seltenen Krankheiten	ulmer-onlineklinik.de/course/view.php?id=688
[22]	ergänzende Angebote	tk.de/techniker/gesund-leben/life-balance/aktiv-entspannen/download-anleitung-entspannung-2006922
[23]	ergänzende Angebote	stress-im-griff.de

Sie möchten die Links aufrufen? Über den nebenstehenden QR-Code gelangen Sie zu dieser Tabelle.

Niedergeschlagenheit und Ängste, nach Schicksalsschlägen, Arbeitsstress, Psychose, Reduktion von Cannabis-Konsum, Online-Training für Paare und Prüfungsangst. Das Behandlungsangebot MindDoc [16] der Schön Kliniken bietet in Ergänzung zu Depression und Burnout auch eine Onlinetherapie für *Essstörungen*. Der Zugang zum Programm ist jedoch nur nach einer persönlichen Abklärung in einer der Kliniken möglich. Die Selbsthilfe-App HELP@ APP [17] für *traumatisierte syrische Flücht-* *linge* wird derzeit vom Universitätsklinikum Leipzig getestet. Für *Schlafstörungen* wurde das Online-Programm Mementor Somnium [18] entwickelt. Einzelne deutsche und schweizerische Krankenkassen übernehmen bzw. beteiligen sich an den Kosten für die Behandlung. Für das Programm konnte in einer ersten Studie eine Wirksamkeit mit einer großen Effektstärke nachgewiesen werden. Ein weiteres Angebot für Schlafstörungen besteht mit KSM SOMNET [19], das in Zusammenarbeit mit der Universität Amsterdam und Interapy entwickelt wurde. Die Seite ist auch von der FSP zertifiziert.

[20], [21] Für Angehörige Angebote für Angehörige scheint es zurzeit nur wenige zu geben. Einzig für Versicherte der AOK konnten wir den ADHS-Elterntrainer [20] finden, der in Zusammenarbeit mit Forschern der Universitätsklinik Köln angeboten wird. Das im Artikel von Dr. Dunja Tutus beschriebene Programm für Kinder mit seltenen Erkrankungen WEP CARE [21] nimmt zurzeit keine Teilnehmer auf, es wird aber Möglichkeit zur Neuanmeldung ab Herbst 2018 in Aussicht gestellt.

[22], [23] Ergänzende Angebote Die Techniker Krankenkasse bietet frei zugänglich unterschiedliche Online-Tools für Entspannung an [22]. Hierbei gibt es Downloads für Atementspannung, Progressive Muskelentspannung und Body Scan. Für Versicherte der AOK existiert es ein 4-wöchiges Programm bei Stress [23].

Autorinnen/Autoren

Christine Wolfer
2011–2016 Studium der Psychologie an den Universitäten Zürich und Bern, seit 2016 in Ausbildung zur Psychotherapeutin (VT) an der Universität Zürich und Doktorandin am Lehrstuhl für Allgemeine Interventionspsychologie und Psychotherapie an der Universität Zürich.

Korrespondenzadresse

Christine Wolfer, MSc.
Universität Zürich
Lehrstuhl Allgemeine Interventionspsychologie und Psychotherapie
Binzmühlestr. 14/04
CH-8050 Zürich
christine.wolfer@psychologie.uzh.ch

Bibliografie

DOI https://doi.org/10.1055/a-0592-0530
PiD - Psychotherapie im Dialog 2018; 19: 97–99
© Georg Thieme Verlag KG Stuttgart · New York
ISSN 1438-7026

E-Mental-Health – Bücher zum Thema

Maximilian Broda

E-Mental-Health: Neue Medien in der psychosozialen Versorgung

Stephanie Bauer, Hans Kordy, Hrsg.
Springer 2008
ISBN-13: 978–3540757351
349 Seiten, 19,99 €

Internetbasierte Interventionen bei psychischen Störungen

Thomas Berger
Hogrefe 2015
ISBN-13: 978–3801726294
82 Seiten, 19,95 €

Einführung Onlineberatung und -therapie – Grundlagen, Interventionen und Effekte der Internetnutzung

Christiane Eichenberg, Stefan Kühne
UTB Reinhardt 2014
ISBN-13: 978–3825241315
238 Seiten, 32,99 €

Hier handelt es sich um ein sehr ausführliches und umfangreiches Werk. Inhaltlich legen die HerausgeberInnen ihren Fokus zunächst auf rechtliche Rahmenbedingungen, Datensicherheit und Grundlagen elektronischer Kommunikation, bevor sie vielfältige Anwendungsbeispiele für verschiedene Stadien der Versorgung (Prävention, Therapie, Nachsorge) darstellen und die Sichtweise von Therapierenden und Teilnehmenden schildern. Im letzten Kapitel geben die HerausgeberInnen einen „Ausblick" auf zukünftige Entwicklungen und Forschungsperspektiven. Aus heutiger Sicht wirkt das Publikationsjahr fast schon vorsteinzeitlich – und trotzdem werden auch hier Entwicklungen, wie der Einsatz von Virtual Reality diskutiert, die auch heute noch Aktualität besitzen. Es kann nicht darüber hinweggesehen werden, dass bestimmte technische Entwicklungen (z. B. Apps oder künstliche Intelligenz) keine Erwähnung finden, während andere (ICQ, MSN) längst überholt sind. Dennoch kann das Buch all denjenigen empfohlen werden, die einen tieferen Einblick in den Bereich der Online-Versorgung erhalten möchten.

Das Buch startet mit einer kurzen Einführung und einem Überblick über verschiedene internetbasierte Interventionen, auch neuere Entwicklungen (Apps, Serious Games) werden thematisiert. Anhand verschiedener Modelle diskutiert der Autor mögliche Konsequenzen einer durch die Online-Kommunikation bedingten Kanalreduktion und beschreibt Theorien der Medienwahl, bevor er sich der internetbasierten Diagnostik widmet und Fragen zur Indikation internetbasierter Behandlungen diskutiert. Das Hauptaugenmerk liegt auf der Beschreibung von Selbsthilfeprogrammen, deren Vorgehen sehr anschaulich durch Fallbeispiele skizziert werden. Des Weiteren werden internetbasierte Ansätze (Interapy, E-Mail-Therapie) vorgestellt, wobei die „Do's and Dont's" im Vordergrund stehen. Zum Schluss finden sich noch je ein Kapitel zu Wirksamkeit und Ausblick. Das Buch eignet sich für Therapierende, die sich in kurzer Zeit einen Überblick über Formen und Möglichkeiten internetbasierter Interventionen verschaffen möchten. Allerdings wäre es wünschenswert gewesen, die zu Beginn angesprochenen Möglichkeiten durch Smartphones beispielhaft zu zeigen.

Das Grundlagenwerk ist in 4 große Abschnitte gegliedert: Nach einer Standortbestimmung, in der auch die historische Entwicklung, sowie Möglichkeiten der Nutzung und deren Rahmenbedingungen thematisiert werden, fokussiert das 2. Kapitel auf spezifische Interventionen. Im 3. Abschnitt geht es v. a. um Gefahren und negative Auswirkungen von Internetkonsum. Zum Abschluss werden Fragestellungen zur Zukunft untersucht. Eichenberg und Kühne liefern mit ihrem Buch ein sehr solides Grundlagenwerk, das sich sowohl an interessierte fachfremde Personen als auch an Studierende oder bereits Berufstätige richtet. Das Buch ist nachvollziehbar strukturiert und leicht verständlich. Besonders positiv hervorzuheben ist der Abschnitt der Online-Therapie, der Interventionsprogramme in Form von Computerspielen oder Virtual Reality thematisiert, denn zu oft beschränken sich die dargestellten Möglichkeiten der Nutzung auf E-Mail, Foren, Chats oder gar SMS. Nach Begriffen wie „Bots" oder „künstliche Intelligenz" sucht man meist leider vergebens, woran die rasante Entwicklung digitaler Möglichkeiten erkennbar wird.

Online-Interventionen in Therapie und Beratung – Ein Praxisleitfaden

Agnes Justen-Horsten, Helmut Paschen
Beltz 2016
ISBN-13: 978–3621281645
188 Seiten, 36,95 €

Die AutorInnen liefern mit ihrem Buch einen Praxisleitfaden für die Anwendung von Online-Interventionen im Bereich der Therapie bzw. Beratung. Angefangen mit einem allgemein gehaltenen Teil, in dem beschrieben wird, wie das Internet das Kommunikationsverhalten beeinflusst, zeigen die AutorInnen im 2. Teil Möglichkeiten der Online-Beratung/-Therapie auf und thematisieren anschließend das Konzept des Blended Treatment. Das Hauptaugenmerk gilt allerdings dem Prozess der Online-Beratung, der detailliert und mit vielen Tipps für die praktische Ausübung vorgestellt wird. Zum Schluss stellen Justen-Horsten und Paschen ein von ihnen entwickeltes Portal für Online-Beratung vor und diskutieren zukünftige Entwicklungen. Das Buch eignet sich für all jene, die mit dem mehr oder weniger konkreten Gedanken spielen, Online-Komponenten in ihren Berufsalltag aufzunehmen. Es liefert viele hilfreiche und konkrete Ratschläge sowie Handlungsanweisungen im Umgang mit dem Medium Internet und hebt den positiven Nutzen digitaler Beratung bzw. Therapie hervor. Dennoch weisen die AutorInnen auch auf Schwierigkeiten und Herausforderungen in diesem Zusammenhang hin und arbeiten Unterschiede zum Face-to-Face-Setting heraus.

Online-Therapie und -Beratung – Ein Praxisleitfaden zur onlinebasierten Behandlung psychischer Störungen

Christine Knaevelsrud, Birgit Wagner, Maria Böttche
Hogrefe 2016
ISBN-13: 978–3801725624
88 Seiten, 29,95 €

Hier handelt es sich um einen Praxisleitfaden in der Online-Behandlung psychischer Störungen. Zu Beginn liefern die Autorinnen in einer kurzen Einleitung einen Überblick über die aktuelle Studienlage, wie auch zur Wirksamkeit von Online-Interventionen und beschreiben Unterschiede zum Face-to-Face-Setting, die anschließend in der Gestaltung der therapeutischen Beziehung und Diagnostik erneut thematisiert werden. Anschließend folgen transdiagnostische Methoden (Exposition, kognitive Restrukturierung) und wie diese bei verschiedenen Störungsbildern internetbasiert durchgeführt werden können. Das darauffolgende Kapitel widmet sich störungsspezifischen Therapiemodulen (Depression, Essstörungen), indem es beispielhafte Abläufe einer schreibgestützten Online-Behandlung skizziert, bevor das biografische Schreiben in den Vordergrund rückt. Den Schluss bildet ein Kapitel zur Online-Beratung. Das Werk ist gut strukturiert und veranschaulicht die Implementierung verschiedener Verfahren durch die vielen Beispielkästen und Schreibanleitungen sehr gut, wodurch interessierten TherapeutInnen ein Einblick in den Ablauf einer Online-Therapie gewährt wird. Ein weiterer Pluspunkt ist die Thematisierung des Umgangs mit schwierigen Situationen.

Autorinnen/Autoren

Maximilian Broda
B.Sc.; 2014–2017 Studium der Psychologie (B.Sc.) an der Justus-Liebig-Universität Gießen, seit 2016 Studium Social Sciences (B.A.) sowie seit 2017 Studium der Psychologie (M.Sc.) und Aufnahme in das Vorpromotionsprogramm der Abteilung für Allgemeine Psychologie in Gießen.

Korrespondenzadresse

B.Sc. Maximilian Broda
Justus-Liebig-Universität Gießen
Fachbereich 06
Psychologie und Sportwissenschaft
Abteilung Allgemeine Psychologie I
Otto-Behaghel-Str. 10F
35394 Gießen
Maximilian.Broda@psychol.uni-giessen.de

Bibliografie

DOI https://doi.org/10.1055/a-0592-0631
PiD - Psychotherapie im Dialog 2018; 19: 100–101
© Georg Thieme Verlag KG Stuttgart · New York
ISSN 1438–7026

Thieme

Neue Medien in der Psychotherapie

Interview mit Lic. phil. Martin Rufer

Herr Rufer, Sie sind pensionierter – aber immer noch aktiver – systemisch orientierter Psychotherapeut, Supervisor und ehemals auch Mitverantwortlicher einer Psychotherapie-Weiterbildung. Hat sich die Praxis der Psychotherapie seit der Einführung des Internets und der Nutzung von E-Mails, Handys, Videoanrufen und SMS geändert?

Ich bin mir nicht sicher, ob der Gebrauch von Internet und neuen Medien die Praxis der Psychotherapie nachweislich verändert hat. Trotz zahlreicher Publikationen und Ratgebern zu diesem Thema sind mir keine Forschungsresultate bekannt, die belegen könnten, dass Veränderungen in der Medienlandschaft Einfluss auf die Qualität oder Effekte von Psychotherapie hätten. Schon zu früheren Zeiten – und dem jeweiligen Zeitgeist folgend – stellten sich Fragen, die im Sinne eines Wertewandels direkt oder indirekt in die Praxis von PsychotherapeutInnen hineingreifen:

Welchen Einfluss hatten/haben z. B. Alkohol, (illegale) Drogen, Spielsucht, neue Formen von Paarbeziehungen, Moden usw. auf Hilfesuchende oder Mitbetroffene? Was wäre anders beim Gebrauch oder Missbrauch neuer Medien?

Inwiefern sind neue Medien schlicht Ausdruck einer allgemeinen gesellschaftlich-kulturellen Entwicklung und entsprechender Adaptionsmechanismen oder eben z. B. für Heranwachsende eine ernstzunehmende Gefährdung ihrer psychosozialen Entwicklung?

Wo sehen Sie die 3 zentralsten Punkte eines solchen Wertewandels?

Aus meiner Praxiserfahrung heraus weiß ich:

1. Therapien und Therapieverläufe werden insofern beeinflusst, als der Gebrauch neuer Medien ein neuer und wesentlicher Teil der Paar- und Familiendynamik darstellt.

2. Die Möglichkeit der „schnellen" Kommunikation zu jeder Tages- und Nachtzeit (SMS, WhatsApp usw.) kann zum Guten wie zum Schlechten – von TherapeutInnen und KlientInnen gleichermaßen – genutzt werden.

3. Längerfristig wird der zum Alltag gewordene Gebrauch dieser Medien auch die Psychotherapielandschaft im weiteren Sinne (z. B. Therapiemonitoring, Qualitätskontrolle usw.) beeinflussen.

Welche Medien nutzen Sie in Ihren Therapien?

Ich möchte vorausschicken, dass alles, was Teil der verbalen und nonverbalen Kommunikation ist, selbstverständlich auch in den Praxisalltag und damit in die Therapie mit einfließt. Immer sind meine Interventionen ein gezieltes oder indirektes Mitsteuern von Prozessen, deren Wirkung ich aber nur bedingt beeinflussen kann – egal ob ein (künftiger) Klient mir und meiner Stimme zum ersten Mal auf dem Anrufbeantworter begegnet, ob er oder sie mir sein Problem/Anliegen per E-Mail schildert und wie ich dieses quittiere, indem ich z. B. einen vergesslichen Jugendlichen einige Stunden vor der Sitzung noch an den Termin erinnere. Selbst, wenn ich den Gebrauch dieser Medien aus meinem Praxisalltag auszuklammern oder mit entsprechenden Regeln einzuschränken versuche, laufen neben oder hinter mir selbstorganisiert Prozesse, die sich zum Guten wie zum Schlechten auch auf die Gestaltung der Therapie auswirken, insbesondere auch auf das Arbeitsbündnis und die therapeutische Beziehung. Da ich als „alter" Kinder- und Jugendpsychologe sowie Psychotherapeut in der Telefon- und Briefkultur groß geworden bin, beschränke ich mich auch heute im direkten Kontakt oder in Interventionen nach oder vor der Therapie auf Telefon, Mails (anstelle des Briefes) und SMS. Diese lassen sich gezielt und supportiv als Teil der heutigen Kultur nutzen. Keine persönliche Erfahrung mit Therapien habe ich mit „Übersee-The-

rapien" via Skype oder mit E-mental-Health-Angeboten.

Ich arbeite in meiner Praxis stets und ausgewählt mit audiovisuellen Mitteln. Meine KlientInnen informiere ich darüber schon im Vorfeld, d. h. gleichzeitig mit der schriftlichen Bestätigung des Termins für das Erstgespräch. Bei Beginn der ersten Sitzung und noch bevor ich eine Videokamera laufen lasse, nehme ich Bezug auf dieses Schreiben und hole mir bei allen Anwesenden das Einverständnis (mündlich oder schriftlich) für die Aufnahme. In all den Jahren habe ich damit keine Probleme gehabt. Verändert haben sich lediglich die unterschiedlichen Speichermedien (von VHS über DVD zu Sticks bis zur direkten Festplattenaufzeichnung). Zum Erstaunen Vieler sind die meisten KlientInnen dafür offen und betrachten diese „Technik" auch im Hinblick auf Transparenz und Qualitätssicherung als hilfreich. Ganz losgelöst davon, dass es als Grundlage von Inter- und Supervision therapeutische Prozesse realitätsnäher abbildet als bloße Narrative. Selbstverständlich werden nach Abschluss der Therapie die Aufnahmen gelöscht oder unter Einhaltung geltender Datenschutzregelungen und entsprechendem Einverständnis nur selektiv für die Weiterbildungstätigkeit weiterverwendet.

Bisher kaum genutzt, aber durchaus interessiert bin ich an der Entwicklung von „Praxis-Forschungs-Modellen" („second opinion") wie z. B. das von Schiepek und seinem Team (Salzburg) entwickelte, internetbasierte Monitoring (SNS) zur Abbildung und gemeinsamen Reflexion von Therapieverläufen mittels Zeitreihenanalysen.

Welche Vor- und Nachteile sehen Sie bei der Terminvereinbarung mittels neuer Medien mit PatientInnen? Auf was ist im Mehrpersonensetting zu achten?

Nach wie vor erfolgt der größte Teil der Anmeldungen/Terminvereinbarungen per Telefon oder per E-Mail. Bei aller berechtigten Kritik an zunehmenden und immer schnelleren Informationswegen, überwiegen m. E. die Vorteile: Das Schreiben einer Mail ist für Hilfesuchende (als direkt Betroffene oder Angehörige) eine erste persönliche Möglichkeit, ihr Anliegen zu formulieren, ohne einen „langen Brief" zu schreiben oder auf einem digitalen Beantworter zu landen. Für mich als „Systemiker" gehört die implizite und explizite Frage: „Wer will was und wie mach ich das?" zu den Basisvariablen therapeutischer Kompetenz. Mit andern Worten: Es gilt beim Gebrauch neuer Medien eine ganz besondere Sorgfaltspflicht, wem, was, wie und zu welchem Zeitpunkt mitgeteilt wird. Wie schon bisher muss bei Beginn einer Therapie abgesprochen werden, in wessen Diensten der Therapeut steht und arbeitet. In einem Mehrpersonensetting, dann wenn Partner oder Familienangehörige aktiv einbezogen werden, müssen Bedingungen geschaffen werden, die deutlich machen, dass ich mich als TherapeutIn nicht als Parteianwalt, sondern als Anwalt einer günstigen Entwicklung verstehen möchte. Für mich hieß dies immer und heißt es auch heute: Transparenz bzgl. vertraulichen Informationen via Mail, SMS, Telefon usw. Die Verantwortung dafür liegt beim entsprechenden „Absender", da die Gefahr besteht, dass man ansonsten auf eine Seite gezogen wird. Damit verbundene Triangulationen entstehen, TherapeutInnen werden Teil des Problemsystems und verlieren so ihre „überparteiliche" Rolle.

Wie benutzen Sie Ihr Praxishandy für Krisensituationen von PatientInnen. Gibt es Tage, wo Sie nicht erreichbar sind? Haben Sie konkrete Regeln?

Ich benutze kein Praxishandy, sondern bin nur über die Festnetznummer unter Angabe meiner Präsenzzeiten in meiner Praxis erreichbar. Dementsprechend telefoniere ich, wenn immer möglich, nur über diese. Die Anrufe lassen sich auch auf das private Handy umleiten, und trotzdem ist für die Patienten nur die reguläre Festnetznummer sichtbar. Es gehört zu meiner Praxiskultur, dass ich alle Anrufe auf dem Beantworter und Anfragen per Mail möglichst rasch beantworte. Meine privaten Nummern gebe ich nur im absoluten Notfall bekannt (gilt auch für Menschen mit einem emotional instabilen Persönlichkeitsmuster). Dementsprechend habe ich bisher auch keinen Missbrauch erlebt.

Sind neue Medien Thema in Paartherapien? Welche Schwierigkeiten, aber auch Chancen ergeben sich in Konfliktsituationen?

Wie schon erwähnt, sind neue Medien natürlich auch ein Thema im Lebensalltag von Paaren und Familien. Während früher z. B. Affären noch eher im Verborgenen liefen oder in mühsamer Detektiv-Arbeit nachverfolgt wurden, kommen solche heute z. B. durch herumliegende Handys eher ans Licht. Meist entwickelt sich daraus eine, anfänglich vielleicht auch verheimlichte Paar- oder Familiendynamik. Nicht zuletzt ist es Teil des therapeutischen Handwerks, dass damit verbundene Themen wie Umgang mit Privatheit, Vertrauen bzw. Vertrauensbruch zum richtigen Zeitpunkt im Rahmen des geschützten Therapiesettings angesprochen und bearbeitet werden. Wichtig ist auch hier, dass ich mich in diesen, oft auch turbulent verlaufenden Prozessen nicht zum „Parteianwalt" machen lasse.

Wie beraten Sie Eltern von Adoleszenten betreffend Medienkonsum? Eine Frage von wie oft und ab wann?

Diese Frage ist genauso schwierig und problematisch zu beantworten, wie als Therapeut Hilfesuchende in der Rolle eines Experten darüber zu beraten, wann und wie oft Kiffen oder welche Länge eines Minirocks erlaubt sein sollte. Darüber wird sowohl in der Öffentlichkeit als auch unter Fachleuten kontrovers diskutiert. Therapeuten sollten ihre Rolle nicht als Referenzsystem für „Inhaltliches", sondern als Experten für die Steuerung und Gestaltung von Prozessen verstehen – geleitet von der Frage welche Bedeutung diesen „Reizthemen" für die Betroffenen bzw. Mitbetroffenen zukommt.

Darüber hinaus gilt es als Fachmann dann Stellung zu beziehen, wenn von einer offensichtlichen Gefährdung auszugehen ist. Oft hilft hier auch eine Rollenteilung, indem man Eltern oder den Partner zu einer entsprechenden Suchtfachstelle schickt, die soweit möglich ohne Schuldinduktion Klartext sprechen kann – so bleiben mir als „überparteilicher" Therapeut die Hände frei. Gerade Jugendliche sehen sich auf der „Anklagebank", wenn sie zur Therapie „geschleppt" oder von Amtsstellen einbestellt werden. Die Kompetenz als TherapeutIn besteht darin, die richtige Balance zwischen Vermeiden, Schonen und Konfrontieren oder (strategischer) Parteinahme zu

finden, sodass der oder die „Angeklagte" mit ins Boot geholt werden kann.

Wie reagieren Sie, wenn KursteilnehmerInnen oder SupervisandInnen ihr Handy benutzen?

Nun, vor 20 Jahren war ein klingelndes Handy in der Therapie-, oder Supervisionsstunde sozusagen ein No-Go. Heute passiert dies nicht nur in Konzerten und Kirchen, was noch viel peinlicher ist, sondern eben auch im Therapieraum. In der Regel wird das Handy sofort abgestellt oder es wird zu Beginn der Supervisionsstunde offengelegt, dass es eventuell klingeln wird. Zudem kommen heute SupervisandInnen ausgerüstet mit Stick, PC, DVD oder externer Festplatte in die Supervision und in Kurse und Seminare. Der Umgang mit diesen Medien war und ist in unserem Weiterbildungs- und Supervisionskontext eine unproblematische Selbstverständlichkeit, solange diese nicht störend oder ablenkend benutzt werden.

Die Fragen stellte Christoph Flückiger.

Zur interviewten Person

Lic. phil. Martin Rufer
Martin Rufer ist Fachpsychologe für Psychotherapie und Kinder- und Jugendpsychologie. Seit 1990 arbeitet er als selbstständiger Psychologe und Psychotherapeut (Psychotherapie, Supervision, Weiterbildung) sowie als Dozent in systemischer Therapie im In- und Ausland. Er ist Mitglied mehrerer Berufsverbände (VBP, FSP, SYSTEMIS.CH) sowie psychotherapeutischer Fachkommissionen und Autor diverser Publikationen zur systemischen Therapie (u. a. Rufer M. Erfasse komplex, handle einfach. Systemische Psychotherapie als Praxis der Selbstorganisation. Ein Lernbuch. Göttingen: Vandenhoeck & Ruprecht; 2013).

Bibliografie

DOI https://doi.org/10.1055/a-0592-0197
PiD - Psychotherapie im Dialog 2018; 19: 102–103
© Georg Thieme Verlag KG Stuttgart · New York
ISSN 1438-7026

E-Mental Health

Ein Thema, das es auszusitzen gilt, bis sich die Wogen geglättet haben?

Bei den Vorbereitungen zu diesem Heft hatten wir im Herausgeberteam eine Debatte darüber, inwieweit PiD auf das aktuell äußerst stark bewirtschaftete Thema E-Mental-Health aufspringen sollte. Gibt es genügend neue Entwicklungen in diesem Bereich, die es überhaupt zu berichten gäbe? Würden hier falsche Zeichen gesetzt? Ist E-Mental-Health eine Konkurrenz für direkten PatientInnen-Kontakt? Würden wir die Gräben eher öffnen als sie zu schließen?

Wir fanden: Eine aktive Auseinandersetzung mit dem Thema aus der Praxis für die Praxis lohnt sich allemal! Wir gestanden uns jedoch auch ein, dass im Nachhinein die Frage erlaubt sein muss, inwieweit das Themenheft scheiterte. Mit großer Freude und Genugtuung danken wir den Autorinnen und Autoren: Dieses Themenheft ist allenfalls äußerst erfolgreich gescheitert! ;-)

Kritische Auseinandersetzung lohnt sich ...

Die Beiträge bieten einen äußerst informativen Überblick und eine selbstkritische Auseinandersetzung mit dem Thema. Die Digitalisierung hat ganz selbstverständlich auch Eingang in die Psychotherapie gefunden. Wir haben ein breites Spektrum aus Übersichten, Praxis- und Forschungsbeiträgen und Beiträgen über den Tellerrand zusammengestellt. Thomas Berger und Tobias Krieger aus Bern geben einen Überblick über Internettherapien. Markus Wolf, Markus Moessner und Stephanie Bauer schreiben über die Chancen moderner Medien in der Nachsorge und stellen verschiedene onlineunterstützte Nachsorge-Angebote vor. Harald Baumeister und KoautorInnen beschreiben in „Blended therapy" Möglichkeiten einer Verknüpfung von online Interventionen und Face-to-face-Psychotherapie. Aus der Praxis stellen Mira Assmann, Michael Siniatchkin und ihre Arbeitsgruppe eine Online-Klinik im Kontext einer kinder- und jugendtherapeutisch orientierten Institution für medizinische Psychologie in Kiel vor. Auf Schwierigkeiten mit der Schweigepflicht, dem Datenschutz und der Diskretion in der webbasierten Psychotherapie verweist Jürgen Thorwart. Eva-Maria Rathner und Thomas Probst bieten eine breite Zusammenstellung von Mental-Health-Apps, die für Psychoedukation oder verschiedene Formen von Gesundheitsmanagement in bestehenden Therapien genutzt werden können. Judith Held und Andreea Vîslă beschreiben Diagnostik mittels EMA. Der Beitrag von Eva Heim und Sebastian Burchert stellt Online-Angebote für Geflüchtete vor. Kathrin Bernardy und KoautorInnen bieten einen Einblick in ein E-Mental-Health-Programm für SchmerzpatientInnen. Dunja Tutus, Paul Plener und Mandy Niemitz aus Ulm stellen mit WEP-CARE ein Web-basiertes präventives Elternprogramm zur Krankheitsbewältigung für Eltern von Kindern mit seltenen chronischen Erkrankungen vor. Marie Dorow und KoautorInnen geben einen Einblick in den Einsatz eines Selbstmanagement-Tools im stationär-psychiatrischen Setting. Stephan Zipfel und KoautorInnen zeigen auf, wie digitale Applikationen bei Essstörungen und Psychoonkologie konkret eingesetzt werden können. Über den Tellerrand schaut Thomas Tribelhorn und berichtet vom Einsatz neuer Medien in der Tertiärbildung. Silvia Süess schreibt über Fake News in sozialen Medien. Ein Interview mit Martin Rufer komplettiert das Heft mit weiteren Denkanstößen, wie sich die Psychotherapie möglicherweise gar nicht so stark verändert: Er berichtet von seinen praktischen Erfahrungen bei der Nutzung neuer Medien in der Psychotherapie.

... ebenso wie sich Fragen für die Zukunft lohnen

Was macht allenfalls das erfolgreiche Scheitern aus? Erfolgreich, weil uns das Themenheft zu vielen weiterführenden Fragen anregt, die uns zukünftig wohl intensiv beschäftigen werden. Scheitern, weil sich das Themenheft nicht nur den gegenwärtigen Fragen stellt, sondern eben auch Fragen für die Zukunft erlaubt:

- Können angereicherte Stepped-Care-Ansätze die Versorgung verbessern oder führen die Online-Angebote „nur" dazu, dass die PatientInnen länger warten müssen, bis sie das Angebot erhalten, dass sie wünschen?
- Wird mit dem Einsatz neu entwickelter Angebote die therapeutische Erreichbarkeit erhöht? Oder wird der Markt mit wenig differenzierten und ungeprüften Angeboten überschwemmt und verwässert?
- Wie wird mit den Unmengen an gesammelten Daten umgegangen? Wem gehören diese Daten? Löschen Sie heute die E-Mails Ihrer PatientInnen, und wenn ja, wann genau? Inwieweit löschen Sie die Telefonnummern Ihrer PatientInnen aus dem PatientInnen-Handy, das Sie überall mitnehmen?
- Wo werden die Grenzen der Beratungsangebote im freiem Markt gezogen? Wie soll mit subklinischen Angeboten umgegangen werden?
- Wer bezahlt die Internet-Therapien? Und an welche Professionen sind die klinischen Angebote gekoppelt?
- Inwieweit sind Online-Angebote, mit Medikamenten vergleichbar, Copyright-geschützte industrielle Produkte und inwieweit fließt der Open-Access-Gedanke in die staatlich entwickelten Angebote mit ein?

Lohnen sich solche Fragen? Wir finden: ja! Lassen Sie uns die neuen und zukünftigen Entwicklungen im Bereich E-Mental-Health mit Erstaunen, mit Neugier, mit Offenheit – aber auch mit einer Portion Kritik und Vorsicht betrachten und aktiv mitgestalten!

Silke Wiegand-Grefe
Christoph Flückiger

Fallbericht: Spritzenphobie

„Ich will keine Angst haben müssen, wenn ich zum Arzt gehe"

Eine 75-jährige Patientin leidet bereits seit ihrer Jugend unter einer Blut-Injektions-Verletzungs-Phobie. Aufgrund einer wachsenden Anzahl von Arztterminen kann sie ihre Ängste jedoch nicht mehr vermeiden. Zum ersten Mal im Leben kämpft sie gegen ihre schlimmsten Befürchtungen.

Anlass der Therapie

Angaben zur Person Die 75-jährige pensionierte Justiziarin stellte sich aus eigener Initiative in der Angstambulanz vor. Sie ist geschieden, Mutter und Witwe.

Symptomatik Die Patientin berichtet über eine stark ausgeprägte Angst vor Spritzen, mit der zentralen Befürchtung, die Kontrolle zu verlieren und in Ohnmacht zu fallen. Tatsächlich in Ohnmacht gefallen sei sie bisher einmal, im Alter von 25 Jahren. Die am stärksten mit Angst besetzte Situation sei für die Patientin das Legen eines venösen Zugangs. Ihre Angst vor Spritzen sei so groß, dass sie bei Konfrontation „keine Kraft mehr habe, um rational denken zu können". Dabei stünden extreme Anspannung, Herzrasen, Mundtrockenheit und ein Unwirklichkeitserleben im Vordergrund. Zudem bekomme sie einen Fluchtimpuls, sodass sie „lieber aus dem Fenster springen" würde als sich einen Zugang legen zu lassen. Die Patientin sei nie aufgrund ihrer Phobie in therapeutischer Behandlung gewesen, jedoch sehr motiviert, jetzt Hilfe zu suchen.

Lebensgeschichtliche Entwicklung

Kindheit Die Patientin sei als „Kriegskind" 1942 in Potsdam geboren. Als Säugling sei sie nach einem Bombenangriff im Keller verschüttet worden. Die frühkindliche motorische und kognitive Entwicklung sei unauffällig gewesen. 1948 sei ihr Vater an Lungentuberkulose verstorben. Ihre Mut-

ter habe zu dieser Zeit unter Wirbelsäulentuberkulose gelitten und sei ins Krankenhaus eingewiesen worden. Daher habe die Patientin in ihrer Kindheit immer wieder, bis zu mehrere Jahre, in einem katholischen Waisenhaus gelebt. Dort habe sie schreckliche Bestrafungen erfahren (u. a. Waterboarding, Haare ausreißen). In ihrem 12. Lebensjahr sei sie wieder zu ihrer Mutter gezogen, wo auch ihr Stiefvater gewohnt habe. Die Atmosphäre im Elternhaus sei oft angespannt gewesen. Aufgrund großer Armut in der DDR und einer sehr strengen Erziehung habe die Patientin eine „schwere Kindheit" gehabt.

Mutter Ihre Mutter (+24, Verwaltungsangestellte, 1980 an Bauchspeichelkrebs verstorben) beschreibt die Patientin als „hart und lieblos". Sie habe ihr immer das Gefühl gegeben, nicht gewollt zu sein („Soldatenurlaubszwischenfall"). Typische Sätze, an die sie sich erinnern könne, seien gewesen; „Wehe, du kommst mit einem Kind an" und „Du bist ja noch immer nicht verheiratet". Der Kontakt zu ihrer Mutter sei nie gut gewesen, jahrelang hätten sie gar keinen Kontakt gehabt.

Vater und Stiefvater Ihr Vater (+26, Soldat) sei 1949 an Lungentuberkulose verstorben. Ihren Stiefvater (+25, Soldat, 1978 verstorben) beschreibt die Patientin als „sehr streng". Sie hätten eine „sehr schlechte Beziehung" gehabt. Er habe der Patientin vorgeworfen, sich nicht ausreichend an der Hausarbeit zu beteiligen. Ein typischer Satz, den er zu ihrer Mutter gesagt habe, sei gewesen: „Deine Tochter will wohl etwas Besseres sein".

Beginn der Symptomatik Die Ängste der Patientin bestünden seit dem 15. Lebensjahr und hätten seither einen Ohnmachtsanfall ausgelöst. Damals sei sie 25 Jahre alt gewesen und habe die Schilderungen einer Operation mitgehört. Danach sei es zu keinem weiteren Ohnmachtsanfall gekommen, jedoch habe sich bei der Patien-

tin eine starke Angst manifestiert, sie könne wieder in Ohnmacht fallen. Seitdem habe die Patientin Arzttermine, bei denen sie evtl. eine Spritze hätte bekommen müssen bzw. ihr ein Zugang hätte gelegt werden müssen, möglichst vermieden. 1988 sei ihr aufgrund von Krebsverdacht die Gebärmutter entfernt worden. 2017 sei sie aufgrund einer Prellung an der Wirbelsäure operiert worden. Im Rahmen dieser Behandlungen sei die Patientin sehr durch die Phobie belastet gewesen und habe die Operationen nur mit extremen Schwierigkeiten überstanden. Zudem vermeide sie Filme, in denen Spritzen gezeigt würden, und weigere sich komplett, über Themen zu reden, die mit Blut und Spritzen zu tun hätten.

Ausbildung und berufliche Tätigkeiten Nach dem Abitur habe sie eine Ausbildung zur Handelskauffrau absolviert und im Anschluss studiert. Bis zu ihrem 65. Lebensjahr habe die Patientin als Justiziarin gearbeitet. Der Kontakt zu ihren Arbeitskolleginnen sei immer gut gewesen.

Ehe und Familie 1967–1990 sei sie mit ihrem 1. Mann verheiratet gewesen und habe mit ihm 1973 eine Tochter bekommen. 1994 habe sie ihren 2. Ehemann geheiratet, er sei „die Liebe ihres Lebens" gewesen. Diese Phase sei „ihre interessanteste Lebenszeit" gewesen. Ihr Mann sei 2014 an Krebs gestorben. Das Verhältnis zu ihrem Ex-Mann und ihrer Tochter sei heute noch sehr gut. Aktuell wohne sie alleine in einem Eigenheim am Rand von Berlin.

Sozialleben und Freizeit Die Patientin habe ein etwa 10 Personen umfassendes soziales Netzwerk und nehme viele Freizeitaktivitäten wahr.

Autorinnen/Autoren

Ms.Sc.
Anne Wentworth-Perry
Studium der Psychologie an
der Freien Universität; seit
2017 Studentische
Hilfskrafttätigkeit am
Arbeitsbereich Psychologi-
sche Diagnostik, Differenziel-
le und Persönlichkeitspsychologie; seit
2017 Ausbildung zur Psychologischen
Psychotherapeutin am Institut für
Verhaltenstherapie Berlin; praktische
Tätigkeit in der Spezialambulanz für
Angsterkrankungen der Klinik für
Psychiatrie und Psychotherapie Charité.

Korrespondenzadresse

Anne Wentworth-Perry, M. Sc.
Spezialambulanz für Angsterkrankungen
Klinik für Psychiatrie und Psychotherapie
Charité-Universitätsmedizin Berlin
Campus Charité Mitte
Charitéplatz 1
10117 Berlin

Realer Behandlungs-verlauf

Erstgespräch Die Exploration der Symptomatik und die Erhebung der biografischen Anamnese erfolgten im Erstgespräch. Zu dieser Zeit fand auch die anschließende Diagnose-Rückmeldung statt. Hierbei zeigte die Patientin starke Offenheit sowie hohe Motivation und Entschlossenheit, endlich behandelt zu werden. Gemeinsam mit der Patientin wurde das Ziel erarbeitet, die Angst beim Gedanken an Spritzen oder venöse Zugänge zu reduzieren. Darüber hinaus galt es, maladaptive Gedanken in Frage zu stellen.

Behandlungsplan Die Behandlung beinhaltete eine Kombination aus Psychoedukation, Expositionsverfahren und kognitiver Umstrukturierung, die der Patientin ein besseres Verständnis der Blut-Injektions-Verletzungs-Phobie vermittelte. Darüber hinaus wurden Muskelspannungstechniken angewandt, um die physiologischen Prozesse während der Exposition besser kontrollieren zu können. Anhand der Therapieziele wurde folgender Behandlungsplan abgeleitet:

1. *Psychoedukation:* Vermittlung relevanter Störungsinformationen und Entstehungsmodelle von Angststörungen
2. *Verhaltensanalyse:* Identifikation von Bedingungszusammenhängen
3. *Kognitive Verarbeitung:* Vermittlung der therapeutischen Relevanz von Expositionsübungen, konkrete Planung der Exposition
4. *Expositionen:* Erlernen der Anspannungstechnik und Durchführung von Expositionen
5. *Kognitive Umstrukturierung:* Identifikation und Modifikation dysfunktionaler Gedanken und Grundannahmen
6. *Reflexion, Veränderung der Angstwahrnehmung*
7. *Rückfallprophylaxe*
8. *Wiederholung, Auswertung*

Vorbereitung der Expositionen In der 1. Sitzung wurden eine Definition von Angst und Entstehungsmodelle einer Angststörung vermittelt, außerdem eine Verhaltensanalyse erarbeitet, was der Patientin zu einem besseren Verständnis ihrer Erkrankung verhalf. Außerdem erlernte die Patientin eine Anspannungstechnik, um Ohnmachtsanfälle zu verhindern. Diese wurde in folgenden Sitzungen immer wieder geübt. In der 2. Sitzung wurde die Patientin über den Teufelskreis der Angst informiert und es wurde gemeinsam eine Angsthierarchie herausgearbeitet. Durch die Exploration ihrer Befürchtungen und ihres Vermeidungsverhaltens wurde die Patientin in der 3. Sitzung über die Aufrechterhaltung der Angst aufgeklärt. Die folgende 4. Sitzung umfasste ein Gedankenexperiment.

Expositionen In der 5., 6. und 7. Sitzung erfolgten Expositionen. Für die 1. graduierte Exposition wurde mit der Patientin eine Situation gewählt, die am wenigsten Angst auslösen würde: Sie sollte eine Spritze ansehen, in die Hand nehmen, betrachten und nicht wegschauen. Gleichzeitig sollte die Patientin innerlich auf die ersten Anzeichen der Angst achten. Diese kam umgehend und extrem. Während jeder Exposition wandte die Patientin die Anspannungstechnik an. Die 2. Exposition bestand darin, ihren Arm klinisch zu säubern. In der 3. Sitzung wiederholte die Patientin das Wort „Zugang" so oft, bis es keine Angst mehr in ihr auslöste. Die 4. Exposition hatte das Ziel,

eine Blutabnahme durchzuführen. Die Entwicklung der Patientin war so signifikant, dass ihre Angst und Erwartungsangst nach der 4. Exposition deutlich geringer auftrat.

„Abbruch" der Therapie Aufgrund eines Reha-Aufenthalts musste die Therapie nach der 7. Sitzung pausiert werden. Es wurde abgesprochen, dass die Patientin die Therapie nach der Reha weiterverfolgen solle, doch nach ihrer Rückkehr entschied sich die Patientin zunächst dagegen: Ein Therapeutenwechsel wäre notwendig gewesen, und da sie sich als soweit entlastet erlebte, wollte sie dies vermeiden und sich lieber den „schönen Dingen des Lebens" widmen.

Hypthetische Weiterführung Hätte die Patientin die Therapie fortgesetzt, so hätte man sich im nächster Schritt gezielt der kognitiven Umstrukturierung zugewendet. Typische Denkweisen unter Angst, Denkfehler und Fehlinterpretationen hätten über vertiefte Exploration und sokratischen Dialog infrage gestellt werden können. Außerdem hätten belastende Lebenssituationen anhand des Vulnerabilitäts-Stress-Modells erörtert werden können und auf dieser Grundlage die Bedeutung von Stress in Bezug auf die jetzige Lebensführung der Patientin abgeleitet werden können. In dem Zusammenhang hätte man funktionale Verhaltensweisen zur Vermeidung von Rückschritten gemeinsam mit der Patientin erarbeitet. Parallel wären weitere Expositionsübungen durchgeführt worden, v. a. auch in Form von Hausaufgaben zwischen den Sitzungen. Das Ziel wäre gewesen, dass die Patientin ihre Ängste weiter reduziert, sodass ihr letztendlich ein venöser Zugang hätte gelegt werden könnte.

Fazit Die Patientin hat bis zu ihrem 76. Lebensjahr unter einer stark ausgeprägten Blut-Injektions-Verletzungs-Phobie gelitten, ohne jemals therapeutische Hilfe gesucht zu haben. Es ist erstaunlich, dass es ihr dennoch gelungen ist, innerhalb kürzester Zeit enorme Fortschritte beim Abbau ihrer Ängste zu erzielen.

Autorinnen/Autoren

Dipl.-Psych. Lena Pyrkosch
Leitende Psychologin der Spezialambulanz für Angsterkrankungen der Charité, Berlin; Weiterbildung zur Psychologischen Psychotherapeutin bei der Deutschen Gesellschaft für Verhaltenstherapie (DGVT), Berlin; klinisch-wissenschaftliche Tätigkeit im Bereich Angsterkrankungen.

Univ.-Prof. Dr. med. Andreas Ströhle
Psychiater und Psychotherapeut (VT); Leitung einer Spezialambulanz für Angsterkrankungen zunächst in München (MPI für Psychiatrie) und dann in Berlin; klinisch-wissenschaftliche Tätigkeit im Bereich Angsterkrankungen und Sportpsychiatrie, seit 2008 Professur für affektive Erkrankungen.

Kommentare

Psychoanalytische Perspektive

„Ich will keine Angst haben müssen, wenn ich zum Arzt gehe" – aus triebtheoretisch-psychoanalytischer Perspektive eine bemerkenswerte Aussage einer 75-jährigen Frau, jenseits der geschilderten aktuellen psychischen Symptomatik (Spritzenphobie). Zunächst verweist die Aussage auf einen Über-Ich-Konflikt: Der Arzt kann als externalisierte Autoritätsinstanz betrachtet werden, im Sinne eines väterlich-männlichen Stellvertreters. Gleichzeitig erscheint ein Widerstand („Ich will keine Angst haben müssen"), und dies wird an eine Bedingung geknüpft („wenn ich zum Arzt gehe"). Die Angst beruht nicht auf ihrer aktuellen körperlichen Symptomatik, Angst machend ist der Gang zum Arzt. Diese Verschiebung der Angst vor einer Autorität kann die verdrängte Angst vor Verlust der Autonomie und die Angst vor Abhängigkeit symbolisieren, gleichzeitig jedoch auch den unbewussten Wunsch nach emotionaler und körperlicher Zuwendung.

Eine andere Deutung der psychischen Symptomatik (Spritzenphobie, Befürchtung in Ohnmacht zu fallen, vegetative Beschwerden mit Derealisation und Generalisierung) lassen eine hysterische Symptombildung erahnen. Diese Lesart erweckt jedoch selbst in mir einen Widerstand: Eine 75-jährige Frau soll eine hysterische Symptombildung aufweisen? Aber: warum nicht?

Biografisch verliert die Patientin in der ödipalen Phase ihren Vater, zeitgleich erkrankt die Mutter körperlich schwer, sodass die Patientin für viele Jahre in einem sadistischen, strengen, lustfeindlichen Umfeld untergebracht wird. Die Bindungen zu den wesentlichen Objekten sind mit massiver Verlust- und Trennungsangst verbunden. Gute Identifizierungen mit der Mutter (dem Weiblichen) und dem Vater (dem Männlichen) misslingen und bleiben zeitlebens konfliktreich.

Die Spritzenphobie kann ein Symbol für die Angst des Eindringens eines Anderen in ihren Körper sein. Speziell ist die Angst vor dem „Legen eines venösen Zugangs", also dem Einspritzen einer Flüssigkeit, welche sich unkontrolliert ausbreitet, in den Blutkreislauf, ins Innere. Die Patientin erinnert sich an 2 Sätze, die ihr ins Innere „eingespritzt" wurden: die Drohung der Mutter „Wehe Du kommst mit einem Kind an!" (Schuld und Bestrafung, d. h. der ödipale Vater darf nicht begehrt werden) und der fragende Vorwurf des Stiefvaters „Deine Tochter will wohl etwas Besseres sein?" (weibliche Rivalität, d. h. die ödipale Mutter darf nicht von ihrem Platz verwiesen werden).

Beide „eingespritzten" Sätze verweisen auf die Weiblichkeit und deren Platz im Leben der Patientin und zielen auf die Abwertung der lustbetonten Weiblichkeit. Die Spritzenphobie kann triebtheoretisch als eine unbewusste Auflehnung gegen die lustfeindliche und wenig positiv bestätigende Weiblichkeit gedeutet werden. Eine Verschlechterung der psychischen Symptomatik beginnt mit der Wirbelsäulenoperation. Hier drängt sich eine unbewusste Verbindung auf: Die Mutter litt an einer Wirbelsäulentuberkulose, weshalb die Patientin im 6. Lebensjahr ins Waisenhaus musste. Reaktualisiert wird der konfliktreiche und ungelöste Ödipuskomplex und der misslungenen Identifizierungen. Eine gelungene Trennung von der Mutter scheint nicht vollzogen. In einer psychodynamischen Behandlung wäre in der Übertragungsbeziehung die ödipale Verstrickung im Fokus und lebensgeschichtlich zu bearbeiten.

Autorinnen/Autoren

Dr. rer. nat. Dipl.-Psych. Bernd Heimerl
Studium Psychologie und Theaterwissenschaft, Psychoanalytiker (DGPT/DPG/IPA) und Gruppenanalytiker (D3G), Promotion an der Humboldt Universität Berlin im Fach Psychotherapieforschung; Dozent, Supervisor und Lehranalytiker (DGPT und DPG) am Berliner Institut für Psychotherapie und Psychoanalyse (BIPP) und am IPM Magdeburg; Lehrbeauftragter an der Medizinischen Hochschule Brandenburg, Fachbereich Klinische Psychologie/Psychoanalyse.

Systemische Sichtweise

Eine 75-Jährige begibt sich in Behandlung, um eine seit Langem bestehende Angst zu bearbeiten, welche die Lebensführung bislang nur geringfügig, in kurzen Zeitfenstern, beeinträchtigt hat. Nun aber soll die Phobie „ernsthaft" angegangen werden. Nachdem ein großer Teil der Problematik bearbeitet wurde bzw. nachdem eine relativ große Palette an Handlungs- und Reaktionsmöglichkeiten vermittelt bzw. erworben wurde, bricht sie die Behandlung ab, um sich „den schönen Dingen des Lebens" zuzuwenden.

Die aktuelle Lebenssituation scheint stabil zu sein: Sozialkontakte, Kontakte zur Tochter und auch zum Ex-Mann bestehen. Die Biografie, die berufliche Entwicklung und die aktuelle Lebenssituation erwecken den Eindruck einer etablierten Lebenssituation und stabilen Lebensführung, auch angesichts einiger Lebenskrisen, wie Scheidung und Tod des geliebten 2. Ehemanns – und das, obwohl die Kindheitsbeschreibung den Eindruck vermittelt, dass es viele tragische Ereignisse gegeben hat. Es scheint eine hohe Resilienz zu bestehen. Die Kindheitsbeschreibungen haben traumatischen Charakter, sie müssen als Ohnmachtserfahrungen erlebt worden sein. Die Angst, in Ohnmacht zu fallen oder die Kontrolle zu verlieren, wird als zentrale Problematik/Befürchtung genannt.

Vor diesem Hintergrund erscheint der Abbruch der Behandlung, die Entscheidung, sich „schönen Dingen" zu widmen, als eine sehr selbstbestimmte Handlung. Möglicherweise haben die erworbenen Techniken/Verfahren zur Regulation, Umdeutung, Entspannung etc. das Potenzial, die Befähigung zu selbstbestimmtem Handeln vermittelt. Damit stünden sie dem Erleben von Ohnmachtserfahrungen aus der Kindheit entgegen. Ob damit tatsächlich und nachhaltig die ursprünglich als Behandlungsgrund angegebene Phobie behoben ist, sei dahingestellt.

Möglicherweise sind Erinnerungen an die Kindheit und Traumata reaktiviert worden – sei könnten ein Grund für den Abbruch sein. Bislang möglicherweise abgekapsel-te Emotionen bleiben in diesem Status. Aus der Trauma-Perspektive betrachtet eine gesunde, selbstschützende Reaktion. Die durch die Phobie verursachten Lebenseinschränkungen scheinen eher gering zu sein und nur temporär, bei notwendigen Behandlungen, aufzutreten.

Insofern ist an dieser Stelle eine befriedigende Situation entstanden. Wo besteht weitergehender Behandlungsbedarf? Warum ist das noch ein „Fall"?

Möglicherweise werden in der Zukunft notwendige medizinische Behandlungen die Klientin zurück in die therapeutische Situation bringen. Zu erwarten ist, dass künftig häufiger angstauslösende medizinische Behandlungen erforderlich werden. Vielleicht können diese mit dem erreichten therapeutischen Ergebnis, den erworbenen Techniken bewältigt werden? Vielleicht wird neue Unterstützung notwendig sein? Was spricht dagegen, sich bis dahin den „schönen Dingen des Lebens" zu zuwenden?

Autorinnen/Autoren

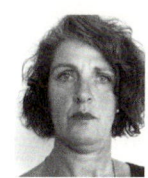

Dipl.-Soz. Kerstin Paulusson
Diplom-Sozialwissenschaftlerin und Fachlehrerin für Sozialpädagogik, Systemische Beraterin und Systemische Therapeutin

Éric Vuillard: Die Tagesordnung

„Nichts ist unschuldig in der Kunst des Erzählens."

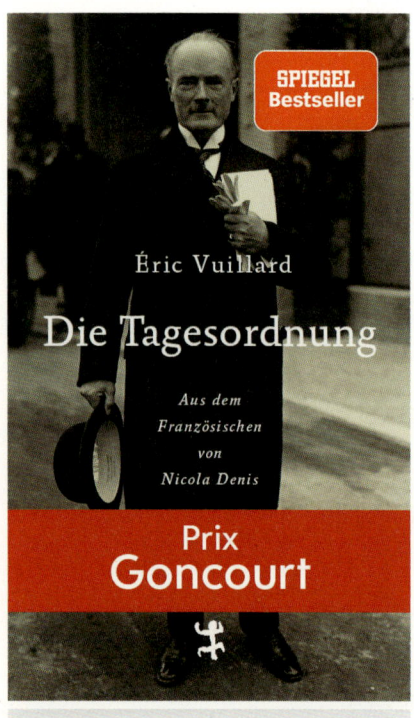

SPIEGEL Bestseller

Éric Vuillard

Die Tagesordnung

Aus dem Französischen von Nicola Denis

Prix Goncourt

Matthes & Seitz Berlin 2018;
ISBN: 978–3-95757–576-0,
18,00 €, 128 Seiten

Das auffälligste Mittel in der Literatur der Verknappung ist das Genre der Novelle. Und wie kein Zweiter stellte der Autor Stefan Zweig – besonders in den „Sternstunden der Menschheit" – eine einzigartige Sammlung solcher verknappten Weltereignisse zusammen. Das Werk blieb lange unübertroffen. Aber seit geraumer Zeit gibt es einen legitimen Nachfolger dieser Kunst des Erzählens und der heißt Éric Vuillard. Doch Novellen interessieren ihn nicht wirklich. Er erfand seine eigene Technik – die des literarischen Pointillismus. Der Autor kam 1968 in Lyon zur Welt und erhielt 2017 für „Die Tagesordnung" den bedeutendsten Literaturpreis Frankreichs – den Prix Goncourt. Nun liegt das Buch in deutscher Übersetzung vor.

Vuillard macht etwas ganz Ungehöriges – er spielt mit uns, oder besser: mit unserem vermeintlichen Wissen. Und dass dieses oft nur fragmentiert ist, ist nicht ehrenrührig. Scham ist da nicht angesagt. Aber wir Menschen neigen dazu, dennoch aus Wenigem Schlüsse zu ziehen – sog. Kurzschlüsse, die häufig fatale Folgen haben.

Vuillard scheint dies zu plagen, und daher schreibt er uns so manch scheinbar sichere historische Erkenntnis noch einmal auf. Und zwar – typisch für den Pointillismus – in einer durchkomponierten Fassung mit lauter kleinen Rochaden von keinesfalls Zufällen, die aber im großen Geschichtsbuch, diesem „homogenen Folienhintergrund", Unterbelichtung erfahren. Denn wo bekommt, nach Vuillard, die Dichte unseres Lebens den Ton kollektiver Gewissheiten? In den Supermärkten, vor den Fernsehgeräten. Zwischen Toaster und Notebook enthüllt sich die Welt in ihrem wahren Rhythmus.

Wovon wird erzählt? Was soll beleuchtet werden?

Vuillard führt uns Leser an den Beginn einer weltpolitischen Katastrophe. Der deutsche Reichstagspräsident Göring hatte am 20. Februar 1933 zu einem Treffen in sein Palais eingeladen. Dieser Einladung folgten 24 Herren des deutschen Banken- und Industriekapitals; leiser formuliert: die großen Arbeitgeber des Deutschen Reichs. Nach einer Ansprache Adolf Hitlers sollten jene dem neuen System ihre Aufmachung und Unterstützung zusagen: „vierundzwanzig Rechenmaschinen an den Toren zur Hölle". Geld gaben sie, wie man eben auf einer Aufsichtsratssitzung beim Ordnungspunkt 7 Finanzierung beschließt, bei 8 Rechtsbeugung und bei 9 Verschleierung. Vuillard beschreibt dies, und das ist seine Form der Verknappung und rührt uns gewaltig an, als „eine alltägliche Episode des Geschäftslebens, ein banales Fundraising. Sie alle (gemeint sind Krupp, Opel, Siemens, Bayer, Allianz oder Telefunken. Anm. M. F.) sollten das Regime überleben und in Zukunft mit ihren Erträgen noch weitere Parteien finanzieren." Nichts Besonderes und dennoch stockt uns der Atem. Und nun lässt der deutsche Faschismus die internationalen Puppen tanzen. Nichts mit Appeasement-Politik und internationaler Gegenwehr. Nichts mit „gegen den Teufel sei kein Kraut gewachsen". Das ist unverstellter Kapitalismus, dem gewährt wurde, was man sich selbst nicht traute. Das feine England kommt nicht sehr fein davon. Das elegante Frankreich eine Heuchelei sondergleichen. Der Blick nach Österreich eine geradezu horrorhafte Geschichte. Und Vuillard macht daraus große Literatur. „Die Wahrheit ist in allerlei Staub verstreut." Den aber kehrt der wache Franzose auf ungewöhnliche Weise zusammen und lehrt uns das Grausen.

Michael Faber, Leipzig

Quelle: Rawf8/AdobeStock

Made in Germany

Es ist schon viele Jahre her und deutlich bevor R.T. Erdogan in seinem schönen Land etwas zu sagen hatte. Mit meinem damaligen Begleiter bereiste ich sehr organisiert die Ost-Türkei: pauschal gebuchte Rundreise, Bus, mehr als 20 Deutsche an Bord, bis zum Nemrut-Berg („Bitte nicht weiter nach Osten, denn da könnte es ja gefährlich werden …").

Auf dem Rückweg nach Antalya machten wir, wie im Programm vorgesehen, mittags Rast in Kahramanmaras. Eindringlich wies der Reiseführer alle Insassen des Busses darauf hin, dass alkoholische Getränke zum Essen hier völlig undenkbar seien, da die Stadt sehr religiös islamisch geprägt sei. Man möge also bitte nicht auf die Idee kommen, etwa ein Bier zum Essen zu bestellen. Jedoch: Das Mittagessen war ach so gut, die Enteritis noch nicht wirklich überstanden, und so jammerte die Mehrzahl der Reisenden mehr oder wenig laut in Ermangelung eines Verdauungsschnapses vor sich hin.

Diesem Problem, so dachte ich, musste doch beizukommen sein, und machte mich auf den Weg. Mein Begleiter war besorgt, er befürchtete eine sofortige polizeiliche Ermittlung oder Schlimmeres. Mit den Worten: „Das kannst Du hier doch nicht machen! Die sperren Dich ein!" folgte er mir halbherzig; vermutlich in der Hoffnung, ich würde von meinem Vorhaben ablassen. Ich war jedoch zu 100 % entschlossen, „enterte" ein Café und bestellte sehr selbstsicher: "Iki Raki, lütfen!" („Zwei Raki, bitte!").

Der Mann am Tresen, überhaupt nicht irritiert, nickte mir freundlich zu und verschob eine Holzabdeckung auf seiner Seite direkt unterhalb des Tresens. Es offenbarten sich drei Kühltruhen eines zu dieser Zeit wohl marktführenden deutschen Unternehmens. Diejenige, die dann geöffnet wurde, bot einen besonderen Anblick: Voll bestückt mit eiskaltem Raki zeigte sie, dass in dieser Hinsicht kein Mangel herrschte.

Wenige Momente später standen die zwei vermutlich bestgekühlten Raki-Gläser dieser Reise vor uns. Der Mann an meiner Seite zeigte sich plötzlich überhaupt nicht mehr abwehrend und schon gar nicht zur Abstinenz neigend …

Zurück im weiterfahrenden Bus, rankten sich die Gespräche unter den Mitreisenden immer noch um das alkoholfreie Mittagessen und den vermeintlichen Fundamentalismus einer ganzen Region. Aber bekanntlich bestätigen Ausnahmen die Regel – oder umgekehrt?

Dr. med. Bettina Wilms, Querfurt

Im nächsten Heft

Standpunkte

- Zum Umgang mit Begrenzung und Tod in der Psychotherapie (Ursula Frede)
- Palliative Psychotherapie (Wolfgang Senf)

Aus der Praxis

- Transferarbeit – Psychotherapeutische Interventionen am Lebensende (Daniel Berthold, Jan Gramm)
- Selbstwert und Ressourcen am Lebensende (Sven Gottschling)
- Existenzielle Ansätze in der Psychotherapie (Alexander Noyon)
- Der Tod und die Psychotherapie – Schwierigkeiten und Chancen eines nahen Verhältnisses (Ralf T. Vogel)
- Familienorientierte Psychotherapie mit Angehörigen von Sterbenskranken und Trauernden (Miriam Haagen)
- Sterben ist keine krankheitswertige Störung (Michael Broda, Bettina Wilms)
- „Bis zuletzt leben können" – Spezialisierte ambulante Palliativversorgung, SAPV (Annette Becker-Annen)
- Bei Trost – Seelsorgliche Begleitung sterbender und trauernder Menschen (Ludwig Burgdörfer)
- Braucht ein Ethikkomitee psychotherapeutischen Sachverstand? (Angelika Rudnik, Arnd May)

Über den Tellerrand

- Trauer ist keine Krankheit, nicht durchlebte Trauer kann aber krank machen (P. Tobias Titulaer)

Die nächste Ausgabe erscheint am 10.03.2019.